NIEBLA

NARRATIVA

MIGUEL DE UNAMUNO

NIEBLA

Edición
Germán Gullón

Apéndice
Heilette van Ree

COLECCIÓN AUSTRAL

Primera edición: 12-XII-1939
Trigésima tercera edición: 15-VII-2002

© *Herederos de Miguel de Unamuno, 1914*

© *Espasa Calpe, S. A., 1939, 1990*

Diseño de cubierta: Tasmanias

Depósito legal: M. 31.506—2002

ISBN 84—670—0262—X

Espasa, en su deseo de mejorar sus publicaciones, agradecerá
cualquier sugerencia que los lectores hagan al departamento
editorial por correo electrónico: sugerencias@espasa.es

Impreso en España/Printed in Spain
Impresión: UNIGRAF, S. L.

ESPASA

Editorial Espasa Calpe, S. A.
Carretera de Irún, km 12,200. 28049 Madrid

ÍNDICE

INTRODUCCIÓN

NIEBLA (1914), la famosa y discutida novela de don Miguel de Unamuno (1864-1936), fue acogida con tibio entusiasmo en su primera salida a los escaparates de las librerías. Se la encasilló pronto en los bordes del género, junto a los textos de difícil clasificación, las anti-novelas, sin que el prestigio del escritor vasco pudiese entonces contrarrestar tan parco interés. Pasarían años antes de que variase la opinión del público lector; hace tan sólo tres décadas la ficción unamuniana recibía aplausos condicionados (Torrente Ballester, Eugenio G. de Nora); por fortuna, allá por los años del centenario del nacimiento del que fuera rector de la Universidad de Salamanca, y entreverando una avalancha de libros dedicados a su obra, aparecieron algunos estudios (R. Gullón, Geoffrey Ribbans) que apuntalarían el valor de su labor narrativa, al ofrecer un contexto crítico-literario apropiado para efectuar una lectura correcta. Coincidentemente, la novela española de los años sesenta adoptaba por aquellas fechas un carácter experimental, lo que generó un renovado interés por la novela unamuniana, clara alternativa a la ficción tradicional arraigada en los hábitos de los lectores españoles; así, y de manera indirecta, el singular carácter de la obra, su aura de modernidad, vendría a justipreciarse [1]. Semejante conjunción de circunstancias arrojó un balance positivo; hoy en día pocos dudarán de que NIEBLA es un clásico de la novela moderna europea, que figura con derecho propio al lado de las obras de Virginia Woolf o de Luigi Pirandello. La caracterización viene además avalada por la atención que dos de los críticos teóricos de mayor influencia actual, Wayne C. Booth y Robert Alter, le han dedicado en sendos estudios.

Por desgracia, Unamuno, amigo de relatar con minuciosidad la génesis de sus obras, no dejó testimonio alguno de la elaboración de NIEBLA. Resulta curioso, como observa Mario J. Valdés [2], esta falta de mención en su extensísimo epistolario; no obstante, adviértase un dato revelador en lo referente a su publicación: el manuscrito, casi en la misma forma en que vio la luz, existía varios años antes. De hecho, lleva la fecha de agosto de 1907, y la primera edición (1914) sólo contiene dos adiciones significativas al manuscrito: 23 líneas en el capítulo XII, y 18 más al final del capítulo XXXI [3]. El resto de las enmiendas o variantes del texto impreso con respecto al manuscrito son condensaciones y arreglos estilísticos dirigidos a conseguir una mayor expresividad.

El manuscrito parece un segundo borrador, por las pocas correcciones que contiene, observación que provocó incluso la negación [4] de que la novela estuviese construida a lo que salga, sin plan previo, el método compositivo predilecto del escritor. La única, e indirecta, referencia a NIEBLA que figura en el epistolario, surge en una carta a Jiménez Ilundáin de comienzos de 1913, donde le confía la reanudación de la «novela interrumpida hace cuatro años», sin mayores especificaciones; por la fecha y los datos mencionados, identificamos la narración reanuda-

---

[1] Spires pospone el reconocimiento a los años ochenta.
[2] Introducción a *Niebla*.
[3] Valdés, Introducción.
[4] Turner.

da con nuestra novela. Las mismas palabras «novela interrumpida» aparecen tachadas en el manuscrito, cruzadas sin duda al comenzar la revisión final. Existe una discrepancia entre los siete años que van de 1907 a 1914, aunque pensando que la redacción ocurría allá por el verano de 1907, y que volvió a ella a finales del 12, la distancia entre el siete y el doce son cinco años; probablemente, Unamuno calculó, por error, que eran cuatro.

La fecha sitúa a NIEBLA en una posición extraordinaria, a la vanguardia de la producción novelística moderna continental; de *Sei personaggi in cerca d'autore* (1921), de Luigi Pirandello (1867-1936), frecuente término de comparación, la separan nada menos que trece o catorce años, lo que elimina cualquier argumento o dudas con respecto a la primacía de sus novedades novelescas. NIEBLA, la creación que dramatizó el supremo dilema del hombre moderno a los comienzos del siglo XX, la inseguridad del ser humano, preocupado por el destino y el puesto que le corresponde en el universo, surcó caminos ignotos para la ficción moderna; de ahí la lentitud en conferirle un cerrado aplauso.

IDEAS DE UNAMUNO SOBRE LA NOVELA

Isaiah Berlin, en una conferencia sobre León Tolstoi, dividió a los intelectuales en dos categorías, los centrípetas y los centrífugos. Los primeros reflexionan, poniéndolo en términos simbólicos, a la manera del erizo o de la tortuga, vueltos hacia un punto, elaborando cuidadosamente las especulaciones iniciales con el fin de cuadrar lo argumentado, sin dejar cabos sueltos. Sus clasificaciones o explicaciones lógicas quedan al fin resueltas y atadas. Existe, en cambio, un tipo de escritor, simbolizado por el zorro o el caballo, que gusta de la aventura, de lanzarse cuesta abajo en la indagación de un problema. Le importa poco perder de vista la avenida central por la que camina su mente, y explora cuantos recovecos le salgan al paso, sin detenerse a considerar su centralidad o las conexiones que mantenga con el asunto principal. A este tipo, entre quienes sitúo a Unamuno, los denomina centrífugos. A diferencia de los centrípetas, el intelectual centrífugo cumple su misión cultural aportando ideas, las que encuentra en esas descubiertas sin norte fijo. En el caso de don Miguel, su insigne contribución al pensamiento español descansa menos en el número de sus ideas —ya que, como dijo Julián Marías, las mismas se reiteran— que en las estrategias desplegadas para abordarlas desde diferentes ángulos: el modo en que don Miguel se sumergía con regularidad en la página, intentando abrir sendas para mejor expresar sus intuiciones centrales, fuera en un poema o en artículo destinado a la prensa diaria.

Parece desaconsejable moldear demasiado las ideas unamunianas en un corsé teórico, puesto que el discurrir siguiendo pautas estrictas le fue ajeno. De todas formas, sus nociones sobre la novela, en las que aquí repararemos, sí son susceptibles de inserción en las líneas de desarrollo de la teoría novelesca nacional. Cabe decir que el pensamiento teórico en torno a la novela española se inauguró oficialmente con los escritos de Leopoldo Alas —aunque Manuel de la Revilla y Benito Pérez Galdós contribuyeron al nacimiento con artículos estimables—, y casi me atrevería a precisar que con sus reseñas a las llamadas novelas contemporáneas de Galdós, en concreto a *La desheredada* (1881). Allí empieza Alas a apostillar con sistema aspectos técnicos de la creación novelesca, tales como el empleo del monólogo interior, o de la recepción y el papel del lector ante la obra. *Clarín* elaboraría a lo largo de los años una teoría de la novela en la veta de sus admirados Flaubert y Zola, similar a la de su coetáneo Henry James, y parcial a la composición novelesca centrada en el cuidado formal. Hay que destacar en esta línea el mérito relevante de crear intelectualmente, de que los autores procedan con consciencia de las implicaciones estéticas de la labor artística. Miguel de Unamuno, y sus ideas sobre la ficción, desparramadas —reiteradas— por infinidad de páginas de artículos, cartas y libros, supone en esa línea el eslabón siguiente al de *Clarín,* en esa tradición en que el autor ejerce su tarea creativa consciente del poder y del valor de los recursos del género.

Cuatro trabajos unamunianos, «A lo que salga» (1904), la *Vida de don Quijote y Sancho* (1905), el Prólogo a *Tres novelas ejemplares y un prólogo* (1920), y *Cómo se hace una novela* (1926-27), contienen lo esencial de sus ideas. Una lectura inatenta hace pensar que son asistemáticas. Sin embargo, consideradas con detenimiento, revelan una coherencia, aunque distinta de la que encontramos en una retórica normativa. Veámoslas.

La teoría de la novela nace y se desarrolla en un contexto cultural determinado; *Clarín* alumbraba la suya en el último cuarto del siglo pasado, cuando los sistemas de valores, las ideologías entraron en crisis. El mundo en su organización social y política iba abriéndose, incluyendo a masas de ciudadanos carentes hasta entonces de voz política. Por todo ello, el pensamiento y el sentir individual, la condición humana circunstancial, pasaban a ocupar una posición de mayor visibilidad, desplazando a las maneras establecidas de comportarse en las diversas manifestaciones de la actividad humana. La verdad afloraba con carácter plural, y para alcanzarla holgaba el recurrir a un *dictum,* a la norma; era forzado sumar opiniones dispares, derivadas de las circunstancias personales. Durante el período naturalista, cuando Alas compone su teoría, el autor se dedicará a registrar esa multiplicidad, confeccionando una novela polifónica, contada a varias voces, y escondiéndose tras el velo de la objetividad. La novela principiaba la cesión de las prerrogativas de trascendentalidad y el autor renunciaba a su papel de autoridad suprema del universo ficticio. En ese vértice hay que colocar las ideas unamunianas sobre la novela, cuando el libro pierde los últimos vestigios de sacralidad, de portavoz del mensaje y de vehículo de la Verdad, y se entrega al público garantizado por sus propios méritos o deméritos [5].

---

[5]   Navajas.

Conviene recordar que cuando Unamuno explora los problemas de la ficción, su pensamiento ha madurado con respecto a muchos de los dilemas filosóficos básicos. Por ejemplo, en los escritos de juventud percibimos el enorme esfuerzo desplegado para comprender la interrelación entre lo externo y lo interno, que en 1900 le llevó a exclamar con todas las fuerzas de sus pulmones el comprometedor grito de: «¡Adentro!» La exclamación apunta a la meta siguiente: la exploración de los ámbitos de lo íntimo, del alma, de lo intrahistórico. Consecuentemente, esta postura se traduce en lo literario mediante la palabra «nivola», denominación con la que rebautizaría la novela; la simple sustitución de la «o» por una «i», pregona con igual estridencia que lo *o*bjetivo (n*o*vela) ha sido suplantado por lo *i*nterior (n*i*vola). Su primera narración larga, bastante nivolesca ya, *Paz en la guerra* (1897), evidencia claramente ese estado de cambio, o de indecisión inicial, cuando el atractivo de lo histórico allí contado, el sitio de Bilbao durante la guerra carlista, se contrasta con las vivencias individuales. Unamuno recreaba un episodio de la niñez, y al comienzo de la madurez, cuando lo noveliza y pasa la realidad por el tamiz de la ficción, deja atrás lo palpable, para concentrarse en los efectos que los sucesos externos producen en el alma del individuo. La actitud filosófica de desligamiento de la realidad, de interés por las galerías del alma, se vierte consecuentemente en la creación de una novela con predominio de lo íntimo.

Poco a poco, Unamuno irá consignando en la página impresa las observaciones que le sugiere la práctica del oficio. La primera exégesis de importancia vendrá en el artículo «A lo que salga». Establece allí la repetida distinción entre dos tipos de composición, la ovípara y la vivípara. La diferencia, que recuerda la de centrípetas y centrífugos aludida antes, contrasta a quienes empollan sus ideas y argumentos, se sientan sobre ellos, los calientan hasta quebrar el cascarón, con los que ponen el acento en la gestación de ideas, quienes las elaboran, amoldando, conforme lo requiere, el proceso intelectivo. Escribir a lo que salga, vivíparamente, sin esquema, es el modo preferido por el maestro de Salamanca; el acto de la creación resulta así crucial, porque la escritura se asemeja al momento del parto, por la intensidad, cuando el autor se entrega por entero, con los sentidos en tensión, rompiendo la lógica de lo externo, de todos los órdenes, para que la vida resulte menos predecible, más manejable: el escritor corta las ataduras del sentido común e incluso de la lógica.

El artículo explora el modo en que las innovaciones intelectuales se traducen en la creación. En realidad, el pensamiento de Unamuno marchaba sincronizado con la filosofía moderna, durante el declive de las grandes ideologías, cuando la aritmética mental de Occidente superaba los saberes basados en la suma de ideas orientándose hacia su yuxtaposición. También se ajusta a una realidad con la que todos los escritores modernos debieron enfrentarse, dada la proliferación de saberes, de disciplinas, la multiplicación de objetos, de posibilidades de conocimiento. El intelectual, al verse incapaz de conocerlo todo, de proceder por medio de síntesis acumulativas, tuvo que recurrir a la yuxtaposición de los saberes.

Tan sólo un año después de «A lo que salga», publicó el vasco uno de sus ensayos cimeros, la *Vida de don Quijote y Sancho,* alistando al libro cervantino en su infatigable asalto a la realidad en busca de lo subjetivo y como paradigma novelesco de lo íntimo. Propuso una lectura del libro distinta a la que primaba por entonces a la hora de estudiar la ficción, reduciendo la importancia de la búsqueda de fuentes, de los estudios eruditos tradicionales, que anclan los textos a sus características exteriores, lastrándolos con los datos autoriales, antecedentes personales, familiares, escolares, lo cual resulta un impedimento para que los lectores sientan el vértigo de la lectura.

Unamuno insiste en que los «ismos» decimonónicos —el positivismo, las distintas ramas del naturalismo, el empirismo— se ocuparon de representar el reino material, valiéndose del sentido común, de la lógica, de los instintos. Y dice, sin decir, que la novela influenciada por ellos siguió los caminos del sanchopancismo, mientras que el ideal quijotesco, que se auxilia con el espíritu y la fe de la pasión, carece de programa para ahondar en el reino espiritual y por eso ha permanecido, en su mayor parte, sin ejercitar. Hay una prueba en este texto cervantino que decide si uno es abocado al sanchopancismo o al quijotismo; cuando don Quijote elige ponerse la bacía del barbero de casco, se la ajusta con la firme convicción de que es un yelmo, no una bacía ni un baciyelmo. Y la fe en esa creencia reside en la raíz del quijotismo, el tener fe en nuestras acciones, en la palabra, por un acto de voluntad. Afirmar con Sancho que es un baciyelmo, supone escurrir el bulto; se cree que es una bacía o que es un yelmo. Los fuertes dirán yelmo; los increyentes, bacía; los timoratos, baciyelmo. Así llega el hombre a la penetración íntima de la verdad, a crearla, olvidando la lógica y las apariencias, conducido por la voluntad, por el querer creer. Esa es la lección impartida por nuestro señor don Quijote.

¿Cómo consigue el novelista conquistar el reino interior para la novela, que ésta refleje la vida del alma en lugar de lo que sucede en la calle? Desterrando del texto los dos tiranos del espíritu, las referencias al tiempo y al lugar, y mediante la elevación del lenguaje al puesto ocupado previamente por «lo real». Los libros de caballerías constituyen un ejemplo a seguir, por carecer del entramado lógico y de las tiránicas conexiones espacio-temporales positivistas. Unamuno explica además que el lenguaje interesante para él abre fisuras y permite que florezcan significados imprevistos en vez de constatar la existencia de lo externo; la palabra libera al hombre en vez de sujetarle a un mundo con significados prefijados. Cuando un personaje dice algo, el mero hecho de que lo enuncie es suficiente para que lo aceptemos como verdad, aunque en realidad no lo sea; el decirlo lo convierte en verdad. Luego revisaremos el caso del pirotécnico en NIEBLA, el ciego que alaba ante cuantos encuentra en el camino la belleza de su esposa, ignorante por su invidencia de que el hermoso cuerpo fue devastado por las llamas. Unamuno alude a la belleza expresa en la voluntad del que lo dice y, complementariamente, de quienes le escuchan, los que entienden que la esposa sigue siendo bella a los ojos (de dentro) del ciego.

El lenguaje unamuniano no se corresponde con la realidad externa, precisamente porque busca situarse en el intraespacio o recoveco que separa la lengua y su referente, donde los hablantes interponen su personal interpretación de la realidad. El verdadero lenguaje se genera en el diálogo, cuando en el intercambio entre dos yos se da esa posibilidad de que el lenguaje exprese algo distinto a lo que las meras palabras significarían en un acto de mimetismo referencial. De lo que se sigue que para Unamuno la lengua es algo social; la lengua y sus significados no vienen encapsulados en un diccionario regular ni en los diccionarios de frecuencias: nacen en la actualización dialogal. La novela, por lo tanto, debe despegarse de lo lógico, de lo externo, y, valiéndose de una palabra desreferencializada, actualizada en el diálogo, abrir las entrañas de lo íntimo y captar cuanto surja entre el mundo y sus rígidas convenciones y el espíritu.

El «Prólogo» a las *Tres novelas ejemplares y un prólogo* (1920) expone el abecedario de las ideas unamunianas sobre el género —y aunque la sistematización fuera elaborada con posterioridad a la publicación de NIEBLA, se aplican por igual a esta novela—, y siguen en la línea de las expuestas hasta aquí. La novedad reside en la pluralización de la intimidad de que comentábamos hace un momento. Unamuno divide a los dialogantes, explicando que cuando dos personas hablan (Juan y Tomás) se trata en realidad de seis comunicaciones: los tres Juanes y los tres Tomases (el Juan que es, conocido sólo por el Hacedor; el Juan ideal de Juan; el Juan ideal de Tomás; y el Tomás que es; el Tomás para Tomás; el Tomás para Juan). De esta manera, Unamuno ahonda la intimidad del ser y especifica las diversas vías de manifestación de lo íntimo, insistiendo, a la par, en lo mismo que dijo en su ensayo anterior: lo crucial para un ser es el creer (antes lo expre-

só refiriéndose al lenguaje, que expresa lo que uno cree),
pues creer es crear.

Aborda asimismo el problema de la recepción literaria.
Establece la diferencia entre dos tipos de lectura, la hecha en plan de diversión y la efectuada para re-crearse.
La primera manera sirve de entretenimiento gracias a la
peripecia, mientras que con la segunda vivimos la obra
en sí. Cuando Unamuno leía el *Quijote* lo recreaba y se
apropió de él; el *Quijote* de Cervantes y el de don Miguel
difieren bastante. La lectura activa sustituye al escritor al
actualizar su texto, es decir, al entrar en contacto con lo
íntimo, al vivirlo, pues la conciencia se manifiesta a través de la palabra y no en las exterioridades del trato.

Por último, Unamuno retornó en *Cómo se hace una novela* (1926-27) a ideas ya expresadas, centrando sus reflexiones en torno al concepto de la novela como género
abierto. Comenta la inutilidad, en su opinión, de emplear
un argumento, de interesar al lector en el qué pasa y en
los «a continuación», defendiendo la apertura genérica;
lo esencial no reside en cómo se cuenta, sino en el cómo
se hace. Y se logra en la actualización de la lectura, con
pasión, recreando el receptor lo leído. La novela carece
de final, porque cada uno compone su propia ficción, y
ésa jamás termina.

CONTEXTOS PARA LA LECTURA DE «NIEBLA»

La novela moderna: la narración y el lector

La imagen implícita en el título, *niebla,* sintetiza con
eficacia el propósito novelesco de Unamuno: difuminar
los contornos físicos del espacio ficticio, desdibujar lo
visible, y que, a su vez, lo intangible sustantivice a lo palpable. El carácter de las descripciones físicas de los
personajes y de los lugares aparece en nebulosa; en consecuencia, la novela carece de volúmenes nítidamente de-
finidos, con lo que la progresión o suma de lo contado se

resiente, porque acumula formas sin las dimensiones, digamos, geométricas a falta de un adjetivo mejor. Habitualmente, el autor configura los perfiles de los personajes envueltos en una acción, en la que, poco a poco y procediendo de acuerdo a las reglas de la causalidad, compone una trama, un conjunto. Aquí los personajes carecen de esa consistencia, su físico resulta un meta-físico. En fin, la inscripción de los seres y sus espacios en el texto exhibe características inusuales.

Entiendo que una novela tradicional cuenta una historia cuyo argumento pasa por las fases de planteamiento, nudo y desenlace, y sucede en un escenario que refleja los ámbitos cotidianos, poblados por seres semejantes a los ciudadanos normales, aunque dotados con la excepcionalidad que les presta el enmarcado ficticio. Cuando pensamos en una novela clásica, convenimos además en que hablamos de una narración contada por el autor al lector, que afecta la sensibilidad del receptor, dejándonos tristes, contentos, suspensos, etc. El autor, quien cuenta, es figura de autoridad, mientras los lectores permanecemos de puros escuchas, de receptores pasivos; un aspecto clave de este tipo de historia y de la interacción entre el autor y el lector se refiere a su ordenación, a que venga proporcionada y estructurada de forma que conduzca a un final donde todo quede resuelto. La narración sintetiza lo real, lo capta y lo ordena. La novela de Unamuno marcha por el sendero opuesto, tiende a romper esa linealidad, varía el énfasis y el acento narrativo. Sus novelas desplazan el acento desde la narración (el autor cuenta y el lector recibe el mensaje pasivamente) hacia la narratividad, y esto quiere decir que incluyen al lector como ente activo a la hora de considerar lo contado. La transacción que supone este tipo de relato establece una relación de entendimiento, de diálogo entre el autor y el lector a través del texto, cooperando el lector en la elaboración del significado y los sentidos de aquél.

El fenómeno lo hemos explicado ya en parte; cuando se vinieron abajo los sistemas ideológicos decimonónicos, el novelista tuvo que buscar un consenso distinto, pactar con su audiencia y renovar los acuerdos que regulan el intercambio de lectura. Al desaparecer ese techo, proceso agilizado por el avance de los sistemas subjetivos, el novelista se vio obligado a abrir la escritura, a contar con el lector al establecer las bases de entendimiento textual. El contraste existente entre el prólogo de Víctor Goti y el post-prólogo unamuniano dramatiza esta situación: el personaje y el autor divergen con respecto a la causa de la muerte de Augusto Pérez, el protagonista de la obra; mientras el uno dice que Augusto se suicidó, el autor afirma que él decretó la muerte del personaje. En consecuencia, el lector tiene que decidir con qué versión quedarse, y, lo que es más importante, debe sopesar las implicaciones de ambas soluciones.

Otra característica esencial se deriva de la anterior y resulta necesaria para entender correctamente el libro que tenemos entre manos. Si el universo de NIEBLA, determinado por un sistema de valores, proviene del libro mismo, y los valores los aporta el lector o los deduce de su lectura, la novela existe huérfana de trascendencia: su significado le es inmanente. Esto es muy importante y debe servir para aclarar dónde se inscribe la obra en el panorama histórico-literario español.

A Unamuno se le clasifica por rutina bajo una etiqueta que goza de decreciente vigencia, la de generación del 98. Los cambios en nuestra cultura (y en el resto de Europa) ocurrieron bastante antes de la pérdida de nuestras colonias ultramarinas; de hecho, a partir de 1885 la mente europea comenzó a cambiar de rumbo, a hollar el albor de la época moderna, cuestionando a fondo los modos de juicio precedentes. En España, Galdós y *Clarín,* entre otros, compartían con Unamuno y Valle-Inclán muchos rasgos de rebeldía hacia la cultura reinante y, sobre todo, esa vuelta hacia lo inmanente con el consiguiente abandono de todo propósito trascendentalista. En *Fortunata y Jacinta* (1887), Fortunata, la protagonista, tiene un hijo ilegítimo con el señorito Juanito Santa Cruz, hecho que convence a la chulita madrileña de que le asiste el derecho a ser su mujer efectiva, aunque el bribón tenga una esposa legítima. El resultado, sin entrar en demasiados detalles, es que el lector se queda al final de la obra pensando si Fortunata lleva la razón, en vista de que la familia Santa Cruz adopta al hijo de Fortunata y Juanito, con lo que se consagra de hecho esa relación no sancionada legalmente. Dos sistemas de valores chocan en ese final: el acostumbrado en que las relaciones extramatrimoniales son ilegales y el sentimiento de Fortunata que legaliza todo por medio del amor y la entrega. Galdós pone la opción en manos del lector; deja la obra abierta. Como en esta novela, en las siguientes hará algo parecido. Hace un momento indicaba que Unamuno tampoco determina la manera en que muere Augusto Pérez; nosotros habremos de decidirlo.

La inmanencia caracteriza, por tanto, al «ismo» que con distintas vertientes, desde el simbolismo a la vanguardia, denominamos modernismo, y que se singulariza por nacer carente de una filosofía que lo precediera. El realismo, por ejemplo, tenía detrás al positivismo que respaldaba los principios vigentes para ver y comprender el mundo. Cuando Galdós insistía en sus reseñas primerizas en que los escritores deben concentrarse en reflejar la realidad, y ponía como ejemplo a don Ramón de la Cruz y a Ventura Ruiz Aguilera, holgaba argumentar las bases filosóficas de su perspectiva, el ambiente intelectual del momento; desde la elaboración de la historia al entendimiento del mundo sustentaba una visión que colocaba a la realidad como medida y eje de todo el universo. Poco a poco, en la última década del XIX aparecieron fisuras en el esquema; el individuo iba instalándose en el centro del universo, con lo que se inició la pluralización de los valores propuestos en las diferentes obras. El lector, desasistido de unas reglas fijas, recurrió a inferir el sentido de los textos particulares. El modernismo supuso un gran movimiento de renovación intelectual, cuya característica esencial reside en la inmanencia, en que los significa-

dos que propicia se hallan en los textos que lo componen.
En este sentido, Unamuno es el escritor modernista por
excelencia, pues según observamos al repasar sus ideas sobre la novela, su meta reside en la actualización de lectura de las posibilidades textuales, abandonando toda lógica
u ordenación pretextual.

La tradición novelística española: nivel ficticio y nivel metaficticio

La cultura española, insistentemente calificada de realista, posee muchas otras cuerdas en su arco. Hay una a
la que apunto aquí que se hace historia con los nombres
del Greco y de Goya, en lo que respecta a la pintura, y
que en la prosa conoce también varios practicantes de excepción, el Arcipreste de Hita, Fernando de Rojas y Francisco de Quevedo. La novela *El Buscón* (1626), por ejemplo, recoge una visión del hombre disonante con la ofi-
cial de su época, y representa, con una fuerte ironía, los
desajustes del hombre frente a las justificaciones canóni-
cas del carácter de la naturaleza humana. Don Benito Pérez Galdós, dos siglos después, en *El amigo Manso* (1882)
reinició tal tradición en un momento de inspiración genial y con un esfuerzo aislado, al presentar a personajes
novelescos conscientes de la inestable relación entre las personas y cuantas teorías explicaban el puesto del hombre
en el mundo y sus relaciones con el entorno. Ángel Ganivet, en *Los trabajos del infatigable creador Pío Cid* (1898),
y Unamuno, en NIEBLA, minaron en la misma tradición que
en el último cuarto de siglo ha logrado el espaldarazo mun-
dial en la obra de Jorge Luis Borges, gran admirador y
continuador del escritor vasco. Dicha tradición cuestiona
las relaciones del ser con las teorías que lo explican, con
escasas variantes, adelgazando el peso del ser en la persona humana, mediante la ironía (Galdós), la parodia (Ganivet, Unamuno) y lo paradójico (Borges). En NIEBLA
manejamos un texto donde la naturaleza humana aparece inestable (el ser humano sigue sin ser explicado), forma-

da por una lucha de fuerzas, en perpetuo conato por contrapesarse, por vencer la una a la otra. En esencia, el hombre existe acongojado por su finitud, por la amenaza de verse reducido a la nada, y de ahí sus esfuerzos por perseverar, el deseo de ser. El individuo, quien vive en sociedad, se define por sus límites, se contrapone con la persona, el hombre visto en su proyección interior, que tiende y desea la infinitud, la inmortalidad. La narración devolverá en su espejo esa inquietud y división, esa lucha, junto con el resto de los aspectos que venimos elucidando en las ideas de Unamuno sobre la novela, la actualización, el diálogo, y la importancia del lector en la creación del significado.

Unamuno intenta presentar en sus escritos una realidad humana en desacuerdo con la realidad vivida; por mucho que el ser humano desee inmortalizarse, resulta que nuestra finitud biológica nos confina en términos físicos y espirituales. Su novela NIEBLA presenta a un personaje, el protagonista Augusto Pérez, deseando que la realidad fuera distinta a como es (semejante a la vivida por el lector). En un momento cumbre, cuando el personaje llega a ensoberbecerse ante su creador, exige que las cosas sean como él quiere que sean en lugar de como son, y los lectores nos sonreímos ante el ansia de controlar el destino propio, sabiendo que el mundo funciona de manera distinta. El personaje no lucha contra un imposible (don Quijote ante los molinos de viento), que provoca una reacción cómica, o contra la trágica realización de que no podemos modelar el mundo de acuerdo con nuestra imaginación (ejemplificado en el episodio de la cueva de Montesinos), sino de una absoluta inadecuación del ser ante la realidad, del fallo absoluto, pesimista, de la conciencia humana en el momento de presentar sus anhelos y justificar los medios de conseguirlos. Unamuno recurre a la parodia del personaje y sus acciones, porque se sabe incapaz de resolver su propio dilema o de entenderlo en sus últimas consecuencias. Cervantes hizo comprender al lector, mediante su inmortal personaje, la locura de combatir a los moli-

nos de viento y las consecuencias de convertir en ficción
la realidad; el otro Miguel nos enfrenta ante una realidad
cuyas conceptualizaciones presentes, el cómo entendemos
el mundo en la actualidad, resultan ineficaces, y por ello
tiene que subvertirlas, burlarse de ellas, por si en los recovecos las entreviéramos distintas, más esperanzadoras.
El personaje unamuniano resulta totalmente ineficaz para
resolver los dilemas cotidianos —si sacar el paraguas
a la calle en previsión de una posible lluvia—, o los asun-
tos de índole vital —el contraer matrimonio o no hacerlo—, al igual que los de corte existencial: si existe o no.
En novelas posteriores, el escritor vasco tocará el mismo
tema, la inadecuación del ser humano y sus concepciones
del mundo para resolver sus dilemas existenciales (San Manuel incapaz de utilizar la fe para calmar el pesimismo propio sobre la posibilidad de vida más allá de la muerte),
aunque allí variará la clave. La paródica, que cuenta con
un precedente ilustre en *Los trabajos del infatigable creador Pío Cid,* de Ángel Ganivet, sólo la utilizará en *Amor
y pedagogía* (1902) y NIEBLA.

   Amor y pedagogía precedió a NIEBLA, de acuerdo con
el manuscrito que conservamos, en sólo cinco años, y está
estrechamente vinculada a ella. Quizás un somero repaso
al tema de *Amor* permita entender mejor NIEBLA. Baste
con pensar que en la primera obra un padre absorto por
las modernas teorías pedagógicas, educa a su hijo cientí-
ficamente, entrenamiento insustancial que cede ante el primer empuje de la pasión amorosa. La conclusión resulta
evidente: ciertas emociones o sentimientos personales son
irreductibles a explicaciones que los domestiquen y per-
mitan su encauzamiento en sistemas de pensamiento. El
hombre, puesto al descubierto, enfrentado con sus explicaciones, parece ridículo cuando éstas se vienen abajo.
Unamuno utilizó la ficción como vehículo de ese encuentro, porque allí experimenta con el ser, dejándolo en suspenso, libre de apoyos, de la cultura en que vive inmerso.
No olvidemos lo que Unamuno pensaba acerca de dejar
al ciudadano sin esos apoyos, según lo expuso novelísti-
camente en *San Manuel Bueno, mártir.*

El que don Miguel dejara pasar varios años antes de publicar NIEBLA indica algo de sus dudas respecto a lo escrito, quizás por lo radical de su factura. Una cosa era escribir a lo que salga, sin plan, en lo que insiste en el famoso (y central) capítulo XVII, donde aparece también aquello de que no es novela, sino nivola, y otra cosa distinta desensamblar la obra a la vista del público. Todo ello, el que se vieran las junturas que unen el conjunto, le debía parecer demasiado extremoso.

En principio, el personaje aparece casi «in medias res». Su presentación carece de los andamiajes usuales en los relatos narrativos, una descripción introductoria en que se asiente la ficha biográfica y los datos de ubicación sociohistórica. La presencia de Augusto Pérez resulta de entrada poco sólida, el personaje sale al escenario sin que la autoridad de un narrador lo avale; en lugar de venir arropado en unas largas descripciones, el personaje aparece presentándose a sí mismo. Predomina en el texto el diálogo sobre otros recursos narrativos [6], lo que supone una preponderancia de la palabra hablada, de lo dicho sobre los hechos. Todo ello sumado supone un serio colapso de la ficción en su forma habitual, y es indicio de que el pacto autor-lector tradicional queda anulado.

Cuando la ficción resulta incapaz de sostenerse a sí misma porque ha perdido el sostén del mundo exterior, el novelista se ve obligado a recurrir a una pirueta para mantener el equilibrio de lo ficticio, para que las paredes del género no se le vengan encima. De un mundo pensado en varias dimensiones tiene que trasladarse al mundo del lenguaje sin volúmenes, digamos al espacio plano de la palabra escrita (impresa) en la página. Los personajes y los episodios novelescos se disuelven, pierden cuerpo, entidad física, transformándose en algo que nada afecta a los seres y a las acciones de cada día, los que acostumbramos a revivir y a leer en las novelas tradicionales realistas. Entonces, los lectores, el autor y la novela entran poco

---

[6]   Del Río, Criado, Valdés.

a poco deslizándose en el terreno de la metaficción, y comienzan a mirar hacia atrás y preguntarse dónde quedó la ficción. Y ésta entra en el terreno de la metaficción, cuando el autor comienza a comentar sobre la propia ficción.

En el pórtico de la novela, en el prólogo de Víctor Goti y en el post-prólogo de Unamuno, se cruza esa raya en las versiones encontradas sobre la muerte de Augusto: Víctor afirma que Augusto murió porque el personaje lo deseaba, mientras que Unamuno dice que el personaje murió porque el autor lo determinó. La (meta)ficción aquí tiene por objeto otra ficción, la de la muerte de Augusto. La metaficción supone, en última instancia, una explicación de los códigos y convenciones que rigen en la novela, pero realizada desde fuera del área propia de la ficción; para un ejemplo claro de metaficción puro, véase el final del capítulo XXV. Su función es cuestionar los supuestos constitutivos del género, el carácter de lo ficticio y de lo real, y establecer con el lector las bases del pacto individual que se establece con la lectura de cada novela.

NIEBLA supone, como he aducido al comienzo, un ejemplo clásico de la novela moderna, cuando la ficción pasó de ser un puro vehículo narrativo transmisor de historias y se metamorfoseó en una narración textual. A la transmisión de una historia hay que sumar ahora las explicaciones al lector de los mecanismos, de las parcialidades compositivas, y todo ello, como he dicho, enmarcado por la cuestión central que recorre la tradición novelística del presente lejano, la percepción de que la naturaleza humana resulta irreflejable en su enteridad, de que hay que introducirla en su desintegración.

LA RADICAL DRAMATIZACIÓN DEL GÉNERO

Allá por los aledaños del 1885 la novela española introdujo una novedad en la práctica textual de la ficción, de enormes repercusiones en la narrativa unamuniana: la preferencia expresada por los narradores de postergar las formas tradicionales de contar, la descripción y el uso de presentaciones panorámicas, por la escena y el diálogo. La pura narración, los párrafos largos, contados por un solo narrador ceden el paso a un tipo de contar hecho a varias voces, polifónico. Una simple mirada a una novela romántica, pongo por caso, y a una novela de Leopoldo Alas muestra lo alegado. Naturalmente, esto se relaciona con la idea reiterada de la progresiva disolución de los sistemas de valores, el avance desde uno coherente, unitario, al elaborado con mayor flexibilidad, con diversos puntos de vista. De hecho en NIEBLA la mera narración resulta escasísima, la mayor parte del texto está compuesto por diálogos y monólogos, y de cinco novelitas intercaladas, donde también hay mucho diálogo.

El resultado de este tipo de narración es bastante obvio: el narrador prescinde de las descripciones y de los resúmenes de la acción; lo que suceda en la obra lo aprenderemos a través del diálogo, de las conversaciones habidas entre los personajes. El papel del lector crece: desde la función de meros espectadores a la de participantes en la conformación del sentido de lo dicho, somos los encargados de la actualización textual. Además del diálogo, NIEBLA presenta una novedad significativa en el uso de la presentación del discurso inmediato, es decir, de cuando penetramos en la cabeza, en los pensamientos de los personajes directamente, bien sea mediante el uso del soliloquio, bien, sobre todo, del monólogo interior y en la corriente de conciencia, técnica en cuyo uso Unamuno antecede a Joyce (Bloom) y a Faulkner (Benji). El monólogo interior y la corriente de conciencia se distinguen en que en el primero los pensamientos de los personajes aparecen ordenados, mientras en el segundo escuchamos al subconsciente en acción. Establecer una línea divisoria entre ambas técnicas es difícil: un ejemplo de la segunda se halla en el primer párrafo del capítulo IV, y un ejemplo del primero en el sexto párrafo del I capítulo. Lo que me interesa destacar aquí es simplemente que ambas formas suponen un intento de dramatizar la obra, de presentar el caso directamente al lector, como si lo estuviésemos leyendo en un teatro, el gran teatro de la nivola.

Al final de la novela hay un epílogo, donde monologa el perro Orfeo, compañero del protagonista. Allí tenemos un pasaje metaficticio, donde el fiel perro explica que Augusto hablaba y hablaba como todos los seres humanos, y que se deja envolver en las palabras, creando explicaciones a lo que no las tiene, a esa niebla que es la existencia humana [7], y porque ser hombre es precisamente eso, hablar, hablar, crear teorías que nos justifiquen, que nos hagan existir, para al final revertir al silencio, a la verdadera medida de todas las cosas.

INTERPRETANDO EL LENGUAJE UNAMUNIANO

El discurso narrativo moderno, en el que la transmisión de hechos verificables ha perdido primacía, exige un tipo de lectura particular, que ilumine aspectos textuales desatendidos por el interés del lector. Acto seguido, propongo un modelo de exploración del texto unamuniano, de una novela en la que el significado nace en el decir y no en la representación implicada en lo dicho, que facilite el placer de la lectura de NIEBLA en los términos en que el autor la concibió. Pondré bajo el foco analítico un microcosmos comunicativo de NIEBLA, una de sus famosas novelitas intercaladas, concretamente la del pirotécnico, que aparece en el capítulo XXII.

Antes de entrar en el tema, conviene que añada una referencia textual de suma importancia, las circunstancias por las que Augusto relata la célebre historia del fogueteiro portugués, su enmarcado. Hallándose en diálogo con Víctor Goti, éste le participa el nacimiento de su hijo, calificando el estado en que ha quedado la esposa tras el parto en los siguientes términos: «Tan ciego estoy, que todos

---

[7]   Zavala.

dicen que mi Elena ha quedado con la preñez y el parto desfiguradísima, que está hecha un esqueleto y que ha envejecido lo menos diez años, y a mí me parece más fresca, más lozana, más joven y hasta más metida en carnes que nunca.» Evidentemente, la confesión contiene una situación enunciativa dual, el «a mí me parece» (bella) frente al «dicen ellos» que está esquelética, mediante lo que se enfrenta la advertencia subjetiva a la proposición objetiva. La ceguera resulta una imagen apta para justificar una perspectiva que no necesita confirmación de los sentidos. Víctor siente hermosa a su mujer y basta.

La invidencia de Víctor le recordará a Augusto la historia del portugués, no tanto por el aspecto temático de cómo los sentidos confunden nuestras percepciones y al hacerlo dejan al descubierto una verdad profunda, sino, como indicaré en seguida, por las implicaciones verbales de lo contado. Retornemos un momento más a la confesión de Víctor; si consideramos la situación narrativa pragmáticamente, deberemos concluir que ese «a mí me parece [Elena] más fresca, más lozana, más joven y hasta más metida en carnes que nunca» es un espejismo, o mejor dicho, son unas palabras a las que les falta el respaldo de «la realidad» (en la pragmática del texto). El hecho es que Elena ha quedado muy desmejorada del parto. La frescura y la lozanía, la juventud y la firmeza de carnes, a pesar de sus fuertes connotaciones referenciales son meras palabras, una invención de Víctor. Además de haber aquí dos perspectivas, asistimos al enfrentamiento de dos lenguajes, el que comprueba la realidad y otro distinto que la inventa. Víctor inventa una realidad no comprobable, la belleza de su mujer (cuando las apariencias dicen lo contrario), a la vez que va socavando la referencialidad de términos como lozanía o juventud; los va, si se quiere decir, desensitivizando, desprendiéndolos de las apreciaciones sensoriales comunes, que el lector lleva consigo a todo texto, y creando una sensibilidad dependiente de lo subjetivo, del «a mí me parece». Asistimos así a la transferencia de autoridad; el poder significativo emana ahora de la manera en que se crea el sentido en el texto, enunciable de la siguiente forma: aunque a la gente le parezca inverosímil, Elena está bellísima tras el parto. Esta afirmación no depende de criterios impuestos desde fuera, nace en el propio texto, le es inherente.

Llevando el comentario de la confesión de Víctor un poco más lejos, y si lo leemos desde la perspectiva de la creación del personaje, la interpretación varía algo y ofrece una idea complementaria. Esa Elena esquelética a la que se superpone la metida en carnes, muestra a Víctor reconstituyendo al ser de ficción mediante un acto de la mente; su voluntad dota de carne y de tejido corporal al huesudo esqueleto. Por lo tanto, el texto contiene a la Elena para los otros y la Elena para Víctor; esta última es, diríamos, un fantasma puramente textual, de la mente de Víctor. Los lectores tenemos que tener en cuenta a ambos: el comprobable mediante los sentidos y el no comprobable o subjetivo. Orfeo aclara el dilema planteado al final de la novela, por si acaso no lo entendimos, cuando dice que el hombre, al hablar, se fija en lo que no existe.

Todo esto nos lleva a reconocer la primacía del texto como sostén del mundo que contiene, y a constatar que el poder significativo de la novela moderna emana de su propio tejido verbal. El concepto de autoridad, con sus connotaciones jurídicas, resulta pues inadecuado al considerar un texto moderno; el «a mí me parece» no es susceptible de ser considerado bajo el criterio de verdad o mentira; el aplicar la lógica para explicar, tampoco ayuda nada. Habrá que utilizar un criterio pragmático, fijarse en su ocurrencia, en el hecho de que es una acción discursiva cuyo significado se sostiene a sí mismo sin referencias al mundo mimético, que está contenido en la enunciación misma: Elena es bella porque así lo determina quien enuncia su hermosura en el acto de decirlo.

La confesión de Víctor, según he apuntado, recuerda a Augusto la leyenda del pirotécnico portugués. Con ella el nivolesco Pérez añade un elemento de suma importancia al relato de Goti, la reacción del auditorio ante una historia parecida. Cuando digo auditorio me refiero, en principio, al mismo Augusto (oyente original), pues él es el primer receptor de las confidencias de Víctor. Su impulso inmediato no es consolar a Víctor por su disfunción perceptiva, sino lanzarse a contar una historia. Muy simple por cierto: el artista de los fuegos luminosos estaba casado con una mujer de belleza extraordinaria; desgraciadamente, tras un accidente de trabajo, frecuente entre los que se dedican a esta actividad, pierde la vista, y su mujer también sufre una horrible desfiguración. Por fortuna para el invidente, él nunca puede ver los efectos del accidente en su esposa, lo cual le mantiene en la creencia de que sigue siendo tan atractiva como siempre.

La belleza de la esposa del pirotécnico antes del incendio viene, en principio, afirmada: «tenía una mujer hermosísima». La frase aparece respaldada por la autoridad retórica del texto, evidenciada en frases como «el caso es que,» o «por así decirlo,» y «hete aquí que,» «y después de esto,» que sustentan la proposicionalidad de la leyenda como cimientos enunciativos. Cuando tras el fuego el pirotécnico pregunta a cuantos halla en su camino sobre los encantos de la esposa para que los certifiquen, y éstos lo hacen a pesar de no ser verdad, queda claro que la acción discursiva ha rebasado la lógica; al responder, no contestan ateniéndose a si es verdadera o falsa la pregunta, sino que se ajustan a otros criterios. El adjetivo «hermosa» de la frase «¿Han visto ustedes mujer más hermosa?» pasa de ser algo que se puede confirmar en el texto mismo a convertirse en una creación del ciego. No se certifica la hermosura; el pensamiento, el deseo, la voluntad, o si se prefiere, el orgullo del marido es lo que la hacen hermosa.

Cuando el pirotécnico interroga al auditorio acerca de la belleza de su cónyuge, esa interrogación es además la expresión de su orgullo y la afirmación de un deseo. O sea, que el sentido que tradicionalmente asignamos a una interrogación viene aquí recargado por una fuerza distinta, que es parecida o complementaria a la observable en

la acción discursiva empleada por Víctor para afirmar la
belleza de su esposa. En consecuencia, al igual que la lengua pierde su función instrumental, la interrogación pierde la suya para hacerse afirmación. En realidad, el fogueteiro no pregunta, es una mera cuestión retórica; lo que
hace es confirmar con sus palabras la belleza, o aún mejor, crearla. El acto de preguntar si es hermosa la hace
bella, y esa beldad es la que se ve aceptada por el auditorio: «le ponderaban la hermosura de su mujer». La respuesta del auditorio autentifica la belleza sin utilizar el valor instrumental del lenguaje, sino que se sirve del creativo.

En resumidas cuentas, no es que Unamuno emplease
un lenguaje menos realista, pues no existe un lenguaje más
o menos realista, sino que la persona que habla en el texto matiza la fábula, la historia contada, emplea un tipo
de discurso que prefiere al discurso realista. Lo cual, a
su vez, supone que la autoridad en la novela no reduplica
la existente en el mundo social, como ocurre en la narrativa del XIX, donde el tipo de discurso predominante tendía a afirmar algo exterior al texto. Podemos decir que
la novela del XIX tendía a olvidar la inclusión de una frase tan simple como «yo pienso» o «yo opino», con cuya
inserción cualquier afirmación se relativiza para convertirse en creativa. Dicho de forma distinta, en el discurso
realista predomina la práctica de la constatación y se su-
prime la posibilidad de invención imaginativa.

Unamuno nos ha dado a los lectores la posibilidad de
ser autores, de entender la novela como la entienden sus
personajes, humanizándola a la medida de cada individuo.
En última instancia, el gran escritor vasco continuó el res-
cate del género de las exclusividades en que lo había sumido el realismo, y se lo devolvió al ser humano con un
adentro. Por eso resulta tan fácil al teclear el nombre
«Unamuno» confundirse y pulsar, en su lugar, la palabra
Un-umano. De seguro que él aprobaría la con-fusión.

GERMÁN GULLÓN.

NOTA BIBLIOGRÁFICA

LIBROS

BASDEKIS, DEMETRIOS: *Unamuno and the Novel,* Estudios de Hispanófila, Chapel Hill, 1974.

BATCHELOR, RONALD E.: *Unamuno Novelist,* Dolphin, Oxford, 1972.

BLANCO AGUINAGA, CARLOS: *El Unamuno contemplativo,* El Colegio de México, México, 1959.

BLANCO AGUINAGA, CARLOS: *Unamuno, teórico del lenguaje,* El Colegio de México, México, 1954.

CLAVERÍA, CARLOS: *Temas de Unamuno,* Gredos, Madrid, 1953.

CRIADO MIGUEL, ISABEL: *Las novelas de Miguel de Unamuno,* Universidad de Salamanca, Salamanca, 1986.

DÍAZ, ELÍAS: *Unamuno, pensamiento político,* Tecnos, Madrid, 1984.

DÍEZ, RICARDO: *El desarrollo estético de la novela de Unamuno,* Playor, Madrid, 1976.

FEAL, CARLOS: *Unamuno: el otro y don Juan,* Cupsa, Madrid, 1976.

FERNÁNDEZ PELAYO, H.: *Bibliografía crítica de Unamuno (1888-1975),* Porrúa, Madrid, 1976.

FERRATER MORA, JOSÉ: *Unamuno: bosquejo de una filosofía*, Sudamericana, Buenos Aires, 1957.

FORSTER, DAVID W.: *Unamuno and the Novel as Expressionistic Conceit,* Inter American University Press, Puerto Rico, 1973.

GARCÍA BLANCO, MANUEL: *En torno a Unamuno,* Taurus, Madrid, 1964.

GULLÓN, RICARDO: *Autobiografías de Unamuno,* Gredos, Madrid, 1964.

ILIE, PAUL: *Unamuno. An Existential View of Self and Society,* University of Wisconsin Press, Madison, 1967.

LACY, ALLEN: *Miguel de Unamuno,* Mouton, The Hague, 1967.

MARÍAS, JULIÁN: *Miguel de Unamuno,* Espasa Calpe, Madrid, 1943.

MONCY, AGNES: *La creación del personaje en las novelas de Unamuno,* Isla de los Ratones, Santander, 1963.

NAVAJAS, GONZALO: *Miguel de Unamuno: bipolaridad y síntesis ficcional. Una lectura posmoderna,* Promociones y publicaciones Universitarias, Barcelona, 1988.

NORA, EUGENIO G.: *La novela española contemporánea,* Gredos, Madrid, 1958, 3 vols., 1958-62.

OLSON, PAUL: *Niebla,* Grant, London, 1984.

OUIMETTE, VÍCTOR: *Unamuno and the Heroic Will,* Yale University Press, New Haven, 1974.

PARÍS, CARLOS: *Unamuno, estructura de su mundo intelectual,* Península, Barcelona, 1968.

RIBBANS, GEOFFREY: *Niebla y soledad,* Gredos, Madrid, 1971.

ROBERTS, GEMMA: *Unamuno: afinidades y coincidencias kierkegaardianas,* Society of Spanish and Spanish-American Studies, Boulder, Colorado, 1986.

SÁNCHEZ BARBUDO, ANTONIO, ed.: *Miguel de Unamuno,* Taurus, Madrid, 1980.

SALCEDO, EMILIO: *Vida de don Miguel,* Anaya, Salamanca, 1964.

SPIRES, ROBERT C.: *Beyond the Metafictional Mode: Directions in the Modern Spanish Novel,* University Press of Kentucky, Lexington, 1984.

TORRENTE BALLESTER, GONZALO: *Panorama de la lite-*

ratura española contemporánea, Guadarrama, Madrid, 1956.

TURNER, DAVID: *Unamuno's Webs of Fatality,* Tamesis, London, 1974.

VALDÉS, MARIO J.: *Death in the Literature of Unamuno,* University of Illinois Press, Urbana, Illinois, 1964.

VALDÉS, MARIO J.: Introducción. *Niebla.* De Miguel de Unamuno. Ed. Valdés, Cátedra, Madrid, 1988, páginas 9-69.

ZAVALA, IRIS M.: *Unamuno y su teatro de conciencia,* Universidad de Salamanca, Salamanca, 1963.

ZUBIZARRETA, ARMANDO: *Tras las huellas de Unamuno,* Taurus, Madrid, 1968.

ZUBIZARRETA, ARMANDO: *Unamuno en su nivola,* Taurus, Madrid, 1960.

ARTÍCULOS

ABRAMS, FRED: «Unamuno's Menéndez y Pelayo Cryptogram in *Niebla*», en *Papers on Language and Literature,* 11 (1975), págs. 203-05.

ALAZRAKI, JAIME: «Motivación e invención en *Niebla* de Unamuno», en *Romanic Review,* 58 (1967), páginas 241-53.

BATCHELOR, RONALD E.: «Form and Content in Unamuno's *Niebla*», en *Forum for Modern Language Studies,* 8 (1972), págs. 197-214.

BERNS, GABRIEL: «Look Through Unamuno's *Niebla:* Augusto Pérez, "Agonista-Lector"», en *Romance Notes,* 11 (1969), págs. 26-29.

BLANCO AGUINAGA, CARLOS: «Unamuno's *Niebla*: Existence and the Game of Fiction», en *Modern Language Notes,* 79 (1979), págs. 188-205.

BOSCHETTO, SANDRA M.: «Author-Character Dialogue Confrontation as Collusion Metaphor in Miguel de Unamuno's *Niebla*», en *Selecta,* 2 (1981), págs. 107-11.

BRETZ, MARY LEE: «Voices of Authority and Linguistic

Autonomy in *Niebla*», en *Studies in Twentieth Century Literature*, 11 (1987), págs. 229-38.

DÍAZ, NANCY GRAY: «Imagery and the Theme of Perception: *L'Education Sentimentale* and *Niebla*», en *Comparative Literature Studies*, 17 (1980), págs. 429-38.

DÍAZ-PETERSON, ROSENDO: «Augusto Pérez de *Niebla* o la controversia científica», en *Cuadernos Hispanoamericanos*, 328 (1977), págs. 152-63.

FLÓREZ, RAMIRO: «Sistema de pensamiento y razón educativa en Unamuno», en *Cuadernos Hispanoamericanos*, 440-41 (1987), págs. 187-204.

FRANZ, THOMAS R.: «El sentido de humor y adquisición de autoconciencia en *Niebla*», en *Cuadernos de la Cátedra de Unamuno*, 23 (1973), págs. 5-25.

FRANZ, THOMAS R.: «Menéndez Pelayo as Antolín S. Paparrigópulos of Unamuno's *Niebla*», en *Papers on Language and Literature*, 9 (1973), págs. 84-88.

FRANZ, THOMAS R.: «*Niebla* and the Varieties of Religious Experience», en *La Chispa* (1985), págs. 103-13.

FUENTES, VÍCTOR: «Aspectos de una novela cinematográfica en *Niebla*», en *Ínsula*, 493 (1987), pág. 19.

GALBIS, IGNACIO R. M.: «De técnicas narrativas e influencias cervantinas en *Niebla* de Unamuno», en *Cuadernos Americanos*, 221 (1978), págs. 197-204.

GILLET, JOSEPH, E.: «The Autonomous Character in Spanish and European Literature», en *Hispanic Review*, 24 (1946), págs. 179-90.

GULLÓN, GERMÁN: «Juego de ficción: juego de palabras», en *Ínsula*, 293 (1971), págs. 3-4.

GULLÓN, GERMÁN: «Reinterpretación de *Niebla:* el carácter de la comunicación literaria», en *Nueva Revista de Filología Hispánica*, 35 (1987), págs. 293-98.

GUNN, JAMES DAYTON: «The Creation of the Self: The Influence of Don Quixote on Unamuno's *Niebla*», en *Romance Notes*, 21 (1980), págs. 54-57.

HOLTZ, KARL: «Le Monde du brouillard et la poétique du confus dans le roman *Niebla*», en *Les Lettres Romanes*, 41 (1987), págs. 213-34.

JOHNSON, ROBERTA: «*El profesor inútil:* Benjamín Jarnés's Intertextual Dialogue with Unamuno», en *Siglo XX/20th Century,* 6 (1988-89), págs. 14-20.

KING, WILLARD, F.: «Unamuno, Cervantes y *Niebla»,* en *Revista de Occidente,* 16 (1967), págs. 219-32.

LIVINGSTONE, LEON: «Interior Duplication and the Problem of Form in the Modern Spanish Novel», en *Publications of Modern Languages Association,* 73 (1948), págs. 393-406.

LÓPEZ, MARIANO: «Individuo, personalidad y destino en Unamuno: *Niebla, Abel Sánchez,* y *El otro»,* en *Arbor,* 399 (1979), págs. 71-84.

LÓPEZ MORILLAS, JUAN: «Unamuno y sus criaturas: Antolín S. Paparrigópulos», en *Cuadernos Americanos,* 7 (1948), págs. 234-49.

MONCY, AGNES: «Un puñado de *Niebla»,* en *Ínsula,* 19 (1964), pág. 12.

MONNER SANS, JOSÉ M.: «Unamuno Pirandello y el personaje autónomo», en *La Torre,* 35-36 (1961), páginas 387-402.

MOORE, ROGER: «Translation and Re-Creation: Kerrigan's Version of Unamuno's *Niebla»,* en *International Fiction Review,* 4 (1977), págs. 158-61.

MORÓN-ARROYO, CIRIACO: «*Niebla* en la evolución temática de Unamuno», en *Modern Languages Notes,* 81 (1966), págs. 143-58.

OLSON, PAUL, R.: «Unamuno's *Niebla:* The Question of the Novel», en *The Georgia Review,* 29 (1975), páginas 652-72.

PARKER, ALEXANDER: «Interpretation of *Niebla»,* en *Unamuno: Creator and Creation,* University of California Press, Berkeley, 1967.

PÉREZ, JANET: «Rhetorical Integration in Unamuno's *Niebla»,* en *Revista Canadiense de Estudios Hispánicos,* 8 (1983), págs. 49-73.

PESTRINAUX, CHANTAL: «*Niebla:* ¿una "nivola" lógica o una lógica "nivolesca"?», en *Miguel de Unamuno,* Universitée de Rouen, Rouen, 1985, págs. 85-106.

RIBBANS, GEOFFREY: «The Structure of Unamuno's Niebla», en Spanish Thought and Letters in the Twentieth
Century, Vanderbilt University Press, Nashville, 1966,
págs. 395-406.

SÁNCHEZ, PORFIRIO: «Eros y logos en Niebla de Miguel
de Unamuno», en Explicación de Textos Literarios, 8
(1979-80), págs. 101-13.

SEPÚLVEDA, EMMA: «Reducción y expansión: las novelas intercaladas en Niebla», en Crítica Hispánica, 7
(1985), págs. 133-40.

SERRANO-PLAJA, ARTURO: «Nausea y Niebla», en Revista de Occidente, 26 (1969), págs. 295-328.

SINCLAIR, ALISON: «Definition of the Enemy as Self-
Definition: A Commentary on the Role of Language
in Unamuno's Niebla», en Words of Power, University
Printing Department, Glasgow, Ingl., 1987, págs. 187-225.

STEVENS [TURNER], HARRIET S.: «Las novelitas intercaladas en Niebla», en Ínsula, 170 (1961), pág. 1.

TULL, J. F., JR.: «Alienation, Psychological and Meta-
physical, in Three ''Nivolas'' of Unamuno», en The
Humanities Association Review/La Revue de l'Association des Humanités, 21 (1970), págs. 27-33.

VENTO, ARNOLD C.: «Hacia una interpretación oniricoes-
tructural de Niebla», en Cuadernos de la Cátedra de
Unamuno, 14-15 (1964-1965), págs. 14-15.

VENTO, ARNOLD C.: «Niebla: laberinto intencionado a
través de la estructura», en Cuadernos Hispanoamericanos, 68 (1966), págs. 427-34.

VILLEGAS, JUAN: «Niebla: una ruta para autentificar la
existencia», en Spanish Thought and Letters in the
Twentieth Century, Vanderbilt University Press, Nashville, 1966, págs. 573-84.

WEBBER, RUTH HOUSE: «Kierkegaard and the Elabora-
tion of Unamuno's Niebla», en Hispanic Review, 32
(1964), págs. 118-34.

WEBBER, RUTH HOUSE: «Unamuno's Niebla: From Novel to Dream», en Publication of Modern Languages
Association, 88 (1973), págs. 209-18.

ZAVALA, IRIS M.: «Niebla: la lógica del sueño», en La
Torre, 1 (1987), págs. 69-92.

NOTA EDITORIAL

Tres son las ediciones fundamentales que se manejan al fijar el texto de la novela. *Niebla (Nivola),* Madrid, Renacimiento, 1914, 313 págs., que constituye la primera edición; la segunda, también de Renacimiento, publicada en 1928 como tercer volumen de las *Obras completas,* 309 págs.; y la tercera, publicada por Espasa Calpe, Madrid, 1935, 266 págs. Existen además numerosas traducciones de la novela a lenguas extranjeras: alemán (1926); francés (1926); holandés (1928); húngaro (1922); inglés (1928, 1976); italiano (1922, 1955); letón (1935); polaco (1928); rumano (1929); serbocroata (1929); sueco (1928).

La primera edición en la Colección Austral, data de 1939, 192 págs. Esta última edición ha conocido más de veinte reimpresiones. Dos ediciones de las *Obras completas* de Unamuno, la de Afrodisio Aguado, Madrid, editada por Vergara, 1958, y la de Escelicer, Madrid, 1966, preparada por Manuel García Blanco, contienen textos de nuestra novela muy manejados por la crítica. Entre las ediciones posteriores a las hechas en vida de don Miguel mencionaré la preparada por Ricardo Gullón y Harriet S. Stevens [Turner] (Madrid, Taurus, 1965) y la de Mario J. Valdés (Madrid, Cátedra, 1982). Ambas aportaron importantes novedades: la primera en el acercamiento crítico a la obra del escritor vasco; la de Valdés supuso un esfuerzo por presentar un texto fiable, para lo que el editor recurrió a la consulta del manuscrito de la obra.

El texto de la presente edición se basa en la última corregida por don Miguel, en 1935, y fue cotejado con la primera, de 1914. He eliminado erratas y errores obvios, además de modernizar la ortografía.

No puedo cerrar estas páginas sin agradecer la generosa ayuda de investigación de la Universidad de California (Davis), así como a Nieves Fernández Ordóñez, bibliotecaria de la biblioteca de Piloña (Infiesto). Quiero también dar las gracias a Heilette Gullón por su paciente colaboración y sus innumerables consejos editoriales.

NIEBLA

PRÓLOGO

Se empeña don Miguel de Unamuno en que ponga yo un prólogo a este su libro en que se relata la tan lamentable historia de mi buen amigo Augusto Pérez y su misteriosa muerte, y yo no puedo menos sino escribirlo, porque los deseos del señor Unamuno son para mí mandatos, en la más genuina acepción de este vocablo. Sin haber yo llegado al extremo de escepticismo hamletiano de mi pobre amigo Pérez, que llegó hasta a dudar de su propia existencia, estoy por lo menos firmemente persuadido de que carezco de eso que los psicólogos llaman libre albedrío, aunque para mi consuelo creo también que tampoco goza don Miguel de él.

Parecerá acaso extraño a alguno de nuestros lectores que sea yo, un perfecto desconocido en la república de las letras españolas, quien prologue un libro de don Miguel que es ya ventajosamente conocido en ella, cuando la costumbre es que sean los escritores más conocidos los que hagan en los prólogos la presentación de aquellos otros que lo sean menos. Pero es que nos hemos puesto de acuerdo don Miguel y yo para alterar esta perniciosa costumbre, invirtiendo los términos, y que sea el desconocido el que al conocido presente. Porque en rigor los libros más se compran por el cuerpo del texto que no por el prólogo, y es natural por lo tanto que cuando un joven principian-

te como yo desee darse a conocer, en vez de pedir a un
veterano de las letras que le escriba un prólogo de presentación, debe rogarle que le permita ponérselo a una de
sus obras. Y esto es a la vez resolver uno de los problemas de ese eterno pleito de los jóvenes y los viejos.

Únenme, además, no pocos lazos con don Miguel de
Unamuno. Aparte de que este señor saca a relucir en este
libro, sea novela o *nivola* (véase pág. 158) —y conste que
esto de la *nivola* es invención mía—, no pocos dichos y
conversaciones que con el malogrado Augusto Pérez
tuve, y que narra también en ella la historia del nacimiento
de mi tardío hijo Victorcito, parece que tengo algún lejano parentesco con don Miguel, ya que mi apellido es el
de uno de sus antepasados, según doctísimas investigacio-
nes genealógicas de mi amigo Antolín S. Paparrigópulos,
tan conocido en el mundo de la erudición.

Yo no puedo prever ni la acojida[1] que esta *nivola* ob-
tendrá de parte del público que lee a don Miguel, ni cómo
se la tomarán a éste. Hace algún tiempo que vengo siguiendo con alguna atención la lucha que don Miguel ha enta-
blado con la ingenuidad pública, y estoy verdaderamente
asombrado de lo profunda y cándida que es ésta. Con ocasión de sus artículos en el *Mundo Gráfico* y en alguna otra
publicación análoga, ha recibido don Miguel algunas cartas y recortes de periódicos de provincias que ponen de
manifiesto los tesoros de candidez ingenua y de simplicidad palomina que todavía se conservan en nuestro pueblo.
Una vez comentan aquella su frase de que el señor Cervantes (don Miguel) no carecía de algún ingenio, y parece
se escandalizan de la irreverencia; otra se enternecen por
esas sus melancólicas reflexiones sobre la caída de las hojas; ya se entusiasman por su grito ¡guerra a la guerra!
que le arrancó el dolor de ver que los hombres se mueren

---

[1] *acojida:* acogida. Peculiaridad ortográfica de Unamuno. Las ideas
de don Miguel sobre la ortografía se encuentran en «Observaciones sobre la reforma de la ortografía», en *Obras completas,* 15 vols., Madrid,
Afrodisio Aguado, 1966, págs. 303-312.

aunque no los maten; ya reproducen aquel puñado de verdades no paradójicas que publicó después de haberlas recojido por todos los cafés, círculos y cotarrillos, donde andaban podridas de puro manoseadas y hediendo a ramplonería ambiente, por lo que las reconocieron como suyas los que las reprodujeron, y hasta ha habido palomilla sin hiel que se ha indignado de que este logómaco de don Miguel escriba algunas veces Kultura con K mayúscula y después de atribuirse habilidad para inventar amenidades reconozca ser incapaz de producir colmos y juegos de palabras, pues sabido es que para este público ingenuo el ingenio y la amenidad se reducen a eso: a los colmos y los juegos de palabras.

Y menos mal que ese ingenuo público no parece haberse dado cuenta de alguna otra de las diabluras de don Miguel, a quien a menudo le pasa lo de pasarse de listo, como es aquello de escribir un artículo y luego subrayar al azar unas palabras cualesquiera de él, invirtiendo las cuartillas para no poder fijarse en cuáles lo hacía. Cuando me lo contó le pregunté por qué había hecho eso y me dijo: «¡Qué sé yo... por buen humor! ¡Por hacer una pirueta! Y además porque me encocoran y ponen de mal humor los subrayados y las palabras en bastardilla. Eso es insultar al lector, es llamarle torpe, es decirle: ¡fíjate, hombre, fíjate, que aquí hay intención! Y por eso le recomendaba yo a un señor que escribiese sus artículos todo en bastardilla para que el público se diese cuenta de que eran intencionadísimos desde la primera palabra a la última. Eso no es más que la pantomima de los escritos; querer sustituir en ellos con el gesto lo que no se expresa con el acento y entonación. Y fíjate, amigo Víctor, en los periódicos de la extrema derecha, de eso que llamamos integrismo, y verás cómo abusan de la bastardilla, de la versalita, de las mayúsculas, de las admiraciones y de todos los recursos tipográficos. ¡Pantomina, pantomima, pantomima! Tal es la simplicidad de sus medios de expresión, o más bien tal es la conciencia que tienen de la ingenua simplicidad de sus lectores. Y hay que acabar con esta ingenuidad.»

Otras veces le he oído sostener a don Miguel que eso que se llama por ahí humorismo, el legítimo, ni ha prendido en España apenas, ni es fácil que en ella prenda en mucho tiempo. Los que aquí se llaman humoristas, dice, son satíricos unas veces y otras irónicos, cuando no puramente festivos. Llamar humorista a Taboada[2], verbigracia, es abusar del término. Y no hay nada menos humorístico que la sátira áspera, pero clara y transparente, de Quevedo, en la que se ve el sermón en seguida. Como humorista no hemos tenido más que Cervantes, y si éste levantara cabeza, ¡cómo había de reírse —me decía don Miguel— de los que se indignaron de que yo le reconociese algún ingenio, y, sobre todo, cómo se reiría de los ingenuos que han tomado en serio alguna de sus más sutiles tomaduras de pelo! Porque es indudable que entraba en la burla —burla muy en serio— que de los libros de caballerías hacía el remedar el estilo de éstos, y aquello de «no bien el rubicundo Febo, etc.» que como modelo de estilo presentan algunos ingenuos cervantistas no pasa de ser una graciosa caricatura del barroquismo literario. Y no digamos nada de aquello de tomar por un modismo lo de «la del alba sería» con que empieza un capítulo cuando el anterior acaba con la palabra *hora*.

Nuestro público, como todo público poco culto, es naturalmente receloso, lo mismo que lo es nuestro pueblo. Aquí nadie quiere que le tomen el pelo, ni hacer el primo, ni que se queden con él, y así, en cuanto alguien le habla quiere saber desde luego a qué atenerse y si lo hace en broma o en serio. Dudo que en otro pueblo alguno moleste tanto el que se mezclen las burlas con las veras, y en cuanto a eso de que no se sepa bien si una cosa va o no en serio, ¿quién de nosotros lo soporta? Y es mucho más difícil que un receloso español de término medio se dé cuenta de que una cosa está dicha en serio y en broma a la vez, de veras y de burlas, y bajo el mismo respecto.

---

[2]   Luis Taboada (1848-1906), periodista gallego, autor de artículos de costumbres rebosantes de humor.

Don Miguel tiene la preocupación del bufo trágico y me ha dicho más de una vez que no quisiera morirse sin haber escrito una bufonada trágica o una tragedia bufa, pero no en que lo bufo o grotesco y lo trágico estén mezclados o yuxtapuestos, sino fundidos y confundidos en uno. Y como yo le hiciese observar que eso no es sino el más desenfrenado romanticismo, me contestó: «No lo niego, pero con poner motes a las cosas no se resuelve nada. A pesar de mis más de veinte años de profesar la enseñanza de los clásicos, el clasicismo que se opone al romanticismo no me ha entrado. Dicen que lo helénico es distinguir, definir, separar; pues lo mío es indefinir, confundir.»

Y el fondo de esto no es más que una concepción, o mejor aún que concepción un sentimiento de la vida que no me atrevo a llamar pesimista porque sé que esta palabra no le gusta a don Miguel. Es su idea fija, monomaniaca, de que si su alma no es inmortal y no lo son las almas de los demás hombres y aun de todas las cosas, e inmortales en el sentido mismo en que las creían ser los ingenuos católicos de la Edad Media, entonces, si no es así, nada vale nada ni hay esfuerzo que merezca la pena. Y de aquí la doctrina del tedio de Leopardi [3] después que pereció su engaño extremo,

ch'io eterno mi credea

de creerse eterno. Y esto explica que tres de los autores más favoritos de don Miguel sean Sénancour [4], Quental [5] y Leopardi.

---

[3]   Giacomo Leopardi (1798-1837), enfermo desde muy joven y medio ciego, el gran poeta italiano reflejó tanto en sus *cantos* como en los *Pensamientos* y *Opúsculos morales,* su amarga experiencia de la vida.

[4]   Etienne Pivert de Sénancour (1770-1846), escritor francés, que, víctima de una parálisis, llevó una vida muy retirada, dedicado a la reflexión marcada por el pesimismo.

[5]   Antero de Quental (1842-1891), poeta portugués, quien en su última época a raíz de una tuberculosis, padeció una crisis depresiva reflejada en sus *Sonetos*. Bajo la influencia de los pensadores pesimistas alemanes, de Schopenhauer sobre todo, construyó una teoría de la angustia metafísica que ve en la muerte la única liberación del hombre. Terminó suicidándose.

Pero este adusto y áspero humorismo confusionista, además de herir la recelosidad de nuestras gentes, que quieren saber desde que uno se dirige a ellas a qué atenerse, molesta a no pocos. Quieren reírse, pero es para hacer mejor la digestión y para distraer las penas, no para devolver lo que indebidamente se hubiesen tragado y que puede indigestárseles, ni mucho menos para digerir las penas. Y don Miguel se empeña en que si se ha de hacer reír a las gentes debe ser no para que con las contracciones del diafragma ayuden a la digestión, sino para que vomiten lo que hubieren engullido, pues se ve más claro el sentido de la vida y del universo con el estómago vacío de golosinas y excesivos manjares. Y no admite eso de la ironía sin hiel ni del humorismo discreto, pues dice que donde no hay alguna hiel no hay ironía y que la discreción está reñida con el humorismo, o, como él se complace en llamarle: malhumorismo.

Todo lo cual le lleva a una tarea muy desagradable y poco agradecida, de la que dice que no es sino un masaje de la ingenuidad pública, a ver si el ingenio colectivo de nuestro pueblo se va agilizando y sutilizando poco a poco. Porque le saca de sus casillas el que digan que nuestro pueblo, sobre todo el meridional, es ingenioso. «Pueblo que se recrea en las corridas de toros y halla variedad y amenidad en ese espectáculo sencillísimo, está juzgado en cuanto a mentalidad», dice. Y agrega que no puede haber mentalidad más simple y más córnea que la de un aficionado. ¡Vaya usted con paradojas más o menos humorísticas al que acaba de entusiasmarse con una estocada de Vicente Pastor [6]! Y abomina del género festivo de los revisteros de toros, sacerdotes del juego de vocablos y de toda la bazofia del ingenio de puchero.

Nótese que en los tres autores citados se da la coincidencia de una crisis psicológica unida a un padecimiento físico. Recuérdese a este propósito la crisis psicofísica que don Miguel de Unamuno padeció en 1897.

[6]   Vicente Pastor (1879-1966), torero español, famoso hasta 1915, cuando empezó el triunfo de Belmonte y Joselito.

Si a esto se añade los juegos de conceptos metafísicos en que se complace, se comprenderá que haya muchas gentes que se aparten con disgusto de su lectura, los unos porque tales cosas les levantan dolor de cabeza, y los otros porque, atentos a lo de que *sancta sancte tractanda sunt,* lo santo ha de tratarse santamente, estiman que esos conceptos no deben dar materia para burlas y jugueteos. Mas él dice a esto que no sabe por qué han de pretender que se traten en serio ciertas cosas los hijos espirituales de quienes se burlaron de las más santas, es decir, de las más consoladoras creencias y esperanzas de sus hermanos. Si ha habido quien se ha burlado de Dios, ¿por qué no hemos de burlarnos de la Razón, de la Ciencia y hasta de la Verdad? Y si nos han arrebatado nuestra más cara y más íntima esperanza vital, ¿por qué no hemos de confundirlo todo para matar el tiempo y la eternidad y para vengarnos?

Fácil es también que salga diciendo alguno que hay en este libro pasajes escabrosos, o, si se quiere, pornográficos; pero ya don Miguel ha tenido buen cuidado de hacerme decir a mí algo al respecto en el curso de esta *nivola.* Y está dispuesto a protestar de esa imputación y a sostener que las crudezas que aquí puedan hallarse ni llevan intención de halagar apetitos de la carne pecadora, ni tienen otro objeto que ser punto de arranque imaginativo para otras consideraciones.

Su repulsión a toda forma de pornografía es bien conocida de cuantos le conocen. Y no sólo por las corrientes razones morales, sino porque estima que la preocupación libidinosa es lo que más estraga la inteligencia. Los escritores pornográficos, o simplemente eróticos, le parecen los menos inteligentes, los más pobres de ingenio, los más tontos, en fin. Le he oído decir que de los tres vicios de la clásica terna de ellos: las mujeres, el juego y el vino, los dos primeros estropean más la mente que el tercero. Y conste que don Miguel no bebe más que agua. «A un borracho se le puede hablar —me decía una vez— y hasta dice cosas, pero ¿quién resiste la conversación de un jugador o un mujeriego? No hay por debajo de ella sino la de un aficionado a toros, colmo y copete de la estupidez.»

No me extraña a mí, por otra parte, este consorcio de lo erótico con lo metafísico, pues creo saber que nuestros pueblos empezaron siendo, como sus literaturas nos lo muestran, guerreros y religiosos para pasar más tarde a eróticos y metafísicos. El culto a la mujer coincidió con el culto a las sutilezas conceptistas. En el albor espiritual de nuestros pueblos, en efecto, en la Edad Media, la sociedad bárbara sentía la exaltación religiosa y aun mística y la guerrera —la espada lleva cruz es el puño—; pero la mujer ocupaba muy poco y muy secundario lugar en su imaginación, y las ideas estrictamente filosóficas dormitaban, envueltas en teología, en los claustros conventuales. Lo erótico y lo metafísico se desarrollan a la par. La religión es guerrera; la metafísica es erótica o voluptuosa.

Es la religiosidad lo que le hace al hombre ser belicoso o combativo, o bien es la combatividad la que le hace religioso, y por otro lado es el instinto metafísico, la curiosidad de saber lo que no nos importa, el pecado original, en fin, lo que le hace sensual al hombre, o bien es la sensualidad la que, como a Eva, le despierta el instinto metafísico, el ansia de conocer la ciencia del bien y del mal. Y luego hay la mística, una metafísica de la religión que nace de la sensualidad de la combatividad.

Bien sabía esto aquella cortesana ateniense Teodota, de que Jenofonte [7] nos cuenta en sus *Recuerdos* la conversación que con Sócrates [8] tuvo, y que proponía al filósofo, encantada de su modo de investigar, o más de partear la verdad, que se convirtiera en celestino de ella y le ayudase a cazar amigos. *(Synthérates,* con-cazador, dice el tex-

---

[7]   Jenofonte, famoso militar e historiador griego (c. 430-355 a. J. C.).

[8]   Sócrates (470-399 a. J. C.), filósofo griego, conocido por su método de alumbrar la verdad mediante el diálogo. De ahí que Unamuno utilice el verbo *partear:* «asistir a la mujer que está de parto».

to, según don Miguel, profesor de griego, que es a quien
debo esta interesantísima y tan reveladora noticia.) Y en
toda aquella interesantísima conversación entre Teodota,
la cortesana, y Sócrates, el filósofo partero, se ve bien claro el íntimo parentesco que hay entre ambos oficios, y
cómo la filosofía es en grande y buena parte lenocinio
y el lenocinio es también filosofía.

Y si todo esto no es así como digo, no se me negará
al menos que es ingenioso, y basta.

No se me oculta, por otra parte, que no estará conforme con esa mi distinción entre religión y belicosidad de
un lado y filosofía y erótica de otro mi querido maestro
don Fulgencio Entrambosmares del Aquilón, de quien don
Miguel ha dado tan circunstanciada noticia en su novela
o *nivola Amor y pedagogía.* Presumo que el ilustre autor
del *Ars magna combinatoria* establecerá: una religión guerrera y una religión erótica, una metafísica guerrera y otra
erótica, un erotismo religioso y un erotismo metafísico,
un belicosismo metafísico y otro religioso, y, por otra parte, una religión metafísica y una metafísica religiosa, un
erotismo guerrero y un belicosismo erótico; todo esto aparte de la religión religiosa, la metafísica metafísica, el erotismo erótico y el belicosismo belicoso. Lo que hace
dieciséis combinaciones binarias. ¡Y no digo nada de
las ternarias del género: verbigracia, de una religión
metafísico-erótica o de una metafísica guerrero-religiosa!
Pero yo no tengo ni el inagotable ingenio combinatorio
de don Fulgencio, ni menos el ímpetu confusionista e in-
definicionista de don Miguel.

Mucho se me ocurre atañedero al inesperado final de
este relato y a la versión que en él da don Miguel de la
muerte de mi desgraciado amigo Augusto, versión que estimo errónea; pero no es cosa de que me ponga yo ahora
aquí a discutir en este prólogo con mi prologado. Pero
debo hacer constar en descargo de mi conciencia que estoy profundamente convencido de que Augusto Pérez,
cumpliendo el propósito de suicidarse que me comunicó
en la última entrevista, que con él tuve, se suicidó real-

mente y de hecho, y no sólo idealmente y de deseo. Creo
tener pruebas fehacientes en apoyo de mi opinión; tantas
y tales pruebas, que deja de ser opinión para llegar a conocimiento.

Y con esto acabo.

VÍCTOR GOTI [9].

_____

[9]   Víctor Goti, personaje ficticio, invención de Unamuno.

POST-PRÓLOGO

De buena gana discutiría aquí alguna de las afirmaciones de mi prologuista, Víctor Goti, pero como estoy en el secreto de su existencia —la de Goti—, prefiero dejarle la entera responsabilidad de lo que en ese su prólogo dice. Además, como fui yo quien le rogué que me lo escribiese, comprometiéndome de antemano —o sea *a priori*— a aceptarlo tal y como me lo diera, no es cosa ni de que lo rechace, ni siquiera de que me ponga a corregirlo y rectificarlo ahora a trasmano —o sea *a posteriori*—. Pero otra cosa es que deje pasar ciertas apreciaciones suyas sin alguna mía.

No sé hasta qué punto sea lícito hacer uso de confidencias vertidas en el seno de la más íntima amistad y llevar al público opiniones o apreciaciones que no las destinaba a él quien las profiriera. Y Goti ha cometido en su prólogo la indiscreción de publicar juicios míos que nunca tuve intención de que se hiciesen públicos. O por lo menos nunca quise que se publicaran con la crudeza con que en privado los exponía.

Y respecto a su afirmación de que el desgraciado... Aunque, desgraciado, ¿por qué? Bien; supongamos que lo hubiese sido. Su afirmación, digo, de que el desgraciado, o lo que fuese, Augusto Pérez se suicidó y no murió como yo cuento su muerte, es decir, por mi libérrimo albedrío

y decisión, es cosa que me hace sonreír. Opiniones hay,
en efecto, que no merecen sino una sonrisa. Y debe an-
darse mi amigo y prologuista Goti con mucho tiento en
discutir así mis decisiones, porque si me fastidia mucho
acabaré por hacer con él lo que con su amigo Pérez hice,
y es que le dejaré morir o le mataré a guisa de médico.
Los cuales ya saben mis lectores que se mueven en este
dilema: o dejan morir al enfermo por miedo a matarle,
o le matan por miedo de que se les muera. Y así yo soy
capaz de matar a Goti si veo que se me va a morir, o de
dejarle morir si temo haber de matarle.

    Y no quiero prolongar más este post-prólogo, que es
lo bastante para darle la alternativa a mi amigo Víctor
Goti, a quien agradezco su trabajo.

                                                    M. DE U.

PRÓLOGO A ESTA EDICIÓN

O SEA

HISTORIA DE «NIEBLA»

La primera edición de esta mi obra —¿mía sólo?— apareció en 1914 en la Biblioteca «Renacimiento», a la que luego se la han llevado la trampa y los tramposos. Parece que hay otra segunda, de 1928, pero de ella no tengo más que noticia bibliográfica. No la he visto, sin que sea de extrañar, pues en ese tiempo se encontraba la dictadura en el poder y yo desterrado, para no acatarla, en Hendaya. En 1914, al habérseme echado —más bien desenjaulado— de mi primer rectoría de la Universidad de Salamanca, entré en una nueva vida con la erupción de la guerra de las naciones que sacudió a nuestra España, anque ésta no beligerante. Dividiónos a los españoles en germanófilos y antigermanófilos —aliadófilos si se quiere—, más según nuestros temperamentos que según los motivos de la guerra. Fue la ocasión que nos marcó el curso de nuestra ulterior historia hasta llegar a la supuesta revolución de 1931, al suicidio de la monarquía borbónica. Es cuando me sentí envuelto en la niebla histórica de nuestra España, de nuestra Europa y hasta de nuestro universo humano.

Ahora, al ofrecérseme en 1935 coyuntura de reeditar mi NIEBLA, la he revisado, y al revisarla la he rehecho íntimamente, la he vuelto a hacer; la he revivido en mí. Que el pasado revive; revive el recuerdo y se rehace. Es una obra nueva para mí, como lo será, de seguro, para aquellos de mis lectores que la hayan leído y la vuelvan a leer de nuevo. Que me relean al releerla. Pensé un momento si hacerla de nuevo, renovarla; pero sería otra... ¿Otra? Cuando aquel mi Augusto Pérez de hace veintiún años —tenía yo entonces cincuenta— se me presentó en sueños creyendo yo haberle finado y pensando, arrepentido, resucitarle, me preguntó si creía yo posible resucitar a don Quijote, y al contestarle que ¡imposible!: «Pues en el mismo caso estamos todos los demás entes de ficción», me arguyó, y al yo replicarle: «¿Y si te vuelvo a soñar?», él: «No se sueña dos veces el mismo sueño. Ese que usted vuelve a soñar y crea soy yo será otro.» ¿Otro? ¡Cómo me ha perseguido y me persigue este otro! Basta ver mi tragedia *El otro*. Y en cuanto a la posibilidad de resucitar a don Quijote, creo haber resucitado al de Cervantes y creo que le resucitan todos los que le contemplan y le oyen. No los eruditos, por supuesto, ni los cervantistas. Resucitan al héroe como al Cristo los cristianos siguiendo a Pablo de Tarso. Que así es la historia, o sea la leyenda. Ni hay otra resurrección.

¿Ente de ficción? ¿Ente de realidad? De realidad de ficción, que es ficción de realidad. Cuando una vez sorprendí a mi hijo Pepe, casi niño entonces, dibujando un muñeco y diciéndose: «¡Soy de carne, soy de carne, no pintado!», palabras que ponía en el muñeco, reviví mi niñez, me rehice y casi me espanté. Fue una aparición espiritual. Y hace poco mi nieto Miguelín me preguntaba si el gato Félix —el de los cuentos para niños— era de carne. Quería decir vivo. Y al insinuarle yo que cuento, sueño o mentira, me replicó: «¿Pero sueño de carne?» Hay aquí toda una metafísica. O una metahistoria.

Pensé también continuar la biografía de mi Augusto Pérez, contar su vida en el otro mundo, en la otra vida.

Pero el otro mundo y la otra vida están dentro de este mundo y de esta vida. Hay la biografía y la historia universal de un personaje cualquiera, sea de los que llamamos históricos o de los literarios o de ficción. Ocurrióseme un momento hacerle escribir a mi Augusto una autobiografía en que me rectificara y contase cómo él se soñó a sí mismo. Y dar así a este relato dos conclusiones diferentes —acaso a dos columnas— para que el lector escogiese. Pero el lector no resiste esto, no tolera que se le saque de su sueño y se le sumerja en el sueño del sueño, en la terrible conciencia de la conciencia, que es el congojoso problema. No quiere que le arranquen la ilusión de realidad. Se cuenta de un predicador rural que describía la pasión de Nuestro Señor y al oír llorar a moco tendido a las beatas campesinas exclamó: «No lloréis así, que esto fue hace más de diecinueve siglos, y además acaso no sucedió así como os lo cuento...» Y en otros casos debe decir al oyente: «acaso sucedió...».

He oído también contar de un arquitecto arqueólogo que pretendía derribar una basílica del siglo X, y no restaurarla, sino hacerla de nuevo como debió haber sido hecha y no como se hizo. Conforme a un plano de aquella época que pretendía haber encontrado. Conforme al proyecto del arquitecto del siglo X. ¿Plano? Desconocía que las basílicas se han hecho a sí mismas saltando por encima de los planos, llevando las manos de los edificadores. También de una novela, como de una epopeya o de un drama, se hace un plano; pero luego la novela, la epopeya o el drama se imponen al que se cree su autor. O se le imponen los agonistas, sus supuestas criaturas. Así se impusieron Luzbel y Sanatás, primero, y Adán y Eva, después, a Jehová. ¡Y ésta sí que es nivola, u opopeya o trigedia! Así se me impuso Augusto Pérez. Y esta trigedia la vio, cuando apareció esta mi obra, entre sus críticos, Alejandro Plana, mi buen amigo catalán. Los demás se atuvieron, por pereza mental, a mi diabólica invención de la *nivola*.

Esta ocurrencia de llamarle nivola —ocurrencia que en

rigor no es mía, como lo cuento en el texto— fue otra ingenua zorrería para intrigar a los críticos. Novela y tan novela como cualquiera otra que así sea. Es decir, que así se llame, pues aquí ser es llamarse. ¿Qué es eso de que ha pasado la época de las novelas? ¿O de los poemas épicos? Mientras vivan las novelas pasadas vivirá y revivirá la novela. La historia es resoñarla.

Antes de haberme puesto a soñar a Augusto Pérez y su nivola había resoñado la guerra carlista de que fui, en parte, testigo en mi niñez, y escribí mi *Paz en la guerra,* una novela histórica, o mejor historia anovelada, conforme a los preceptos académicos del género. A lo que se le llama realismo. Lo que viví a mis diez años lo volví a vivir, lo reviví, a mis treinta, al escribir esa novela. Y lo sigo reviviendo al vivir la historia actual, la que está de paso. De paso y de queda. Soñé después mi *Amor y pedagogía* —aparecido en 1902—, otra tragedia torturadora. A mí me torturó, por lo menos. Escribiéndola creí librarme de su tortura y trasladársela al lector. En esta NIEBLA volvió a aparecer aquel tragicómico y nebuloso nivolesco don Avito Carrascal [10] que le decía a Augusto que sólo se aprende a vivir viviendo. Como a soñar soñando. Siguió, en 1905, *Vida de Don Quijote y Sancho, según Miguel de Cervantes Saavedra, explicada y comentada.* Pero no así, sino resoñada, revivida, rehecha. ¿Que mi don Quijote y mi Sancho no son los de Cervantes? ¿Y qué? Los don Quijotes y Sanchos vivos en la eternidad —que está dentro del tiempo y no fuera de él; toda la eternidad en todo el tiempo y toda ella en cada momento de éste— no son exclusivamente de Cervantes ni míos, ni de ningún soñador que los sueñe, sino que cada uno les hace revivir. Y creo por mi parte que don Quijote me ha revelado íntimos secretos suyos que no reveló a Cervantes, especialmente de su amor a Aldonza Lorenzo. En 1913, antes que mi NIEBLA, aparecieron las novelas cortas que reuní bajo el título de una de ellas: *El espejo de la muerte.* Des-

---

[10]   Avito Carrascal, personaje de *Amor y pedagogía.*

pués de NIEBLA, en 1917, mi *Abel Sánchez: una historia de pasión,* el más doloroso experimento que haya yo llevado a cabo al hundir mi bisturí en el más terrible tumor comunal de nuestra casta española. En 1921 di a luz mi novela *La tía Tula,* que últimamente ha hallado acojida y eco —gracias a las traducciones alemana, holandesa y sueca— en los círculos freudianos de la Europa central. En 1927 apareció en Buenos Aires mi novela autobiográfica *Cómo se hace una novela,* que hizo que mi buen amigo el excelente crítico Eduardo Gómez de Baquero, *Andrenio* [11], agudo y todo como era, cayera en otro lazo como el de la nivola, y manifestase que esperaba escribiese la novela de cómo se la hace. Por fin, en 1933, se publicaron mi *San Manuel Bueno, mártir, y tres historias más.* Todo en la seguida del mismo sueño nebuloso.

Obras mías han conseguido verse traducidas —y sin mi instancia— a quince idiomas diferentes —que yo sepa— y son: alemán, francés, italiano, inglés, holandés, sueco, danés, ruso, polaco, checo, húngaro, romano, yugoslavo, griego y letón; pero de todas ellas la que más traducciones ha logrado ha sido ésta: NIEBLA. Empiezan en 1921, siete años después de su nacimiento, al italiano: *Nebbia, romanzo,* traducida por Gilberto Beccari y con prefacio de Ezio Levi; en 1922, al húngaro: *Köd* (Budapest), por Garády Viktor; en 1926, al francés: *Brouillard* (Collection de la *Revue Européenne),* por Noémi Larthe; en 1927, al alemán: *Nebel, ein phantastischer Roman* (München), por Otto Buck; en 1928, al sueco: *Dimma,* por Allan Vougt, y al inglés: *Mist, a tragicomic novel* (New York), por Warner Fite, y al polaco: *Mga* —aquí una *l* con un travesaño de sesgo (Varsovia), por el doctor Edward Boyé; en 1929, al rumano: *Negura* (Bucarest), por L. Sebastian, y al yugoslavo: *Magla* (Zagreb), por Bogdan Ráditsa; y por último, en 1935, al letón: *Migla* (Riga), por Konstantin Raudive. En junto diez traducciones, dos más

---

[11] *Andrenio,* pseudónimo de Eduardo Gómez de Baquero (1866-1929), influyente ensayista y crítico literario.

que las que han obtenido mis *Tres novelas ejemplares y un prólogo,* de que forma parte *Nada menos que todo un hombre.*

¿Por qué esta predilección? ¿Por qué ha prendido en pueblos de otras lenguas antes que otras obras mías ésta a que el traductor alemán Otto Buck llamó «novela fantástica» y el norteamericano Warner Fite «novela tragicómica»? Precisamente por la fantasía y por la tragicomedia. Yo no me equivoqué, pues desde un principio supuse —y lo dije— que ésta que bauticé de nivola habría de ser mi obra más universalizada. No mi *Sentimiento trágico de la vida* —seis traducciones—, porque exige ciertos conocimientos filosóficos y teológicos menos corrientes de lo que se supone. Por lo que me ha sorprendido su éxito en España. No mi *Vida de don Quijote y Sancho* —tres traducciones—, porque el *Quijote* de Cervantes no es tan conocido —y menos popular— fuera de España —ni aun en ésta— como aquí suponen los literatos nacionales. Y hasta me atrevo a avanzar que obras como esa mía pueden contribuir a hacerlo más y mejor conocido. No otra cualquiera. ¿Por su carácter nacional? Mi *Paz en la guerra* ha sido traducida al alemán y al checo. Es que la fantasía y la tragicomedia de mi NIEBLA ha de ser lo que más hable y diga al hombre individual que es el universal, al hombre por encima, y por debajo a la vez, de clases, de castas, de posiciones sociales, pobre o rico, plebeyo o noble, proletario o burgués. Y esto lo saben los historiadores de la cultura, a los que se les llama cultos.

Sospecho que lo más de este prólogo —metálogo—, al que alguien le llamaría autocrítico, me lo haya sugerido, cuajando de su niebla, aquel don —merece ya el don— Antolín Sánchez Paparrigópulos, de quien se da cuenta en el capítulo XXIII, aunque yo no haya acertado en él a aplicar la rigurosa técnica del inolvidable y profundo investigador. ¡Ah, si yo acertara, siguiendo su propósito, a acometer la historia de los que habiendo pensado escribir no llegaron a hacerlo! De su casta, de su índole son nuestros mejores lectores, nuestros colaboradores y coautores —mejor co-creadores—, los que al leer una histo-

ria —nivola si se quiere— como ésta se dicen: «¡Pero si
esto lo he pensado así yo antes! ¡Si a este personaje le he
conocido yo! ¡Si a mí se me ha ocurrido lo mismo!» ¡Cuán
otros que esos presos de apabullante ramplonería que an-
dan preocupados de lo que llaman la verosimilitud! O de
los que creen vivir despiertos, ignorando que sólo está de
veras despierto el que tiene conciencia de estar soñando,
como sólo está de veras cuerdo el que tiene conciencia de
su locura. Y «el que no confunde se confunde», como decía Víctor Goti, mi pariente, a Augusto Pérez.

Todo este mi mundo de Pedro Antonio y Josefa Igna-
cia, de don Avito Carrascal y Marina, de Augusto Pérez,
Eugenia Domingo y Rosarito, de Alejandro Gómez, «nada
menos que todo un hombre», y Julia, de Joaquín Mone-
gro, Abel Sánchez y Elena, de la tía Tula, su hermana
y su cuñado y sus sobrinos, de San Manuel Bueno y Ángela Carballino —una ángela—, y de don Sandalio, y de
Emeterio Alfonso y Celedonio Ibáñez, y de Ricardo y Liduvina, todo este mundo me es más real que el de Cáno-
vas y Sagasta, de Alfonso XIII, de Primo de Rivera, de
Galdós, Pereda, Menéndez Pelayo y todos aquellos a quienes conocí o conozco vivos, y a algunos de ellos los traté
o los trato. En aquel mundo me realizaré, si es que me
realizo, aún más que en este otro.

Y bajo esos dos mundos, sosteniéndolos, está otro mundo, un mundo sustancial y eterno, en que me sueño a mí
mismo y a los que han sido —muchos lo son todavía—
carne de mi espíritu y espíritu de mi carne, mundo de la
conciencia sin espacio ni tiempo en la que vive, como ola
en la mar, la conciencia de mi cuerpo. Cuando me negué
a indultar de la muerte a mi Augusto Pérez me dijo éste:
«No quiere usted dejarme ser yo, salir de la niebla, vivir,
vivir, vivir, verme, oírme, tocarme, sentirme, dolerme, serme, ¿conque no lo quiere? ¿conque he de morir ente de
ficción? ¡Pues bien, mi señor creador don Miguel, también usted se morirá, también usted, y se volverá a la nada
de que salió!... ¡Dios dejará de soñarle! ¡Se morirá usted, sí, se morirá, aunque no lo quiera; se morirá usted

y se morirán todos los que lean mi historia, todos, todos, todos, sin quedar uno! ¡Entes de ficción como yo, lo mismo que yo! ¡Se morirán todos, todos, todos!» Así me dijo, y ¡cómo me susurran, a través de más de veinte años, durante ellos, en terrible silbido casi silencioso, como el bíblico de Jehová, esas palabras proféticas y apocalípticas! Porque no es sólo que he venido muriéndome, es que se han ido muriendo, se me han muerto los míos, los que me hacían y me soñaban mejor. Se me ha ido el alma de la vida gota a gota, y alguna vez a chorro. ¡Pobres mentecatos los que suponen que vivo torturado por mi propia inmortalidad individual! ¡Pobre gente! No, sino por la de todos los que he soñado y sueño, por la de todos los que me sueñan y sueño. Que la inmortalidad, como el sueño, o es comunal o no es. No logro recordar a ninguno a quien haya conocido de veras —conocer de veras a alguien es quererle, y aunque se crea odiarle— y que se me haya ido sin que a solas me le diga: «¿Qué eres ahora tú? ¿qué es ahora de tu conciencia? ¿qué soy en ella yo ahora? ¿qué es de lo que ha sido?» Esta es la niebla, esta la nivola, esta la leyenda, esta la vida eterna... Y esto es el verbo creador, soñador.

Hay una visión radiosa de Leopardi, el trágico soñador del hastío, que es el Cántico del gallo silvestre, gallo gigantesco sacado de una paráfrasis targúmica [12] de la Biblia, gallo que canta la revelación eterna e invita a los mortales a despertarse. Y acaba así: «Tiempo vendrá en que este universo y la naturaleza misma quedarán agotados. Y al modo que de grandísimos reinos e imperios humanos, y de sus maravillosas moviciones, que fueron famosísimos en otras edades, no queda hoy ni señal ni fama alguna, parejamente del mundo entero y de las infinitas vicisitudes y calamidades de las cosas creadas no permanecerá ni siquiera un vestigio, sino que un silencio desnudo y una quietud profundísima llenarán el espacio inmen-

---

[12] *targúmica:* Traducción o paráfrasis aramea del Antiguo Testamento.

so. Así este arcano admirable y espantoso de la existencia universal antes de ser declarado ni entendido se borrará y perdoráse.»

Pero no, que ha de quedar el cántico del gallo silvestre y el susurro de Jehová con él; ha de quedar el Verbo que fue el principio y será el último, el Soplo y Son espiritual que recoje las nieblas y las cuaja. Augusto Pérez nos conminó a todos, a todos los que fueron y son yo, a todos los que formamos el sueño de Dios —o mejor, el sueño de su Verbo—, con que habremos de morir. Se me van muriendo en carne de espacio, pero no en carne de sueño, en carne de conciencia. Y por esto os digo, lectores de mi NIEBLA, soñadores de mi Augusto Pérez y de su mundo, que esto es la niebla, esto es la nivola, esto es la leyenda, esto es la historia, la vida eterna.

Salamanca, febrero 1935.

NIEBLA

I

Al aparecer Augusto a la puerta de su casa extendió el brazo derecho, con la mano palma abajo y abierta, y dirigiendo los ojos al cielo quedóse un momento parado en esta actitud estatuaria y augusta. No era que tomaba posesión del mundo exterior, sino era que observaba si llovía. Y al recibir en el dorso de la mano el frescor del lento orvallo frunció el sobrecejo. Y no era tampoco que le molestase la llovizna, sino el tener que abrir el paraguas. ¡Estaba tan elegante, tan esbelto, plegado y dentro de su funda! Un paraguas cerrado es tan elegante como es feo un paraguas abierto.

«Es una desgracia esto de tener que servirse uno de las cosas —pensó Augusto—; tener que usarlas, el uso estropea y hasta destruye toda belleza. La función más noble de los objetos es la de ser contemplados. ¡Qué bella es una naranja antes de comida! Esto cambiará en el cielo cuando todo nuestro oficio se reduzca, o más bien se ensanche a contemplar a Dios y todas las cosas en Él. Aquí, en esta pobre vida, no nos cuidamos sino de servirnos de Dios; pretendemos abrirlo, como a un paraguas, para que nos proteja de toda suerte de males.»

Díjose así y se agachó a recojerse los pantalones. Abrió

el paraguas por fin y se quedó un momento suspenso y pensando: «y ahora, ¿hacia dónde voy? ¿tiro a la derecha o a la izquierda?». Porque Augusto no era un caminante, sino un paseante de la vida. «Esperaré a que pase un perro —se dijo— y tomaré la dirección inicial que él tome.»

En esto pasó por la calle no un perro, sino una garrida moza, y tras de sus ojos se fue, como imantado y sin darse de ello cuenta, Augusto.

Y así una calle y otra y otra.

«Pero aquel chiquillo —iba diciéndose Augusto, que más bien que pensaba hablaba consigo mismo—, ¿qué hará allí, tirado de bruces en el suelo? ¡Contemplar a alguna hormiga, de seguro! ¡La hormiga, ¡bah!, uno de los animales más hipócritas! Apenas hace sino pasearse y hacernos creer que trabaja. Es como ese gandul que va ahí, a paso de carga, codeando a todos aquellos con quienes se cruza, y no me cabe duda de que no tiene nada que hacer. ¡Qué ha de tener que hacer, hombre, qué ha de tener que hacer! Es un vago, un vago como… ¡No, yo no soy un vago! Mi imaginación no descansa. Los vagos son ellos, los que dicen que trabajan y no hacen sino aturdirse y ahogar el pensamiento. Porque, vamos a ver, ese mamarracho de chocolatero que se pone ahí, detrás de esa vidriera, a darle al rollo majadero, para que le veamos, ese exhibicionista del trabajo, ¿qué es sino un vago? Y a nosotros ¿qué nos importa que trabaje o no? ¡El trabajo! ¡El trabajo! ¡Hipocresía! Para trabajo el de ese pobre paralítico que va ahí medio arrastrándose… Pero ¿y qué sé yo? ¡Perdone, hermano! —esto se lo dijo en voz alta—. ¿Hermano? ¿Hermano en qué? ¡En parálisis! Dicen que todos somos hijos de Adán. Y éste, Joaquinito, ¿es también hijo de Adán? ¡Adiós, Joaquín! ¡Vaya, ya tenemos el inevitable automóvil, ruido y polvo! ¿Y qué se adelanta con suprimir así distancias? La manía de viajar viene de topofobía y no de filotopía; el que viaja mucho va huyendo de cada lugar que deja y no buscando cada lugar a que llega. Viajar… viajar… Qué chisme más molesto es el paraguas… Calla, ¿qué es esto?»

Y se detuvo a la puerta de una casa donde había entrado la garrida moza que le llevara imantado tras de sus ojos. Y entonces se dio cuenta Augusto de que la había venido siguiendo. La portera de la casa le miraba con ojillos maliciosos, y aquella mirada le sugirió a Augusto lo que entonces debía hacer. «Esta Cerbera aguarda —se dijo— que le pregunte por el nombre y circunstancias de esta señorita a que he venido siguiendo, y, ciertamente, esto es lo que procede ahora. Otra cosa sería dejar mi seguimiento sin coronación, y eso no, las obras deben acabarse. ¡Odio lo imperfecto!» Metió la mano al bolsillo y no encontró en él sino un duro. No era cosa de ir entonces a cambiarlo; se perdería tiempo y ocasión en ello.

—Dígame, buena mujer —interpeló a la portera sin sacar el índice y el pulgar del bolsillo—, ¿podría decirme aquí, en confianza y para *inter nos,* el nombre de esta señorita que acaba de entrar?

—Eso no es ningún secreto ni nada malo, caballero.

—Por lo mismo.

—Pues se llama doña Eugenia Domingo del Arco.

—¿Domingo? Será Dominga…

—No, señor, Domingo; Domingo es su primer apellido.

—Pues cuando se trata de mujeres, ese apellido debía cambiarse en Dominga. Y si no, ¿dónde está la concordancia?

—No la conozco, señor.

—Y dígame… dígame… —sin sacar los dedos del bolsillo—, ¿cómo es que sale así sola? ¿Es soltera o casada? ¿Tiene padres?

—Es soltera y huérfana. Vive con unos tíos…

—¿Paternos o maternos?

—Sólo sé que son tíos.

—Basta y aun sobra.

—Se dedica a dar lecciones de piano.

—¿Y lo toca bien?

—Ya tanto no sé.

—Bueno, bien, basta; y tome por la molestia.

—Gracias, señor, gracias. ¿Se le ofrece más? ¿Puedo servirle en algo? ¿Desea le lleve algún mandado?

—Tal vez... tal vez... No por ahora... ¡Adiós!

—Disponga de mí, caballero, y cuente con una absoluta discreción.

«Pues señor —iba diciéndose Augusto al separarse de la portera—, ve aquí cómo he quedado comprometido con esta buena mujer. Porque ahora no puedo dignamente dejarlo así. Qué dirá si no de mí este dechado de porteras. ¿Conque... Eugenia Dominga, digo Domingo, del Arco? Muy bien, voy a apuntarlo, no sea que se me olvide. No hay más arte mnemotécnica que llevar un libro de memorias en el bolsillo. Ya lo decía mi inolvidable don Leoncio: ¡no metáis en la cabeza lo que os quepa en el bolsillo! A lo que habría que añadir por complemento: ¡no metáis en el bolsillo lo que os quepa en la cabeza! Y la portera, ¿cómo se llama la portera?»

Volvió unos pasos atrás.

—Dígame una cosa más, buena mujer...

—Usted mande...

—Y usted, ¿cómo se llama?

—¿Yo? Margarita.

—¡Muy bien, muy bien... gracias!

—No hay de qué.

Y volvió a marcharse Augusto, encontrándose al poco rato en el paseo de la Alameda.

Había cesado la llovizna. Cerró y plegó su paraguas y lo enfundó. Acercóse a un banco, y al palparlo se encontró con que estaba húmedo. Sacó un periódico, lo colocó sobre el banco y sentóse. Luego su cartera y blandió su pluma estilográfica. «He aquí un chisme utilísimo —se dijo—; de otro modo, tendría que apuntar con lápiz el nombre de esa señorita y podría borrarse. ¿Se borrará su imagen de mi memoria? Pero ¿cómo es? ¿Cómo es la dulce Eugenia? Sólo me acuerdo de unos ojos... Tengo la sensación del toque de unos ojos... Mientras yo divagaba líricamente, unos ojos tiraban dulcemente de mi corazón. ¡Veamos! Eugenia Domingo, sí, Domingo, del Arco.

¿Domingo? No me acostumbro a eso de que se llame Domingo... No; he de hacerle cambiar el apellido y que se llame Dominga. Pero, y nuestros hijos varones, ¿habrán de llevar por segundo apellido el de Dominga? Y como han de suprimir el mío, este impertinente Pérez, dejándolo en una P., ¿se ha de llamar nuestro primogénito Augusto P. Dominga? Pero... ¿adónde me llevas, loca fantasía?» Y apuntó en su cartera: Eugenia Domingo del Arco, Avenida de la Alameda, 58. Encima de esta apuntación había estos dos endecasílabos:

> De la cuna nos viene la tristeza
> y también de la cuna la alegría...

«Vaya —se dijo Augusto—, esta Eugenita, la profesora de piano, me ha cortado un excelente principio de poesía lírica trascendental. Me queda interrumpida. ¿Interrumpida?... Sí, el hombre no hace sino buscar en los sucesos, en las vicisitudes de la suerte, alimento para su tristeza o su alegría nativas. Un mismo caso es triste o alegre según nuestra disposición innata. ¿Y Eugenia? Tengo que escribirle. Pero no desde aquí, sino desde casa. ¿Iré más bien al Casino? No, a casa, a casa. Estas cosas desde casa, desde el hogar. ¿Hogar? Mi casa no es hogar. Hogar... hogar... ¡Cenicero más bien! ¡Ay, mi Eugenia!»

Y se volvió Augusto a su casa.

II

Al abrirle el criado la puerta...

Augusto, que era rico y solo, pues su anciana madre había muerto no hacía sino seis meses antes de estos menudos sucedidos, vivía con un criado y una cocinera, sirvientes antiguos en la casa e hijos de otros que en ella misma habían servido. El criado y la cocinera estaban casados entre sí, pero no tenían hijos.

Al abrirle el criado la puerta le preguntó Augusto si en su ausencia había llegado alguien.

—Nadie, señorito.

Eran pregunta y respuesta sacramentales, pues apenas recibía visitas en casa Augusto.

Entró en su gabinete, tomó un sobre y escribió en él: «Señorita doña Eugenia Domingo del Arco. EPM.» Y en seguida, delante del blanco papel, apoyó la cabeza en ambas manos, los codos en el escritorio, y cerró los ojos. «Pensemos primero en ella», se dijo. Y esforzóse por atrapar en la oscuridad el resplandor de aquellos otros ojos que le arrastraran al azar.

Estuvo así un rato sugiriéndose la figura de Eugenia, y como apenas si la había visto, tuvo que figurársela. Merced a esta labor de evocación fue surgiendo a su fantasía una figura vagarosa ceñida de ensueños. Y se quedó dormido. Se quedó dormido porque había pasado mala noche, de insomnio.

—¡Señorito!

—¿Eh? —exclamó despertándose.

—Está ya servido el almuerzo.

¿Fue la voz del criado, o fue el apetito, de que aquella voz no era sino un eco, lo que le despertó? ¡Misterios psicológicos! Así pensó Augusto, que se fue al comedor diciéndose: ¡oh, la psicología!

Almorzó con fruición su almuerzo de todos los días: un par de huevos fritos, un bisteque con patatas y un trozo de queso Gruyère. Tomó luego su café y se tendió en la mecedora. Encendió un habano, se lo llevó a la boca, y diciéndose: «¡Ay, mi Eugenia!» se dispuso a pensar en ella.

«¡Mi Eugenia, sí, la mía —iba diciéndose—, esta que me estoy forjando a solas, y no la otra, no la de carne y hueso, no la que vi cruzar por la puerta de mi casa, aparición fortuita, no la de la portera! ¿Aparición fortuita? ¿Y qué aparición no lo es? ¿Cuál es la lógica de las apariciones? La de la sucesión de estas figuras que forman las nubes de humo del cigarro. ¡El azar! El azar es el íntimo ritmo del mundo, el azar es el alma de la poesía. ¡Ah, mi azarosa Eugenia! Esta mi vida mansa, rutinaria, humilde, es una oda pindárica [13] tejida con las mil pequeñeces de lo cotidiano. ¡Lo cotidiano! ¡El pan nuestro de cada día, dánosle hoy! Dame, Señor, las mil menudencias de cada día. Los hombres no sucumbimos a las grandes penas ni a las grandes alegrías, y es porque esas penas y esas alegrías vienen embozadas en una inmensa niebla de pequeños incidentes. Y la vida es esto, la niebla. La vida es una nebulosa. Ahora surge de ella Eugenia. ¿Y quién es Eugenia? Ah, caigo en la cuenta de que hace tiempo la andaba buscando. Y mientras yo la buscaba ella me ha salido al paso. ¿No es esto acaso encontrar algo? Cuando uno descubre una aparición que buscaba, ¿no es que la

---

[13]   *oda pindárica:* Composición poética de tipo lírico, dedicada a contar las hazañas de un héroe. Recibe su nombre del poeta griego Píndaro (c. 518-438 a. J. C.).

aparición, compadecida de su busca, se le viene al encuentro? ¿No salió la América a buscar a Colón? ¿No ha venido Eugenia a buscarme a mí? ¡Eugenia! ¡Eugenia! ¡Eugenia!»

Y Augusto se encontró pronunciando en voz alta el nombre de Eugenia. Al oírle llamar, el criado, que acertaba a pasar junto al comedor, entró diciendo:

—¿Llamaba, señorito?

—¡No, a ti no! Pero, calla, ¿no te llamas tú Domingo?

—Sí, señorito —respondió Domingo sin extrañeza alguna por la pregunta que se le hacía.

—¿Y por qué te llamas Domingo?

—Porque así me llaman.

«Bien, muy bien —se dijo Augusto—; nos llamamos como nos llaman. En los tiempos homéricos tenían las personas y las cosas dos nombres, el que les daban los hombres y el que les daban los dioses. ¿Cómo me llamará Dios? ¿Y por qué no he de llamarme yo de otro modo que como los demás me llaman? ¿Por qué no he de dar a Eugenia otro nombre distinto del que le dan los demás, del que le da Margarita, la portera? ¿Cómo la llamaré?»

—Puedes irte —le dijo al criado.

Se levantó de la mecedora, fue al gabinete, tomó la pluma y se puso a escribir:

«Señorita: Esta misma mañana, bajo la dulce llovizna del cielo, cruzó usted, aparición fortuita, por delante de la puerta de la casa donde aún vivo y ya no tengo hogar. Cuando desperté fui a la puerta de la suya, donde ignoro si tiene usted hogar o no le tiene. Me habían llevado allí sus ojos, sus ojos, que son refulgentes estrellas mellizas en la nebulosa de mi mundo. Perdóneme, Eugenia, y deje que le dé familiarmente este dulce nombre; perdóneme la lírica. Yo vivo en perpetua lírica infinitesimal.

No sé qué más decirle. Sí, sí sé. Pero es tanto, tanto lo que tengo que decirle, que estimo mejor aplazarlo para cuando nos veamos y nos hablemos pues es lo que ahora deseo, que nos veamos, que nos hablemos, que nos escribamos, que nos conozcamos. Después... Después, ¡Dios y nuestros corazones dirán!

¿Me dará usted, pues, Eugenia, dulce aparición de mi vida cotidiana, me dará usted oídos?

Sumido en la niebla de su vida espera su respuesta.

AUGUSTO PÉREZ.»

Y rubricó diciéndose: «Me gusta esta costumbre de la rúbrica por lo inútil.»

Cerró la carta y volvió a echarse a la calle.

«¡Gracias a Dios —se decía camino de la Avenida de la Alameda—, gracias a Dios que sé adónde voy y que tengo adónde ir! Esta mi Eugenia es una bendición de Dios. Ya ha dado una finalidad, un hito de término a mis vagabundeos callejeros. Ya tengo casa que rondar; ya tengo una portera confidente...»

Mientras iba así hablando consigo mismo cruzó con Eugenia sin advertir siquiera el resplandor de sus ojos. La niebla espiritual era demasiado densa. Pero Eugenia, por su parte, sí se fijó en él, diciéndose: «¿quién será este joven? ¡no tiene mal porte y parece bien acomodado!». Y es que, sin darse clara cuenta de ello, adivinó a uno que por la mañana la había seguido. Las mujeres saben siempre cuándo se las mira, aun sin verlas, y cuándo se las ve sin mirarlas.

Y siguieron los dos, Augusto y Eugenia, en direcciones contrarias, cortando con sus almas la enmarañada telaraña espiritual de la calle. Porque la calle forma un tejido en que se entrecruzan miradas de deseo, de envidia, de desdén, de compasión, de amor, de odio, viejas palabras cuyo espíritu quedó cristalizado, pensamientos, anhelos, toda una tela misteriosa que envuelve las almas de los que pasan.

Por fin se encontró Augusto una vez más ante Margarita la portera, ante la sonrisa de Margarita. Lo primero que hizo ésta al ver a aquél fue sacar la mano del bolsillo del delantal.

—Buenas tardes, Margarita.

—Buenas tardes, señorito.

—Augusto, buena mujer, Augusto.

—Don Augusto —añadió ella.

—No a todos los nombres les cae el don —observó él—. Así como de Juan a don Juan hay un abismo, así le hay de Augusto a don Augusto. ¡Pero... sea! ¿Salió la señorita Eugenia?

—Sí, hace un momento.

—¿En qué dirección?

—Por ahí.

Y por ahí se dirigió Augusto. Pero al rato volvió. Se le había olvidado la carta.

—¿Hará el favor, señora Margarita, de hacer llegar esta carta a las propias blancas manos de la señorita Eugenia?

—Con mucho gusto.

—Pero a sus propias blancas manos, ¿eh? A sus manos tan marfileñas como las teclas del piano a que acarician.

—Sí, ya, lo sé de otras veces.

—¿De otras veces? ¿Qué es eso de otras veces?

—Pero ¿es que cree el caballero que es esta la primera carta de este género...?

—¿De este género? Pero ¿usted sabe el género de mi carta?

—Desde luego. Como las otras.

—¿Como las otras? ¿Como qué otras?

—¡Pues pocos pretendientes que ha tenido la señorita...!

—Ah, ¿pero ahora está vacante?

—¿Ahora? No, no, señor, tiene algo así como un novio... aunque creo que no es sino aspirante a novio... Acaso le tenga en prueba... puede ser que sea interino...

—¿Y cómo no me lo dijo?

—Como usted no me lo preguntó...

—Es cierto. Sin embargo, entréguele esta carta y en propias manos, ¿entiende? ¡Lucharemos! ¡Y vaya otro duro!

—Gracias, señor, gracias.

Con trabajo se separó de allí Augusto, pues la conversación nebulosa, cotidiana, de Margarita la portera empezaba a agradarle. ¿No era acaso un modo de matar el tiempo?

«¡Lucharemos! —iba diciéndose Augusto calle abajo—, ¡sí, lucharemos! ¿Conque tiene otro novio, otro aspirante a novio...? ¡Lucharemos! *Militia est vita hominis super terram* [14]. Ya tiene mi vida una finalidad; ya tengo una conquista que llevar a cabo. ¡Oh, Eugenia, mi Eugenia, has de ser mía! ¡Por lo menos, mi Eugenia, ésta que me he forjado sobre la visión fugitiva de aquellos ojos, de aquella yunta de estrellas en mi nebulosa, esta Eugenia sí que ha de ser mía, sea la otra, la de la portera, de quien fuere! ¡Lucharemos! Lucharemos y venceré. Tengo el secreto de la victoria. ¡Ah, Eugenia, mi Eugenia!»

Y se encontró a la puerta del Casino, donde ya Víctor le esperaba para echar la cotidiana partida de ajedrez.

---

[14] *Militia est vita hominis super terram:* La vida del hombre en la tierra es una lucha. Augusto, como Unamuno, hace suyo el pensamiento de Job 7, 1.

III

—Hoy te retrasaste un poco, chico —dijo Víctor a Augusto—, ¡tú, tan puntual siempre!

—Qué quieres... quehaceres...

—¿Quehaceres, tú?

—Pero ¿es que crees que sólo tienen quehaceres los agentes de bolsa? La vida es mucho más compleja de lo que tú te figuras.

—O yo más simple de lo que tú crees...

—Todo pudiera ser.

—¡Bien, sal!

Augusto avanzó dos casillas el peón del rey, y en vez de tararear como otras veces trozos de ópera, se quedó diciéndose: «¡Eugenia, Eugenia, Eugenia, mi Eugenia, finalidad de mi vida, dulce resplandor de estrellas mellizas en la niebla, lucharemos! Aquí sí que hay lógica, en esto del ajedrez, y, sin embargo, ¡qué nebuloso, qué fortuito después de todo! ¿No será la lógica también algo fortuito, algo azaroso? Y esa aparición de mi Eugenia, ¿no será algo lógico? ¿No obedecerá a un ajedrez divino?»

—Pero, hombre —le interrumpió Víctor—, ¿no quedamos en que no sirve volver atrás la jugada? ¡Pieza tocada, pieza jugada!

—En eso quedamos, sí.

—Pues si haces eso te como gratis ese alfil.

—Es verdad, es verdad; me había distraído.

—Pues no distraerse; que el que juega no asa castañas. Y ya lo sabes; pieza tocada, pieza jugada.

—¡Vamos, sí, lo irreparable!

—Así debe ser. Y en ello consiste lo educativo de este juego.

«¿Y por qué no ha de distraerse uno en el juego? —se decía Augusto—. ¿Es o no es un juego la vida? ¿Y por qué no ha de servir volver atrás las jugadas? ¡Esto es la lógica! Acaso esté ya la carta en manos de Eugenia. *Alea iacta est!* [15]. A lo hecho, pecho. ¿Y mañana? ¡Mañana es de Dios! ¿Y ayer, de quién es? ¿De quién es ayer? ¡Oh, ayer, tesoro de los fuertes! ¡Santo ayer, sustancia de la niebla cotidiana!»

—¡Jaque! —volvió a interrumpirle Víctor.

—Es verdad, es verdad... veamos... Pero ¿cómo he dejado que las cosas lleguen a este punto?

—Distrayéndote, hombre, como de costumbre. Si no fueses tan distraído serías uno de nuestros primeros jugadores.

—Pero, dime, Víctor, ¿la vida es juego o es distracción?

—Es que el juego no es sino distracción.

—Entonces, ¿qué más da distraerse de un modo o de otro?

—Hombre, de jugar, jugar bien.

—¿Y por qué no jugar mal? ¿Y qué es jugar bien y qué jugar mal? ¿Por qué no hemos de mover estas piezas de otro modo que como las movemos?

—Esto es la tesis, Augusto amigo, según tú, filósofo conspicuo, me has enseñado.

—Bueno, pues voy a darte una gran noticia.

—¡Venga!

—Pero, asómbrate, chico.

—Yo no soy de los que se asombran *a priori* o de antemano.

---

[15] *Alea iacta est:* «La suerte está echada», fue lo que dijo Julio César en un momento decisivo de la guerra de las Galias, al pasar el Rubicón.

—Pues allá va: ¿sabes lo que me pasa?

—Que cada vez estás más distraído.

—Pues me pasa que me he enamorado.

—Bah, eso ya lo sabía yo.

—¿Cómo que lo sabías...?

—Naturalmente, tú estás enamorado *ab origine,* desde que naciste; tienes un amorío innato.

—Sí, el amor nace con nosotros cuando nacemos.

—No he dicho amor, sino amorío. Y ya sabía yo, sin que tuvieras que decírmelo, que estabas enamorado o más bien enamoriscado. Lo sabía mejor que tú mismo.

—Pero ¿de quién? Dime, ¿de quién?

—Eso no lo sabes tú más que yo.

—Pues, calla, mira, acaso tengas razón...

—¿No te lo dije? Y si no, dime, ¿es rubia o morena?

—Pues, la verdad, no lo sé. Aunque me figuro que debe de ser ni lo uno ni lo otro; vamos, así, pelicastaña.

—¿Es alta o baja?

—Tampoco me acuerdo bien. Pero debe de ser una cosa regular. Pero ¡qué ojos, chico, qué ojos tiene mi Eugenia!

—¿Eugenia?

—Sí, Eugenia Domingo del Arco, Avenida de la Alameda, 58.

—¿La profesora de piano?

—La misma. Pero...

—Sí, la conozco. Y ahora... ¡jaque otra vez!

—Pero...

—¡Jaque he dicho!

—Bueno...

Y Augusto cubrió el rey con un caballo. Y acabó perdiendo el juego.

Al despedirse, Víctor, poniéndose la diestra, a guisa de yugo, sobre el cerviguillo, le susurró al oído:

—Conque Eugenita la pianista, ¿eh? Bien, Augustito, bien; tú poseerás la tierra.

«¡Pero esos diminutivos —pensó Augusto—, esos terribles diminutivos!» Y salió a la calle.

IV

«¿Por qué el diminutivo es señal de cariño? —iba diciéndose Augusto camino de su casa—. ¿Es acaso que el amor achica la cosa amada? ¡Enamorado yo! ¡Yo enamorado! ¡Quién había de decirlo...! Pero ¿tendrá razón Víctor? ¿Seré un enamorado *ab initio*? Tal vez mi amor ha precedido a su objeto. Es más, es este amor el que lo ha suscitado, el que lo ha extraído de la niebla de la creación. Pero si yo adelanto aquella torre no me da el mate, no me lo da. ¿Y qué es amor? ¿Quién definió el amor? Amor definido deja de serlo... Pero, Dios mío, ¿por qué permitirá el alcalde que empleen para los rótulos de los comercios tipos de letra tan feos como ése? Aquel alfil estuvo mal jugado. ¿Y cómo me he enamorado si en rigor no puedo decir que la conozco? Bah, el conocimiento vendrá después. El amor precede al conocimiento, y éste mata a aquél. *Nihil volitum quin praecognitum* [16], me enseñó el padre Zaramillo, pero yo he llegado a la conclusión contraria y es que *nihil cognitum quin praevolitum* [17]. Conocer es perdonar, dicen. No, perdonar es co-

---

[16] *Nihil volitum quin praecognitum:* Nada se desea que no se haya conocido antes. Principio de la filosofía escolástica.
[17] *nihil cognitum quin praevolitum:* No se conoce nada que no se haya deseado antes.

nocer. Primero el amor, el conocimiento después. Pero ¿cómo no vi que me daba mate al descubierto? Y para amar algo, ¿qué basta? ¡Vislumbrarlo! El vislumbre; he aquí la intuición amorosa, el vislumbre en la niebla. Luego viene el precisarse, la visión perfecta, el resolverse la niebla en gotas de agua o en granizo, o en nieve, o en piedra. La ciencia es una pedrea. ¡No, no, niebla, niebla! ¡Quién fuera águila para pasearse por los senos de las nubes! Y ver al sol a través de ellas, como lumbre nebulosa también.

«¡Oh, el águila! ¡Qué cosas se dirían el águila de Patmos [18], la que mira al sol cara a cara y no ve en la negrura de la noche, cuando escapándose de junto a San Juan se encontró con la lechuza de Minerva, la que ve en lo oscuro de la noche, pero no puede mirar al sol, y se había escapado del Olimpo!»

Al llegar a este punto cruzó Augusto con Eugenia y no reparó en ella.

«El conocimiento viene después... —siguió diciéndose—. Pero... ¿Qué ha sido eso? Juraría que han cruzado por mi órbita dos refulgentes y místicas estrellas gemelas... ¿Habrá sido ella? El corazón me dice... ¡Pero, calla, ya estoy en casa!»

Y entró.

Dirigióse a su cuarto, y al reparar en la cama se dijo: «¡Solo! ¡dormir solo! ¡soñar solo! Cuando se duerme en compañía, el sueño debe de ser común. Misteriosos efluvios han de unir los dos cerebros. ¿O no es acaso que a medida que los corazones más se unen, más se separan las cabezas? Tal vez. Tal vez están en posiciones mutuamente adversas. Si dos amantes piensan lo mismo, sienten en contrario uno del otro; si comulgan en el mismo sentimiento amoroso, cada cual piensa otra cosa que el otro, tal vez lo contrario. La mujer sólo ama a su hombre

---

[18]   *el águila de Patmos:* Símbolo del apóstol San Juan. Se cree que en la isla griega de Patmos San Juan escribió el Apocalipsis.

mientras no piense como ella, es decir, mientras piense. Veamos a este honrado matrimonio.»

Muchas noches, antes de acostarse, solía Augusto echar una partida de tute con su criado, Domingo, y mientras, la mujer de éste, la cocinera, contemplaba el juego.

Empezó la partida.

—¡Veinte en copas! —cantó Domingo.

—¡Decidme! —exclamó Augusto de pronto—. ¿Y si yo me casara?

—Muy bien hecho, señorito —dijo Domingo.

—Según y conforme —se atrevió a insinuar Liduvina, su mujer.

—Pues ¿no te casaste tú? —le interpeló Augusto.

—Según y conforme, señorito.

—¿Cómo según y conforme? Habla.

—Casarse es muy fácil; pero no es tan fácil ser casado.

—Eso pertenece a la sabiduría popular, fuente de...

—Y lo que es la que haya de ser mujer del señorito... —agregó Liduvina, temiendo que Augusto les espetara todo un monólogo.

—¿Qué? La que haya de ser mi mujer, ¿qué? Vamos, ¡dilo, dilo, mujer, dilo!

—Pues que como el señorito es tan bueno...

—Anda, dilo, mujer, dilo de una vez.

—Ya recuerda lo que decía la señora...

A la piadosa mención de su madre Augusto dejó las cartas sobre la mesa, y su espíritu quedó un momento en suspenso. Muchas veces su madre, aquella dulce señora, hija del infortunio, le había dicho: «Yo no puedo vivir ya mucho, hijo mío; tu padre me está llamando. Acaso le hago a él más falta que a ti. Así que yo me vaya de este mundo y te quedes solo en él tú cásate, cásate cuanto antes. Trae a esta casa dueña y señora. Y no es que yo no tenga confianza en nuestros antiguos y fieles servidores, no. Pero trae ama a la casa. Y que sea ama de casa, hijo mío, que sea ama. Hazla dueña de tu corazón, de tu bolsa, de tu despensa, de tu cocina y de tus resoluciones. Busca una mujer de gobierno, que sepa querer... y gobernarte.»

—Mi mujer tocará el piano —dijo Augusto sacudiendo sus recuerdos y añoranzas.

—¡El piano! Y eso ¿para qué sirve? —preguntó Liduvina.

—¿Para qué sirve? Pues ahí estriba su mayor encanto, en que no sirve para maldita de Dios la cosa, lo que se llama servir. Estoy harto de servicios...

—¿De los nuestros?

—¡No, de los vuestros, no! Y además el piano sirve, sí, sirve... sirve para llenar de armonía los hogares y que no sean ceniceros.

—¡Armonía! Y eso ¿con qué se come?

—Liduvina... Liduvina...

La cocinera bajó la cabeza ante el dulce reproche. Era la costumbre de uno y de otra.

—Sí, tocará el piano, porque es profesora de piano.

—Entonces no lo tocará —añadió con firmeza Liduvina—. Y si no, ¿para qué se casa?

—Mi Eugenia... —empezó Augusto.

—¿Ah, pero se llama Eugenia y es maestra de piano? —preguntó la cocinera.

—Sí, ¿pues?

—¿La que vive con unos tíos en la Avenida de la Alameda, encima del comercio del señor Tiburcio?

—La misma. ¿Qué, la conoces?

—Sí... de vista...

—No, algo más, Liduvina, algo más. Vamos, habla; mira que se trata del porvenir y de la dicha de tu amo...

—Es buena muchacha, sí, buena muchacha...

—Vamos, habla, Liduvina... ¡por la memoria de mi madre!...

—Acuérdese de sus consejos, señorito. Pero ¿quién anda en la cocina? ¿A que es el gato?...

Y levantándose la criada, se salió.

—¿Y qué, acabamos? —preguntó Domingo.

—Es verdad, Domingo, no podemos dejar así la partida. ¿A quién le toca salir?

—A usted, señorito.

—Pues allá va.

Y perdió también la partida, por distraído.

«Pues señor —se decía al retirarse a su cuarto—, todos la conocen; todos la conocen menos yo. He aquí la obra del amor. ¿Y mañana? ¿Qué haré mañana? ¡Bah! A cada día bástele su cuidado. Ahora, a la cama.»

Y se acostó.

Y ya en la cama siguió diciéndose: «Pues el caso es que he estado aburriéndome sin saberlo, y dos mortales años... desde que murió mi santa madre... [19]. Sí, sí, hay un aburrimiento inconciente [20]. Casi todos los hombres nos aburrimos inconcientemente. El aburrimiento es el fondo de la vida, y el aburrimiento es el que ha inventado los juegos, las distracciones, las novelas y el amor. La niebla de la vida rezuma un dulce aburrimiento, licor agridulce. Todos estos sucesos cotidianos, insignificantes; todas estas dulces conversaciones con que matamos el tiempo y alargamos la vida, ¿qué son sino dulcísimo aburrirse? ¡Oh, Eugenia, mi Eugenia, flor de mi aburrimiento vital e inconciente, asísteme en mis sueños, sueña en mí y conmigo!»

Y quedóse dormido.

---

[19] Claro despiste unamuniano. En el capítulo II dice que la madre de Augusto había muerto hace seis meses.

[20] *inconciente:* Véase nota 1.

V

Cruzaba las nubes, águila refulgente, con las poderosas alas perladas de rocío, fijos los ojos de presa en la niebla solar, dormido el corazón en dulce aburrimiento al amparo del pecho forjado en tempestades; en derredor, el
silencio que hacen los rumores remotos de la tierra, y allá
en lo alto, en la cima del cielo, dos estrellas mellizas de-
rramando bálsamo invisible. Desgarró el silencio un chi-
llido estridente que decía: «¡*La Correspondencia...!*» [21].
Y vislumbró Augusto la luz de un nuevo día.

«¿Sueño o vivo? —se preguntó embozándose en la
manta—. ¿Soy águila o soy hombre? ¿Qué dirá el papel
ese? ¿Qué novedades me traerá el nuevo día consigo? ¿Se
habrá tragado esta noche un terremoto a Corcubión [22]?
¿Y por qué no a Leipzig? [23]. ¡Oh, la asociación lírica de
ideas, el desorden pindárico! El mundo es un caleidoscopio. La lógica la pone el hombre. El supremo arte es el
del azar. Durmamos, pues, un rato más.» Y diose media
vuelta en la cama.

_____

[21]   *La Correspondencia:* Título de un famoso periódico madrileño
de comienzos de siglo.
[22]   *Corcubión:* Municipio español situado en la provincia de La Co-
ruña.
[23]   *Leipzig:* Ciudad alemana, aquí evocada, sin duda, como sede de
una importante escuela de filósofos.

¡La Correspondencia!... ¡El vinagrero! Y luego un coche, y después un automóvil, y unos chiquillos después.

«¡Imposible! —volvió a decirse Augusto—. Esto es la vida que vuelve. Y con ella el amor... ¿Y qué es el amor? ¿No es acaso la destilación de todo esto? ¿no es el jugo del aburrimiento? Pensemos en Eugenia; la hora es propicia.»

Y cerró los ojos con el propósito de pensar en Eugenia. ¿Pensar?

Pero este pensamiento se le fue diluyendo, derritiéndosele, y al poco rato no era sino una polca. Es que un piano de manubrio se había parado al pie de la ventana de su cuarto y estaba sonando. Y el alma de Augusto repercutía notas, no pensaba.

«La esencia del mundo es musical —se dijo Augusto cuando murió la última nota del organillo—. Y mi Eugenia, ¿no es musical también? Toda ley es una ley de ritmo, y el ritmo es el amor. He aquí que la divina mañana, virginidad del día, me trae un descubrimiento: el amor es el ritmo. La ciencia del ritmo son las matemáticas; la expresión sensible del amor es la música. La expresión, no su realización; entendámonos.»

Le interrumpió un golpecito a la puerta.

—¡Adelante!

—¿Llamaba, señorito? —dijo Domingo.

—¡Sí... el desayuno!

Había llamado, sin haberse dado de ello cuenta, lo menos hora y media antes que de costumbre, y una vez que hubo llamado tenía que pedir el desayuno, aunque no era hora.

«El amor aviva y anticipa el apetito —siguió diciéndose Augusto—. ¡Hay que vivir para amar! Sí, ¡y hay que amar para vivir!»

Se levantó a tomar el desayuno.

—¿Qué tal tiempo hace, Domingo?

—Como siempre, señorito.

—Vamos, sí, ni bueno ni malo.

—¡Eso!

Era la teoría del criado, quien también se las tenía.

Augusto se lavó, peinó, vistió y avió como quien tiene ya un objetivo en la vida, rebosando íntimo arregosto[24] de vivir. Aunque melancólico.

Echóse a la calle, y muy pronto el corazón le tocó a rebato. «¡Calla —se dijo—, si yo la había visto, si yo la conocía hace mucho tiempo; sí, su imagen me es casi innata...! ¡Madre mía, ampárame!» Y al pasar junto a él, al cruzarse con él Eugenia, la saludó aún más con los ojos que con el sombrero.

Estuvo a punto de volverse para seguirla, pero venció el buen juicio y el deseo que tenía de charlar con la portera.

«Es ella, sí, es ella —siguió diciéndose—, es ella, es la misma, es la que yo buscaba hace años, aun sin saberlo; es la que me buscaba. Estábamos destinados uno a otro en armonía prestablecida; somos dos mónadas[25] complementaria una de otra. La familia es la verdadera célula social. Y yo no soy más que una molécula. ¡Qué poética es la ciencia, Dios mío! ¡Madre, madre mía, aquí tienes a tu hijo; aconséjame desde el cielo! ¡Eugenia, mi Eugenia...!»

Miró a todas partes por si le miraban, pues se sorprendió abrazando al aire. Y se dijo: «El amor es un éxtasis; nos saca de nosotros mismos.»

Le volvió a la realidad —¿a la realidad?— la sonrisa de Margarita.

—¿Y qué, no hay novedad? —le preguntó Augusto.

—Ninguna, señorito. Todavía es muy pronto.

—¿No le preguntó nada al entregársela?

—Nada.

—¿Y hoy?

—Hoy, sí. Me preguntó por sus señas de usted, y si le

---

24   *arregosto:* Gusto convertido ya en costumbre.
25   *mónada:* Concepto filosófico de origen pitagórico utilizado por Platón y su escuela, y más tarde en el Renacimiento. Leibniz construyó sobre esta noción su filosofía del universo.

conocía, y quién era. Me dijo que el señorito no se había
acordado de poner la dirección de su casa. Y luego me
dio un encargo...

—¿Un encargo? ¿Cuál? No vacile.

—Me dijo que si volvía por acá le dijese que estaba com-
prometida, que tiene novio.

—¿Que tiene novio?

—Ya se lo dije yo, señorito.

—No importa, ¡lucharemos!

—Bueno, lucharemos.

—¿Me promete usted su ayuda, Margarita?

—Claro que sí.

—¡Pues venceremos!

Y se retiró. Fuese a la Alameda a refrescar sus emociones en la visión de verdura, a oír cantar a los pájaros sus
amores. Su corazón verdecía y dentro de él cantábanle
también como ruiseñores recuerdos alados de la in-
fancia.

Era, sobre todo, el cielo de recuerdos de su madre de-
rramando una lumbre derretida y dulce sobre todas sus
demás memorias.

De su padre apenas se acordaba; era una sombra míti-
ca que se le perdía en lo más lejano; era una nube sangrienta de ocaso. Sangrienta, porque siendo aún peque-
ñito lo vio bañado en sangre, de un vómito, y cadavérico.
Y repercutía en su corazón, a tan larga distancia, aquel
¡hijo! de su madre, que desgarró la casa; aquel ¡hijo! que
no se sabía si dirigido al padre moribundo o a él, a Augusto, empedernido de incomprensión ante el misterio de la
muerte.

Poco después su madre, temblorosa de congoja, le ape-
chugaba a su seno, y con una letanía de ¡hijo mío! ¡hijo
mío! ¡hijo mío! le bautizaba en lágrimas de fuego. Y él
lloró también, apretándose a su madre, y sin atreverse a
volver la cara ni apartarla de la dulce oscuridad de aquel
regazo palpitante, por miedo a encontrarse con los ojos
devoradores del Coco.

Y así pasaron días de llanto y de negrura, hasta que las

lágrimas fueron yéndose hacia dentro y la casa fue derritiendo los negrores.

Era una casa dulce y tibia. La luz entraba por entre las blancas flores bordadas en los visillos. Las butacas abrían, con intimidad de abuelos hechos niños por los años, sus brazos. Allí estaba siempre el cenicero con la ceniza del último puro que apuró su padre. Y allí, en la pared, el retrato de ambos, del padre y de la madre, la viuda ya, hecho el día mismo en que se casaron. Él, que era alto, sentado, con una pierna cruzada sobre la otra, enseñando la lengüeta de la bota, y ella, que era bajita, de pie a su lado y apoyando la mano, una mano fina que no parecía hecha para agarrar, sino para posarse como paloma, en el hombro de su marido.

Su madre iba y venía sin hacer ruido, como un pajarillo, siempre de negro, con una sonrisa, que era el poso de las lágrimas de los primeros días de viudez, siempre en la boca y en torno de los ojos escudriñadores. «Tengo que vivir para ti, para ti solo —le decía por las noches, antes de acostarse—, Augusto.» Y éste llevaba a sus sueños nocturnos un beso húmedo aún en lágrimas.

Como un sueño dulce se les iba la vida.

Por las noches le leía su madre algo, unas veces la vida del Santo, otras una novela de Julio Verne [26] o algún cuento candoroso y sencillo. Y algunas veces hasta se reía, con una risa silenciosa y dulce que trascendía a lágrimas lejanas.

Luego entró al Instituto y por las noches era su madre quien le tomaba las lecciones. Y estudió para tomárselas. Estudió todos aquellos nombres raros de la historia universal, y solía decirle sonriendo: «Pero ¡cuántas barbaridades han podido hacer los hombres, Dios mío!» Estudió matemáticas, y en esto fue en lo que más sobresalió aquella dulce madre. «Si mi madre llega a dedicarse a las matemáticas...», se decía Augusto. Y recordaba el inte-

---

[26]   Julio Verne (1828-1905), escritor francés de libros de aventuras que acercan a la ciencia ficción.

rés con que seguía el desarrollo de una ecuación de segundo grado. Estudió psicología, y esto era lo que más se le resistía. «Pero ¡qué ganas de complicar las cosas!», solía decir a esto. Estudió física y química e historia natural. De la historia natural lo que no le gustaba era aquellos motajos raros que se les da en ella a los animales y las plantas. La fisiología le causaba horror, y renunció a tomar sus lecciones a su hijo. Sólo con ver aquellas láminas que representaban el corazón o los pulmones al desnudo presentábasele la sanguinosa muerte de su marido. «Todo esto es muy feo, hijo mío —le decía—; no estudies médico. Lo mejor es no saber cómo se tienen las cosas de dentro.»

Cuando Augusto se hizo bachiller le tomó en brazos, le miró al bozo, y rompiendo en lágrimas exclamó: «¡Si viviese tu padre...!» Después le hizo sentarse sobre sus rodillas, de lo que él, un chicarrón ya, se sentía avergonzado, y así le tuvo, en silencio, mirando al cenicero de su difunto.

Y luego vino su carrera, sus amistades universitarias, y la melancolía de la pobre madre al ver que su hijo ensayaba las alas. «Yo para ti, yo para ti —solía decirle—, y tú, ¡quién sabe para qué otra!... Así es el mundo, hijo.» El día en que se recibió de licenciado en Derecho, su madre, al llegar él a casa, le tomó y besó la mano de una manera cómicamente grave, y luego, abrazándole, díjole al oído: «¡Tu padre te bendiga, hijo mío!»

Su madre jamás se acostaba hasta que él lo hubiese hecho, y le dejaba con un beso en la cama. No pudo, pues, nunca trasnochar. Y era su madre lo primero que veía al despertarse. Y en la mesa, de lo que él no comía, tampoco ella.

Salían a menudo juntos de paseo y así iban, en silencio, bajo el cielo, pensando ella en su difunto y él pensando en lo que primero pasaba a sus ojos. Y ella le decía siempre las mismas cosas, cosas cotidianas, muy antiguas y siempre nuevas. Muchas de ellas empezaban así: «Cuando te cases...»

Siempre que cruzaba con ellos alguna muchacha hermosa, o siquiera linda, su madre miraba a Augusto con el rabillo del ojo.

Y vino la muerte, aquella muerte lenta, grave y dulce, indolorosa, que entró de puntillas y sin ruido, como un ave peregrina, y se la llevó a vuelo lento, en una tarde de otoño. Murió con su mano en la mano de su hijo, con sus ojos en los ojos de él. Sintió Augusto que la mano se enfriaba, sintió que los ojos se inmovilizaban. Soltó la mano después de haber dejado en su frialdad un beso cálido, y cerró los ojos. Se arrodilló junto al lecho y pasó sobre él la historia de aquellos años iguales.

Y ahora estaba aquí, en la Alameda, bajo el gorjear de los pájaros, pensando en Eugenia. Y Eugenia tenía novio. «Lo que temo, hijo mío —solía decirle su madre—, es cuando te encuentres con la primera espina en el camino de tu vida.» ¡Si estuviera aquí ella para hacer florecer en rosa a esta primera espina!

«Si viviera mi madre encontraría solución a esto —se dijo Augusto—, que no es, después de todo, más difícil que una ecuación de segundo grado. Y no es, en el fondo, más que una ecuación de segundo grado.»

Unos débiles quejidos, como de un pobre animal, interrumpieron su soliloquio. Escudriñó con los ojos y acabó por descubrir, entre la verdura de un matorral, un pobre cachorrillo de perro que parecía buscar camino en tierra. «¡Pobrecillo! —se dijo—. Lo han dejado recién nacido a que muera; les faltó valor para matarlo.» Y lo recogió.

El animalito buscaba el pecho de la madre. Augusto se levantó y volvióse a casa pensando: «Cuando lo sepa Eugenia, ¡mal golpe para mi rival! ¡Qué cariño le va a tomar al pobre animalito! Y es lindo, muy lindo. ¡Pobrecito, cómo me lame la mano...!»

—Trae leche, Domingo; pero tráela pronto —le dijo al criado no bien éste le hubo abierto la puerta.

—¿Pero ahora se le ocurre comprar perro, señorito?

—No lo he comprado, Domingo; este perro no es esclavo, sino que es libre; lo he encontrado.

—Vamos, sí, es expósito.

—Todos somos expósitos, Domingo. Trae leche.

Le trajo la leche y una pequeña esponja para facilitar la succión. Luego hizo Augusto que se le trajera un biberón para el cachorrillo, para Orfeo, que así le bautizó, no se sabe ni sabía él tampoco por qué.

Y Orfeo fue en adelante el confidente de sus soliloquios, el que recibió los secretos de su amor a Eugenia.

«Mira, Orfeo —le decía silenciosamente—, tenemos que luchar. ¿Qué me aconsejas que haga? Si te hubiese conocido mi madre... Pero ya verás, ya verás cuando duermas en el regazo de Eugenia, bajo su mano tibia y dulce. Y ahora, ¿qué vamos a hacer, Orfeo?»

Fue melancólico el almuerzo de aquel día, melancólico el paseo, la partida de ajedrez melancólica y melancólico el sueño de aquella noche.

VI

«Tengo que tomar alguna determinación —se decía Augusto paseándose frente a la casa número 58 de la Avenida de la Alameda—; esto no puede seguir así.»

En aquel momento se abrió uno de los balcones del piso segundo, en que vivía Eugenia, y apareció una señora enjuta y cana con una jaula en la mano. Iba a poner el canario al sol. Pero al ir a ponerlo faltó el clavo y la jaula se vino abajo. La señora lanzó un grito de desesperación: «¡Ay, mi Pichín!» Augusto se precipitó a recoger la jaula. El pobre canario revoloteaba dentro de ella despavorido.

Subió Augusto a la casa, con el canario agitándose en la jaula y el corazón en el pecho. La señora le esperaba.

—¡Oh, gracias, gracias, caballero!

—Las gracias a usted, señora.

—¡Pichín mío! ¡mi Pichincito! ¡Vamos, cálmate! ¿Gusta usted pasar, caballero?

—Con mucho gusto, señora.

Y entró Augusto.

Llevólo la señora a la sala, y diciéndole: «Aguarde un poco, que voy a dejar a mi Pichín», le dejó solo.

En este momento entró en la sala un caballero anciano, el tío de Eugenia sin duda. Llevaba anteojos ahumados y un fez [27] en la cabeza. Acercóse a Augusto, y tomando asiento junto a él le dirigió estas palabras:

—(Aquí una frase en esperanto que quiere decir: ¿Y usted no cree conmigo que la paz universal llegará pronto merced al esperanto?)

Augusto pensó en la huida, pero el amor a Eugenia le contuvo. El otro prosiguió hablando, en esperanto también.

Augusto se decidió por fin.

—No le entiendo a usted una palabra, caballero.

—De seguro que le hablaba a usted en esa maldita jerga que llaman esperanto —dijo la tía, que a este punto entraba. Y añadió dirigiéndose a su marido—: Fermín, este señor es el del canario.

—Pues no te entiendo más que tú cuando te hablo en esperanto —le contestó su marido.

—Este señor ha recojido a mi pobre Pichín, que cayó a la calle, y ha tenido la bondad de traérmelo. Y usted —añadió volviéndose a Augusto— ¿quién es?

—Yo soy, señora, Augusto Pérez, hijo de la difunta viuda de Pérez Rovira, a quien usted acaso conocería.

—¿De doña Soledad?

—Exacto; de doña Soledad.

—Y mucho que conocí a la buena señora. Fue una viuda y una madre ejemplar. Le felicito a usted por ello.

—Y yo me felicito de deber al feliz accidente de la caída del canario el conocimiento de ustedes.

—¡Feliz! ¿Llama usted feliz a ese accidente?

—Para mí, sí.

—Gracias, caballero —dijo don Fermín, agregando—: Rigen a los hombres y a sus cosas enigmáticas leyes, que el hombre, sin embargo, puede vislumbrar. Yo, señor mío, tengo ideas particulares sobre casi todas las cosas...

—Cállate con tu estribillo, hombre —exclamó la tía—. ¿Y cómo es que pudo usted acudir tan pronto en socorro de mi Pichín?

---

[27] *fez:* Gorro de lana en forma de cono truncado, generalmente rojo.

—Seré franco con usted, señora; le abriré mi pecho. Es que rondaba la casa.

—¿Esta casa?

—Sí, señora. Tienen ustedes una sobrina encantadora.

—Acabáramos, caballero. Ya, ya veo el feliz accidente. Y veo que hay canarios providenciales.

—¿Quién conoce los caminos de la Providencia? —dijo don Fermín.

—Yo los conozco, hombre, yo —exclamó su señora; y volviéndose a Augusto—: Tiene usted abierta las puertas de esta casa... Pues ¡no faltaba más! Al hijo de doña Soledad... Así como así, va usted a ayudarme a quitar a esa chiquilla un caprichito que se le ha metido en la cabeza...

—¿Y la libertad? —insinuó don Fermín.

—Cállate tú, hombre, y quédate con tu anarquismo.

—¿Anarquismo? —exclamó Augusto.

Irradió de gozo el rostro de don Fermín, y añadió con la más dulce de sus voces:

—Sí, señor mío, yo soy anarquista, anarquista místico, pero en teoría, entiéndase bien, en teoría. No tema usted, amigo —y al decir esto le puso amablemente la mano sobre la rodilla—, no echo bombas. Mi anarquismo es puramente espiritual. Porque yo, amigo mío, tengo ideas propias sobre casi todas las cosas...

—Y usted, ¿no es anarquista también? —preguntó Augusto a la tía, por decir algo.

—¿Yo? Eso es un disparate, eso de que no mande nadie. Si no manda nadie, ¿quién va a obedecer? ¿No comprende usted que eso es imposible?

—Hombres de poca fe, que llamáis imposible... —empezó don Fermín.

Y la tía, interrumpiéndole:

—Pues bien, mi señor don Augusto, pacto cerrado. Usted me parece un excelente sujeto, bien educado, de buena familia, con una renta más que regular... Nada, nada, desde hoy es usted mi candidato.

—Tanto honor, señora...

—Sí; hay que hacer entrar en razón a esta mozuela. Ella

no es mala, sabe usted, pero caprichosa... Luego, ¡fue criada con tanto mimo!... Cuando sobrevino aquella terrible catástrofe de mi pobre hermano...

—¿Catástrofe? —preguntó Augusto.

—Sí, y como la cosa es pública no debo yo ocultársela a usted. El padre de Eugenia se suicidó después de una operación bursátil desgraciadísima y dejándola casi en la miseria. Le quedó una casa, pero gravada con una hipoteca que se lleva sus rentas todas. Y la pobre chica se ha empeñado en ir ahorrando de su trabajo hasta reunir con qué levantar la hipoteca. Figúrese usted, ¡ni aunque se esté dando lecciones de piano sesenta años!

Augusto concibió al punto un propósito generoso y heroico.

—La chica no es mala —prosiguió la tía—, pero no hay modo de entenderla.

—Si aprendierais esperanto —empezó don Fermín.

—Déjanos de lenguas universales. ¿Conque no nos entendemos en las nuestras y vas a traer otra?

—Pero ¿usted no cree, señora —le preguntó Augusto—, que sería bueno que no hubiese sino una sola lengua?

—¡Eso, eso! —exclamó alborozado don Fermín.

—Sí, señor —dijo con firmeza la tía—; una sola lengua: el castellano, y a lo sumo el bable [28] para hablar con las criadas que no son racionales.

La tía de Eugenia era asturiana y tenía una criada, asturiana también, a la que reñía en bable.

—Ahora, si es en teoría —añadió—, no me parece mal que haya una sola lengua. Porque este mi marido, en teoría, es hasta enemigo del matrimonio...

—Señores —dijo Augusto levantándose—, estoy acaso molestando...

—Usted no molesta nunca, caballero —le respondió la tía—, y queda comprometido a volver por esta casa. Ya lo sabe usted, es usted mi candidato.

Al salir se le acercó un momento don Fermín y le dijo

---

[28]   Dialecto que se habla en Asturias.

al oído: «¡No piense usted en eso!» «¿Y por qué no?», le preguntó Augusto. «Hay presentimientos, caballero, hay presentimientos...»

Al despedirse, las últimas palabras de la tía fueron: «Ya lo sabe, es mi candidato.»

Cuando Eugenia volvió a casa, las primeras palabras de su tía al verla fueron:

—¿Sabes Eugenia, quién ha estado aquí? Don Augusto Pérez.

—Augusto Pérez... Augusto Pérez... ¡Ah, sí! Y ¿quién le ha traído?

—Pichín, mi canario.

—Y ¿a qué ha venido?

—¡Vaya una pregunta! Tras de ti.

—¿Tras de mí y traído por el canario? Pues no lo entiendo. Valiera más que hablases en esperanto, como tío Fermín.

—Él viene tras de ti y es un mozo joven, no feo, apuesto, bien educado, fino, y sobre todo rico, chica, sobre todo rico.

—Pues que se quede con su riqueza, que si yo trabajo no es para venderme.

—Y ¿quién te ha hablado de venderte, polvorilla?

—Bueno, bueno, tía, dejémonos de bromas.

—Tú le verás, chiquilla, tú le verás e irás cambiando de ideas.

—Lo que es eso...

—Nadie puede decir de esta agua no beberé.

—¡Son misteriosos los caminos de la Providencia! —exclamó don Fermín—. Dios...

—Pero, hombre —le arguyó su mujer—, ¿cómo se compadece [29] eso de Dios con el anarquismo? Ya te lo he dicho mil veces. Si no debe mandar nadie, ¿qué es eso de Dios?

—Mi anarquismo, mujer, me lo has oído otras mil veces, es místico, es un anarquismo místico. Dios no man-

---

[29]   *compadece:* En el sentido de *compagina.*

da como mandan los hombres. Dios es también anarquista, Dios no manda, sino...

—Obedece, ¿no es eso?

—Tú lo has dicho, mujer, tú lo has dicho. Dios mismo te ha iluminado. ¡Ven acá!

Cojió a su mujer, le miró en la frente, soplóle en ella, sobre unos rizos de blancos cabellos y añadió:

—Te inspiró Él mismo. Sí, Dios obedece... obedece...

—Sí, en teoría, ¿no es eso? Y tú, Eugenita, déjate de bobadas, que se te presenta un gran partido.

—También yo soy anarquista, tía, pero no como tío Fermín, no mística.

—¡Bueno, se verá! —terminó la tía.

VII

«¡Ay, Orfeo! —decía ya en su casa Augusto, dándole la leche a aquél—. ¡Ay, Orfeo! Di el gran paso, el paso decisivo; entré en su hogar, entré en el santuario. ¿Sabes lo que es dar un paso decisivo? Los vientos de la fortuna nos empujan y nuestros pasos son decisivos todos. ¿Nuestros? ¿Son nuestros esos pasos? Caminamos, Orfeo mío, por una selva enmarañada y bravía, sin senderos. El sendero nos lo hacemos con los pies según caminamos a la ventura. Hay quien cree seguir una estrella; yo creo seguir una doble estrella, melliza. Y esa estrella no es sino la proyección misma del sendero al cielo, la proyección del azar.

»¡Un paso decisivo! Y dime, Orfeo, ¿qué necesidad hay de que haya ni Dios ni mundo ni nada? ¿Por qué ha de haber algo? ¿No te parece que esa idea de la necesidad no es sino la forma suprema que el azar toma en nuestra mente?

»¿De dónde ha brotado Eugenia? ¿Es ella una creación mía o soy creación suya yo?, ¿o somos los dos creaciones mutuas, ella de mí y yo de ella? ¿No es acaso todo creación de cada cosa y cada cosa creación de todo? Y ¿qué es creación?, ¿qué eres tú, Orfeo?, ¿qué soy yo?

»Muchas veces se me ha ocurrido pensar, Orfeo, que yo no soy, e iba por la calle antojándoseme que los demás no me veían. Y otras veces he fantaseado que no me veían como me veía yo, y que mientras yo me creía ir formalmente, con toda compostura, estaba, sin saberlo, haciendo el payaso, y los demás riéndose y burlándose de mí. ¿No te ha ocurrido alguna vez a ti esto, Orfeo? Aunque no, porque tú eres joven todavía y no tienes experiencia de la vida. Y además eres perro.

»Pero, dime, Orfeo, ¿no se os ocurrirá alguna vez a los perros creeros hombres, así como ha habido hombres que se han creído perros?

»¡Qué vida esta, Orfeo, qué vida, sobre todo desde que murió mi madre! Cada hora me llega empujada por las horas que le precedieron; no he conocido el porvenir. Y ahora que empiezo a vislumbrarlo me parece se me va a convertir en pasado. Eugenia es ya casi un recuerdo para mí. Estos días que pasan… este día, este eterno día que pasa… deslizándose en niebla de aburrimiento. Hoy como ayer, mañana como hoy. Mira, Orfeo, mira la ceniza que dejó mi padre en aquel cenicero…

»Esta es la revelación de la eternidad, Orfeo, de la terrible eternidad. Cuando el hombre se queda a solas y cierra los ojos al porvenir, al ensueño, se le revela el abismo pavoroso de la eternidad. La eternidad no es porvenir. Cuando morimos nos da la muerte media vuelta en nuestra órbita y emprendemos la marcha hacia atrás, hacia el pasado, hacia lo que fue. Y así, sin término, devanando la madeja de nuestro destino, deshaciendo todo el infinito que en una eternidad nos ha hecho, caminando a la nada, sin llegar nunca a ella, pues que ella nunca fue.

»Por debajo de esta corriente de nuestra existencia, por dentro de ella, hay otra corriente en sentido contrario; aquí vamos del ayer al mañana, allí se va del mañana al ayer. Se teje y se desteje a un tiempo. Y de vez en cuando nos llegan hálitos, vahos y hasta rumores misteriosos de ese otro mundo, de ese interior de nuestro mundo. Las entrañas de la historia son una contrahistoria, es un proceso inverso al que ella sigue. El río subterráneo va del mar a la fuente.

»Y ahora me brillan en el cielo de mi soledad los dos ojos de Eugenia. Me brillan con el resplandor de las lágrimas de mi madre. Y me hacen creer que existo, ¡dulce ilusión! *Amo, ergo sum!* [30]. Este amor, Orfeo, es como lluvia bienhechora en que se deshace y concreta la niebla de la existencia. Gracias al amor siento al alma de bulto, la toco. Empieza a dolerme en su cogollo mismo el alma, gracias al amor, Orfeo. Y el alma misma, ¿qué es sino amor, sino dolor encarnado?

»Vienen los días y van los días y el amor queda. Allá dentro, muy dentro, en las entrañas de las cosas se rozan y friegan la corriente de este mundo con la contraria corriente del otro, y de este roce y friega viene el más triste y el más dulce de los dolores: el de vivir.

»Mira, Orfeo, las lizas [31], mira la urdimbre [32], mira cómo la trama va y viene con la lanzadera [33], mira cómo juegan las primideras [34]; pero, dime, ¿dónde está el enjullo [35] a que se arrolla la tela de nuestra existencia, dónde?»

Como Orfeo no había visto nunca un telar, es muy difícil que entendiera a su amo. Pero mirándole a los ojos mientras hablaba adivinaba su sentir.

---

[30] *Amo, ergo sum:* «Amo, luego soy», contrafactura del cartesiano «Cogito, ergo sum».
[31] *liza:* «Hilo grueso de cáñamo.»
[32] *urdimbre:* «Conjunto de hilos que se colocan en el telar paralelamente unos a otros para formar una tela.»
[33] *lanzadera:* «Instrumento de figura de barquichuelo, con una canilla dentro, que usan los tejedores para tramar.»
[34] *primidera:* En realidad, *premidera,* listón que sirve de pedal en el telar.
[35] *enjullo:* Enjulio «Madero por lo común cilíndrico, colocado horizontalmente en los telares de paños y lienzos, en el cual se va arrollando el pie o urdimbre».

VIII

Augusto temblaba y sentíase como en un potro de suplicio en su asiento; entrábanle furiosas ganas de levantarse de él, pasearse por la sala aquella, dar manotadas al aire, gritar, hacer locuras de circo, olvidarse de que existía. Ni doña Ermelinda, la tía de Eugenia, ni don Fermín, su marido, el anarquista teórico y místico, lograban traerle a la realidad.

—Pues sí, yo creo —decía doña Ermelinda—, don Augusto, que esto es lo mejor, que usted se espere, pues ella no puede ya tardar en venir; la llamo, ustedes se ven y se conocen y éste es el primer paso. Todas las relaciones de este género tienen que empezar por conocerse, ¿no es así?

—En efecto, señora —dijo, como quien habla desde otro mundo, Augusto—, el primer paso es verse y conocerse...

—Y yo creo que así que ella le conozca a usted, pues... ¡la cosa es clara!

—No tan clara —arguyó don Fermín—. Los caminos de la Providencia son misteriosos siempre... Y en cuanto a eso de que para casarse sea preciso o siquiera conveniente conocerse antes, discrepo... discrepo... El único conocimiento eficaz es el conocimiento *post nuptias*. Ya me has oído, esposa mía, lo que en lenguaje bíblico significa co-

nocer. Y, créemelo, no hay más conocimiento sustancial
y esencial que ése, el conocimiento penetrante...

—Cállate, hombre, cállate, no desbarres.

—El conocimiento, Ermelinda...

Sonó el timbre de la puerta.

—¡Ella! —exclamó con misteriosa voz el tío.

Augusto sintió una oleada de fuego subirle del suelo hasta perderse, pasando por su cabeza, en lo alto, encima de
él. Y empezó el corazón a martillarle el pecho.

Se oyó abrir la puerta, y ruido de unos pasos rápidos
e iguales, rítmicos. Y Augusto, sin saber cómo, sintió que
la calma volvía a reinar en él.

—Voy a llamarla —dijo don Fermín haciendo conato
de levantarse.

—¡No, de ningún modo! —exclamó doña Ermelinda,
y llamó.

Y luego a la criada, al presentarse:

—¡Di a la señorita Eugenia que venga!

Se siguió un silencio. Los tres, como en complicidad,
callaban. Y Augusto se decía: «¿Podré resistirlo? ¿no me
pondré rojo como una amapola o blanco cual un lirio
cuando sus ojos llenen el hueco de esa puerta? ¿no esta-
llará mi corazón?»

Oyóse un ligero rumor, como de paloma que arranca
en vuelo, un ¡ah! breve y seco, y los ojos de Eugenia, en
un rostro todo frescor de vida y sobre un cuerpo que no
parecía pesar sobre el suelo, dieron como una nueva y misteriosa luz espiritual a la escena. Y Augusto se sintió tranquilo, enormemente tranquilo, clavado a su asiento y
como si fuese una planta nacida en él, como algo vegetal,
olvidado de sí, absorto en la misteriosa luz espiritual que
de aquellos ojos irradiaba. Y sólo al oír que doña Ermelinda empezaba a decir a su sobrina: «Aquí tienes a nuestro amigo don Augusto Pérez...», volvió en sí y se puso
en pie procurando sonreír.

—Aquí tienes a nuestro amigo don Augusto Pérez, que
desea conocerte...

—¿El del canario? —preguntó Eugenia.

—Sí, el del canario, señorita —contestó Augusto acercándose a ella y alargándole la mano. Y pensó: «¡Me va a quemar con la suya!»

Pero no fue así. Una mano blanca y fría, blanca como la nieve y como la nieve fría, tocó su mano. Y sintió Augusto que se derramaba por su ser todo como un fluido de serenidad.

Sentóse Eugenia.

—Y este caballero... —empezó la pianista.

«¡Este caballero... este caballero... —pensó Augusto rapidísimamente— este caballero! ¡Llamarme caballero! ¡Esto es de mal agüero!»

—Este caballero, hija mía, que ha hecho por una feliz casualidad...

—Sí, la del canario.

—¡Son misteriosos los caminos de la Providencia —sentenció el anarquista.

—Este caballero, digo —agregó la tía—, que por una feliz casualidad ha hecho conocimiento con nosotros y resulta ser el hijo de una señora a quien conocí algo y respeté mucho; este caballero, puesto que es amigo ya de casa, ha deseado conocerte, Eugenia.

—¡Y admirarla! —añadió Augusto.

—¿Admirarme? —exclamó Eugenia.

—¡Sí, como pianista!

—¡Ah, vamos!

—Conozco, señorita, su gran amor al arte...

—¿Al arte? ¿A cuál, al de la música?

—¡Claro está!

—¡Pues le han engañado a usted, don Augusto!

«¡Don Augusto! ¡Don Augusto! —pensó éste—. ¡Don...! ¡De qué mal agüero es este don! ¡casi tan malo como aquel caballero!» Y luego, en voz alta:

—¿Es que no le gusta la música?

—Ni pizca, se lo aseguro.

«Liduvina tiene razón —pensó Augusto—; ésta, después que se case, y si el marido la puede mantener, no vuelve a teclear un piano.» Y luego, en voz alta:

—Como es voz pública que es usted una excelente profesora...

—Procuro cumplir lo mejor posible con mi deber profesional, y ya que tengo que ganarme la vida...

—Eso de tener que ganarte la vida... —empezó a decir don Fermín.

—Bueno, basta —interrumpió la tía—; ya el señor don Augusto está informado de todo...

—¿De todo? ¿De qué? —preguntó con aspereza y con un ligerísimo ademán de ir a levantarse Eugenia.

—Sí, de lo de la hipoteca...

—¿Cómo? —exclamó la sobrina poniéndose en pie—. Pero ¿qué es esto, qué significa todo esto, a qué viene esta visita?

—Ya te he dicho, sobrina, que este señor deseaba conocerte... Y no te alteres así...

—Pero es que hay cosas...

—Dispense a su señora tía, señorita —suplicó también Augusto poniéndose a su vez en pie, y lo mismo hicieron los tíos—; pero no ha sido otra cosa... Y en cuanto a eso de la hipoteca y a su abnegación de usted y amor al trabajo, yo nada he hecho para arrancar de su señora tía tan interesantes noticias; yo...

—Sí, usted se ha limitado a traer el canario unos días después de haberme dirigido una carta...

—En efecto, no lo niego.

—Pues bien, caballero, la contestación a esa carta se la daré cuando mejor me plazca y sin que nadie me cohíba a ello. Y ahora vale más que me retire.

—¡Bien, muy bien! —exclamó don Fermín—. ¡Esto es entereza y libertad! ¡Esta es la mujer del porvenir! ¡Mujeres así hay que ganarlas a puño, amigo Pérez, a puño!

—¡Señorita...! —suplicó Augusto acercándose a ella.

—Tiene usted razón —dijo Eugenia, y le dio para despedida la mano, tan blanca y tan fría como antes y como la nieve.

Al dar la espalda para salir y desaparecer así los ojos aquellos, fuentes de misteriosa luz espiritual, sintió Augusto que la ola de fuego le recorría el cuerpo, el corazón le martillaba el pecho y parecía querer estallarle la cabeza.

—¿Se siente usted malo? —le preguntó don Fermín.

—¡Qué chiquilla, Dios mío, qué chiquilla! —exclamaba doña Ermelinda.

—¡Admirable! ¡majestuosa! ¡heroica! ¡Una mujer! ¡toda una mujer! —decía Augusto.

—Así creo yo —añadió el tío.

—Perdone, señor don Augusto —repetíale la tía—, perdone; esta chiquilla es un pequeño erizo; ¡quién lo había de pensar!...

—Pero ¡si estoy encantado, señora, encantado! ¡Si esta recia independencia de carácter, a mí, que no le tengo, es lo que más me entusiasma!; ¡si es ésta, ésta, ésta y no otra la mujer que yo necesito!

—¡Sí, señor Pérez, sí —declamó el anarquista—; esta es la mujer del porvenir!

—¿Y yo? —arguyó doña Ermelinda.

—¡Tú, la del pasado! ¡Esta es, digo, la mujer del porvenir! ¡Claro, no en balde me ha estado oyendo disertar un día y otro sobre la sociedad futura y la mujer del porvenir; no en balde le he inculcado las emancipadoras doctrinas del anarquismo... sin bombas!

—¡Pues yo creo —dijo de mal humor la tía— que esta chicuela es capaz hasta de tirar bombas!

—Y aunque así fuera... —insinuó Augusto.

—¡Eso no! ¡eso no! —el tío.

—Y ¿qué más da?

—¡Don Augusto! ¡Don Augusto!

—Yo creo —añadió la tía— que no por esto que acaba de pasar debe usted ceder en sus pretensiones...

—¡Claro que no! Así tiene más mérito.

—¡A la conquista, pues! Y ya sabe usted que nos tiene de su parte y que puede venir a esta su casa cuantas veces guste, y quiéralo o no Eugenia.

—Pero, mujer, ¡si ella no ha manifestado que le disgusten las venidas acá de don Augusto!... ¡Hay que ganarla a puño, amigo, a puño! Ya irá usted conociéndola

y verá de qué temple es. Esto es toda una mujer, don
Augusto, y hay que ganarla a puño, a puño. ¿No quería
usted conocerla?

—Sí, pero...

—Entendido, entendido. ¡A la lucha, pues, amigo mío!

—Cierto, cierto, y ahora ¡adiós!

Don Fermín llamó luego aparte a Augusto, para decirle:

—Se me había olvidado decirle que cuando escriba a
Eugenia lo haga escribiendo su nombre con jota y no con
ge, Eujenia, y del Arco con ka: Eujenia Domingo del
Arko.

—Y ¿por qué?

—Porque hasta que no llegue el día feliz en que el esperanto sea la única lengua, ¡una sola para toda la humanidad!, hay que escribir el castellano con ortografía fonéti-
ca. ¡Nada de ces! ¡guerra a la ce! Za, ze, zi, zo, zu con
zeda, y ka, ke, ki, ko, ku con ka. ¡Y fuera las haches!
La hache es el absurdo, la reacción, la autoridad, la edad
media, el retroceso! ¡Guerra a la hache!

—¿De modo que es usted foneticista también?

—¿También? ¿por qué también?

—Por lo de anarquista y esperantista...

—Todo es uno, señor, todo es uno. Anarquismo, es-
perantismo, espiritismo, vegetarianismo, foneticismo...
¡todo es uno! ¡Guerra a la autoridad! ¡guerra a la división de lenguas! ¡guerra a la vil materia y a la muerte!
¡guerra a la carne! ¡guerra a la hache! ¡Adiós!

Despidiéronse y Augusto salió a la calle como aligera-
do de un gran peso y hasta gozoso. Nunca hubiera presu-
puesto lo que le pasaba por dentro del espíritu. Aquella
manera de habérsele presentado Eugenia la primera vez
que se vieron de quieto y de cerca y que se hablaron, lejos
de dolerle, encendíale más y le animaba. El mundo le parecía más grande, el aire más puro y más azul el cielo. Era
como si respirase por vez primera. En lo más íntimo de
sus oídos cantaba aquella palabra de su madre: ¡cásate!
Casi todas las mujeres con que cruzaba por la calle pare-

cíanle guapas, muchas hermosísimas y ninguna fea. Diríase que para él empezaba a estar el mundo iluminado por una nueva luz misteriosa desde dos grandes estrellas invisibles que refulgían más allá del azul del cielo, detrás de su aparente bóveda. Empezaba a conocer el mundo. Y sin saber cómo se puso a pensar en la profunda fuente de la confusión vulgar entre el pecado de la carne y la caída de nuestros primeros padres por haber probado del fruto del árbol de la ciencia del bien y del mal.

Y meditó en la doctrina de don Fermín sobre el origen del conocimiento.

Llegó a casa, y al salir Orfeo a recibirle lo cogió en sus brazos, le acarició y le dijo: «Hoy empezamos una nueva vida, Orfeo. ¿No sientes que el mundo es más grande, más puro el aire y más azul el cielo? ¡Ah, cuando la veas, Orfeo, cuando la conozcas...! ¡Entonces sentirás la congoja de no ser más que perro como yo siento la de no ser más que hombre! Y dime, Orfeo, ¿cómo podéis conocer, si no pecáis, si vuestro conocimiento no es pecado? El conocimiento que no es pecado no es tal conocimiento, no es racional.»

Al servirle la comida su fiel Liduvina se le quedó mirando.

—¿Qué miras? —preguntó Augusto.

—Me parece que hay mudanza.

—¿De dónde sacas eso?

—El señorito tiene otra cara.

—¿Lo crees?

—Naturalmente. ¿Y qué, se arregla lo de la pianista?

—¡Liduvina! ¡Liduvina!

—Tiene usted razón, señorito; pero ¡me interesa tanto su felicidad!

—¿Quién sabe qué es eso?...

—Es verdad.

Y los dos miraron al suelo, como si el secreto de la felicidad estuviese debajo de él.

IX

Al día siguiente de esto hablaba Eugenia en el reducido cuchitril de una portería con un joven, mientras la portera había salido discretamente a tomar el fresco a la puerta de la casa.

—Es menester que esto se acabe, Mauricio —decía Eugenia—; así no podemos seguir, y menos después de lo que te digo pasó ayer.

—Pero ¿no dices —dijo el llamado Mauricio— que ese pretendiente es un pobre panoli que vive en Babia?

—Sí, pero tiene dinero y mi tía no me va a dejar en paz. Y, la verdad, no me gusta hacer feos a nadie, y tampoco quiero que me estén dando la jaqueca.

—¡Despáchale!

—¿De dónde? ¿de casa de mis tíos? ¿Y si ellos no quieren?

—No le hagas caso.

—Ni le hago ni pienso hacerle, pero se me antoja que el pobrete va a dar en la flor de venir de visita a hora que esté yo. No es cosa, como comprendes, de que me encierre en mi cuarto y me niegue a que me vea, y sin solicitarme va a dedicarse a mártir silencioso.

—Déjale que se dedique.

—No, no puedo resistir a los mendigos de ninguna clase, y menos a esos que piden limosna con los ojos. ¡Y si vieras qué miradas me echa!

—¿Te conmueve?

—Me encocora. Y, la verdad, ¿por qué no he de decírtelo?, sí, me conmueve.

—¿Y temes?

—¡Hombre, no seas majadero! No temo nada. Para mí no hay más que tú.

—¡Ya lo sabía! —dijo lleno de convicción Mauricio, y poniendo una mano sobre una rodilla de Eugenia la dejó allí.

—Es preciso que te decidas, Mauricio.

—Pero ¿a qué, rica mía, a qué?

—¿A qué ha de ser, hombre, a qué ha de ser? ¡A que nos casemos de una vez!

—Y ¿de qué vamos a vivir?

—De mi trabajo hasta que tú lo encuentres.

—¿De tu trabajo?

—¡Sí, de la odiosa música!

—¿De tu trabajo? ¡Eso sí que no!; ¡nunca! ¡nunca! ¡nunca!; ¡todo menos vivir yo de tu trabajo! Lo buscaré, seguiré buscándolo, y en tanto, esperaremos…

—Esperaremos… esperaremos… ¡y así se nos irán los años! —exclamó Eugenia taconeando en el suelo con el pie sobre que estaba la rodilla en que Mauricio dejó descansar su mano.

Y él, al sentir así sacudida su mano, la separó de donde la posaba, pero fue para echar el brazo sobre el cuello y hacer juguetear entre sus dedos uno de los pendientes de su novia. Eugenia le dejaba hacer.

—Mira, Eugenia, para divertirte le puedes poner, si quieres, buena cara a ese panoli.

—¡Mauricio!

—¡Tienes razón, no te enfades, rica mía! —y contrayendo el brazo atrajo a su cabeza la de Eugenia, buscó con sus labios los de ella y los juntó, cerrando los ojos, en un beso húmedo, silencioso y largo.

—¡Mauricio!

Y luego le besó en los ojos.

—¡Esto no puede seguir así, Mauricio!

—¿Cómo? Pero ¿hay mejor que esto? ¿crees que lo pasaremos nunca mejor?

—Te digo, Mauricio, que esto no puede seguir así. Tienes que buscar trabajo. Odio la música.

Sentía la pobre oscuramente, sin darse de ello clara cuenta, que la música es preparación eterna, preparación a un advenimiento que nunca llega, eterna iniciación que no acaba cosa. Estaba harta de música.

—Buscaré trabajo, Eugenia, lo buscaré.

—Siempre dices lo mismo y siempre estamos lo mismo.

—Es que crees...

—Es que sé que en el fondo no eres más que un haragán y que va a ser preciso que sea yo la que busque trabajo para ti. Claro, ¡como a los hombres os cuesta menos esperar...!

—Eso creerás tú...

—Sí, sí, sé bien lo que me digo. Y ahora, te lo repito, no quiero ver los ojos suplicantes del señorito don Augusto como los de un perro hambriento...

—¡Qué cosas se te ocurren, chiquilla!

—Y ahora —añadió levantándose y apartándole con la mano suya—, quietecito y a tomar el fresco, ¡que buena falta te hace!

—¡Eugenia! ¡Eugenia! —le suspiró con voz seca, casi febril, al oído—, si tú quisieras...

—El que tiene que aprender a querer eres tú, Mauricio. Conque... ¡a ser hombre! Busca trabajo, decídete pronto; si no, trabajaré yo; pero decídete pronto. En otro caso...

—En otro caso, ¿qué?

—¡Nada! ¡Hay que acabar con esto!

Y sin dejarle replicar se salió del cuchitril de la portería. Al cruzar con la portera le dijo:

—Ahí queda su sobrino, señora Marta, y dígale que se resuelva de una vez.

Y salió Eugenia con la cabeza alta a la calle, donde en aquel momento un organillo de manubrio encentaba [36] una rabiosa polca. «¡Horror! ¡horror! ¡horror!», se dijo la muchacha, y más que se fue huyó calle abajo.

---

[36] *encentar:* Comenzar a cortar.

X

Como Augusto necesitaba confidencia se dirigió al Casino, a ver a Víctor, su amigote, al día siguiente de aquella su visita a casa de Eugenia y a la misma hora en que ésta espoleaba la pachorra amorosa de su novio en la portería.

Sentíase otro Augusto y como si aquella visita y la revelación en ella de la mujer fuerte —fluía de sus ojos fortaleza— le hubiera arado las entrañas del alma, alumbrando en ellas un manantial hasta entonces oculto. Pisaba con más fuerza, respiraba con más libertad.

«Ya tengo un objetivo, una finalidad en esta vida —se decía—, y es conquistar a esta muchacha o que ella me conquiste. Y es lo mismo. En amor lo mismo da vencer que ser vencido. Aunque ¡no... no! Aquí ser vencido es que me deje por el otro. Por el otro, sí, porque aquí hay otro, no me cabe duda. ¿Otro? ¿otro qué? ¿Es que acaso yo soy uno? Yo soy un pretendiente, un solicitante, pero el otro... el otro se me antoja que no es ya pretendiente ni solicitante; que no pretende ni solicita porque ha obtenido. Claro que no más que el amor de la dulce Eugenia. ¿No más...?»

Un cuerpo de mujer irradiante de frescura, de salud y de alegría, que pasó a su vera, le interrumpió el soliloquio y le arrastró tras de sí. Púsose a seguir, casi maquinalmente, al cuerpo aquel, mientras proseguía soliloquizando:

«¡Y qué hermosa es! Ésta y aquélla, una y otra. Y el otro acaso en vez de pretender y solicitar es pretendido y solicitado; tal vez no le corresponde como ella se merece... Pero ¡qué alegría es esta chiquilla! ¡y con qué gracia saluda a aquel que va por allá! ¿De dónde habrá sacado esos ojos? ¡Son casi como los otros, como los de Eugenia! ¡Qué dulzura debe de ser olvidarse de la vida y de la muerte entre sus brazos! ¡dejarse brezar [37] en ellos como en olas de carne! ¡El otro...! Pero el otro no es el novio de Eugenia, no es aquel a quien ella quiere; el otro soy yo. ¡Sí, yo soy el otro; yo soy otro!»

Al llegar a esta conclusión de que él era otro, la moza a que seguía entró en una casa. Augusto se quedó parado, mirando a la casa. Y entonces se dio cuenta de que la había venido siguiendo. Recapacitó que había salido para ir al Casino y emprendió el camino de éste. Y proseguía:

«Pero ¡cuántas mujeres hermosas hay en este mundo, Dios mío! Casi todas. ¡Gracias, Señor, gracias; *gratias agimus tibi propter magnam gloriam tuam!* ¡tu gloria es la hermosura de la mujer, Señor! Pero ¡qué cabellera, Dios mío, qué cabellera!»

Era, en efecto, una gloriosa cabellera la de aquella criada de servicio, que con su cesta al brazo cruzaba en aquel momento con él. Y se volvió tras ella. La luz parecía anidar en el oro de aquellos cabellos, y como si éstos pugnaran por soltarse de su trenzado y esparcirse al aire fresco y claro. Y bajo la cabellera un rostro todo él sonrisa.

«Soy otro, soy el otro —prosiguió Augusto mientras seguía a la de la cesta—; pero ¿es que no hay otras? ¡Sí, hay otras para el otro! Pero como la una, como ella, como la única, ¡ninguna! ¡ninguna! Todas éstas no son sino remedos de ella, de la una, de la única, ¡de mi dulce Eugenia! ¿Mía? Sí; yo por el pensamiento, por el deseo

---

[37] *brezar:* Acunar, cunear.

la hago mía. Él, el otro, es decir, el uno, podrá llegar a
poseerla materialmente; pero la misteriosa luz espiritual
de aquellos ojos es mía, ¡mía, mía! Y ¿no reflejan también una misteriosa luz espiritual estos cabellos de oro?
¿Hay una sola Eugenia, o son dos, una la mía y otra la
de su novio? Pues si es así, si hay dos, que se quede él
con la suya, y con la mía me quedaré yo. Cuando la tristeza me visite, sobre todo de noche; cuando me entren ganas de llorar sin saber por qué, ¡oh, qué dulce habrá de
ser cubrir mi cara, mi boca, mis ojos, con estos cabellos
de oro y respirar el aire que a través de ellos se filtre y
se perfume! Pero...»

Sintióse de pronto detenido. La de la cesta se había parado a hablar con otra compañera. Vaciló un momento
Augusto, y diciéndose: «¡Bah, hay tantas mujeres hermosas desde que conocí a Eugenia...!», echó a andar, volviéndose camino del Casino.

«Si ella se empeña en preferir al otro, es decir, al uno,
soy capaz de una resolución heroica, de algo que ha de
espantar por lo magnánimo. Ante todo, quiérame o no
me quiera, ¡eso de la hipoteca no puede quedar así!»

Arrancóle del soliloquio un estallido de goce que parecía brotar de la serenidad del cielo. Un par de muchachas
reían junto a él, y era su risa como el gorjeo de dos pájaros en una enramada de flores. Clavó un momento sus
ojos sedientos de hermosura en aquella pareja de mozas,
y aparecéronsele como un solo cuerpo geminado. Iban
cojidas de bracete. Y a él le entraron furiosas ganas de
detenerlas, cojer a cada una de un brazo e irse así, en medio de ellas, mirando al cielo, adonde el viento de la vida
los llevara.

«Pero ¡cuánta mujer hermosa hay desde que conocí a
Eugenia! —se decía, siguiendo en tanto a aquella riente
pareja— ¡esto se ha convertido en un paraíso!; ¡qué ojos!
¡qué cabellera! ¡qué risa! La una es rubia y morena la otra;
pero ¿cuál es la rubia? ¿cuál la morena? ¡Se me confunden una en otra!...»

—Pero, hombre, ¿vas despierto o dormido?

—Hola, Víctor.

—Te esperaba en el Casino, pero como no venías...

—Allá iba...

—¿Allá? ¿y en esa dirección? ¿Estás loco?

—Sí, tienes razón; pero mira, voy a decirte la verdad. Creo que te hablé de Eugenia...

—¿De la pianista? Sí.

—Pues bien; estoy locamente enamorado de ella, como un...

—Sí, como un enamorado. Sigue.

—Loco, chico, loco. Ayer la vi en su casa, con pretexto de visitar a sus tíos; la vi...

—Y te miró, ¿no es eso? ¿y creíste en Dios?

—No, no es que me miró, es que me envolvió en su mirada; y no es que creí en Dios, sino que me creí un dios.

—Fuerte te entró, chico...

—¡Y eso que la moza estuvo brava! Pero no sé lo que desde entonces me pasa: casi todas las mujeres que veo me parecen hermosuras, y desde que he salido de casa, no hace aún media hora seguramente, me he enamorado ya de tres, digo, no, de cuatro: de una, primero, que era todo ojos, de otra después con una gloria de pelo, y hace poco de una pareja, una rubia y otra morena, que reían como los ángeles. Y las he seguido a las cuatro. ¿Qué es esto?

—Pues eso es, querido Augusto, que tu repuesto de amor dormía inerte en el fondo de tu alma, sin tener donde meterse; llegó Eugenia, la pianista, te sacudió y remejió [38] con sus ojos esa charca en que tu amor dormía: se despertó éste, brotó de ella, y como es tan grande se extiende a todas partes. Cuando uno como tú se enamora de veras de una mujer se enamora a la vez de todas las demás.

—Pues yo creí que sería todo lo contrario... Pero, entre paréntesis, ¡mira qué morena! ¡es la noche luminosa! ¡Bien dicen que lo negro es lo que más absorbe la luz! ¿No

---

[38] *remejer:* Revolver.

ves qué luz oculta se siente bajo su pelo, bajo el azabache de sus ojos? Vamos a seguirla...

—Como quieras...

—Pues sí, yo creí que sería todo lo contrario; que cuando uno se enamora de veras es que concentra su amor, antes desparramado entre todas, en una sola, y que todas las demás han de parecerle como si nada fuesen ni valiesen... Pero ¡mira! ¡mira ese golpe de sol en la negrura de su pelo!

—No; verás, verás si logro explicártelo. Tú estabas enamorado, sin saberlo por supuesto, de la mujer, del abstracto, no de ésta ni de aquélla; al ver a Eugenia, ese abstracto se concretó y la mujer se hizo una mujer y te enamoraste de ella, y ahora vas de ella, sin dejarla, a casi todas las mujeres, y te enamoras de la colectividad, del género. Has pasado, pues, de lo abstracto a lo concreto y de lo concreto a lo genérico, de la mujer a una mujer y de una mujer a las mujeres.

—¡Vaya una metafísica!

—Y ¿qué es el amor sino metafísica?

—¡Hombre!

—Sobre todo en ti. Porque todo tu enamoramiento no es sino cerebral, o como suele decirse, de cabeza.

—Eso lo creerás tú... —exclamó Augusto un poco picado y de mal humor, pues aquello de que su enamoramiento no era sino de cabeza le había llegado, doliéndole, al fondo del alma.

—Y si me apuras mucho te digo que tú mismo no eres sino una pura idea, un ente de ficción...

—¿Es que no me crees capaz de enamorarme de veras, como los demás...?

—De veras estás enamorado, ya lo creo, pero de cabeza sólo. Crees que estás enamorado...

—Y ¿qué es estar uno enamorado sino creer que lo está?

—¡Ay, ay, ay, chico, eso es más complicado de lo que te figuras!...

—¿En qué se conoce, dime, que uno está enamorado y no solamente que cree estarlo?

—Mira, más vale que dejemos esto y hablemos de otras cosas.

Cuando luego volvió Augusto a su casa tomó en brazos a Orfeo y le dijo: «Vamos a ver, Orfeo mío, ¿en qué se diferencia estar uno enamorado de creer que lo está? ¿Es que estoy yo o no estoy enamorado de Eugenia? ¿es que cuando la veo no me late el corazón en el pecho y se me enciende la sangre? ¿es que yo no soy como los demás hombres? ¡Tengo que demostrarles, Orfeo, que soy tanto como ellos!»

Y a la hora de cenar, encarándose con Liduvina le preguntó:

—Di, Liduvina, ¿en qué se conoce que un hombre está de veras enamorado?

—Pero ¡qué cosas se le ocurren a usted, señorito...!

—Vamos, di, ¿en qué se conoce?

—Pues se conoce... se conoce en que hace y dice muchas tonterías. Cuando un hombre se enamora de veras, se *chala,* vamos al decir, por una mujer, ya no es un hombre...

—Pues ¿qué es?

—Es... es... es... una cosa, un animalito... Una hace de él lo que quiere.

—Entonces, cuando una mujer se enamora de veras de un hombre, se *chala,* como dices, ¿hace de ella el hombre lo que quiere?

—El caso no es enteramente igual...

—¿Cómo, cómo?

—Eso es muy difícil de explicar, señorito. Pero ¿está usted de veras enamorado?

—Es lo que trato de averiguar. Pero tonterías, de las gordas, no he dicho ni hecho todavía ninguna... me parece...

Liduvina se calló, y Augusto se dijo: «¿Estaré de veras enamorado?»

XI

Cuando llamó aquel otro día Augusto a casa de don Fermín y doña Ermelinda, la criada le pasó a la sala diciéndole: «Ahora aviso.» Quedóse un momento solo y como si estuviese en el vacío. Sentía una profunda opresión en el pecho. Ceñíale una angustiosa sensación de solemnidad. Sentóse para levantarse al punto y se entretuvo en mirar los cuadros que colgaban de las paredes, un retrato de Eugenia entre ellos. Entráronle ganas de echar a correr, de escaparse. De pronto, al oír unos pasos menudos, sintió un puñal de hielo atravesarle el pecho y como una bruma invadirle la cabeza. Abrióse la puerta de la sala y apareció Eugenia. El pobre se apoyó en el respaldo de una butaca. Ella, al verle lívido, palideció un momento y se quedó suspensa en medio de la sala, y luego, acercándose a él, le dijo con voz seca y baja:

—¿Qué le pasa a usted, don Augusto, se pone malo?

—No, no es nada; qué sé yo...

—¿Quiere algo? ¿necesita algo?

—Un vaso de agua.

Eugenia, como quien ve un agarradero, salió de la estancia para ir ella misma a buscar el vaso de agua, que se lo trajo al punto. El agua tembloteaba en el vaso; pero más tembló éste en manos de Augusto, que se lo bebió de un trago, atropelladamente, vertiéndosele agua por

la barba, y sin quitar en tanto sus ojos de los ojos de
Eugenia.

—Si quiere usted —dijo ella—, mandaré que le hagan
una taza de té, o de manzanilla, o de tila... ¿Qué, se ha
pasado?

—No, no, no fue nada; gracias, Eugenia, gracias —y
se enjugaba el agua de la barba.

—Bueno, pues ahora siéntese usted —y cuando estuvieron sentados prosiguió ella—: Le esperaba cualquier
día y di orden a la criada de que aunque no estuviesen mis
tíos, como sucede algunas tardes, le hiciese a usted pasar
y me avisara. Así como así, deseaba que hablásemos
a solas.

—¡Oh, Eugenia, Eugenia!

—Bueno, las cosas más fríamente. Nunca me pude imaginar que le daría tan fuerte, porque me dio usted miedo
cuando entré aquí; parecía un muerto.

—Y más muerto que vivo estaba, créamelo.

—Va a ser menester que nos expliquemos.

—¡Eugenia! —exclamó el pobre, y extendió una mano
que recojió al punto.

—Todavía me parece que no está usted en disposición
de que hablemos tranquilamente, como buenos amigos.
¡A ver! —y le cojió la mano para tomarle el pulso.

Y éste empezó a latir febril en el pobre Augusto; se
puso rojo, ardíale la frente. Los ojos de Eugenia se le bo-
rraron de la vista y no vio ya nada sino una niebla, una
niebla roja. Un momento creyó perder el sentido.

—¡Ten compasión, Eugenia, ten compasión de mí!

—¡Cálmese usted, don Augusto, cálmese!

—Don Augusto... don Augusto... don... don...

—Sí, mi bueno de don Augusto, cálmese usted y hablemos tranquilamente.

—Pero, permítame... —y le cojió entre sus dos manos
la diestra aquella blanca y fría como la nieve, de ahusados dedos, hecha para acariciar las teclas del piano, para
arrancarles dulces arpegios.

—Como usted quiera, don Augusto.

Éste se la llevó a los labios y la cubrió de besos que apenas entibiaron la frialdad blanca.

—Cuando usted acabe, don Augusto, empezaremos a hablar.

—Pero mira, Eugenia, ven...

—No, no, no, ¡formalidad! —y desprendiendo su mano de las de él prosiguió—: Yo no sé qué género de esperanzas le habrán hecho concebir mis tíos, o más bien mi tía, pero el caso es que me parece que usted está engañado.

—¿Cómo engañado?

—Sí, han debido decirle que tengo novio.

—Lo sé.

—¿Se lo han dicho ellos?

—No, no me lo ha dicho nadie, pero lo sé.

—Entonces...

—Pero es, Eugenia, que yo no pretendo nada, que no busco nada, que nada pido; es, Eugenia, que yo me contento con que se me deje venir de cuando en cuando a bañar mi espíritu en la mirada de esos ojos, a embriagarme en el vaho de su respiración...

—Bueno, don Augusto, esas son cosas que se leen en los libros; dejemos eso. Yo no me opongo a que usted venga cuantas veces se le antoje, a que me vea y me revea, a que hable conmigo y hasta... ya lo ha visto usted, hasta a que me bese la mano, pero yo tengo un novio, del cual estoy enamorada y con el cual pienso casarme.

—Pero ¿de veras está usted enamorada de él?

—¡Vaya una pregunta!

—Y ¿en qué conoce usted que está de él enamorada?

—Pero ¿es que se ha vuelto usted loco, don Augusto?

—No, no; lo digo porque mi amigo mejor me ha dicho que hay muchos que creen estar enamorados sin estarlo...

—Lo ha dicho por usted, ¿no es eso?

—Sí, por mí lo ha dicho, ¿pues?

—Porque en el caso de usted acaso sea verdad eso...

—Pero ¿es que cree usted, es que crees, Eugenia, que no estoy de veras enamorado de ti?

—No alce usted tanto la voz, don Augusto, que puede oírle la criada...

—¡Sí, sí —continuó exaltándose—, hay quien me cree incapaz de enamorarme de veras...!

—Dispense un momento —le interrumpió Eugenia, y se salió dejándole solo.

Volvió al poco rato y con la mayor tranquilidad le dijo:

—Y bien, don Augusto, ¿se ha calmado ya?

—¡Eugenia, Eugenia!

En este momento se oyó llamar a la puerta y Eugenia dijo: «¡Mis tíos!» A los pocos momentos entraban éstos en la sala.

—Vino don Augusto a visitaros, salí yo misma a abrirle, quería irse, pero le dije que pasara, que no tardaríais en venir, ¡y aquí está!

—¡Vendrán tiempos —exclamó don Fermín— en que se disiparán los convencionalismos sociales todos! Estoy convencido de que las cercas y tapias de las propiedades privadas no son más que un incentivo para los que llamamos ladrones, cuando los ladrones son los otros, los propietarios. No hay propiedad más segura que la que está sin cercas ni tapias, al alcance de todo el mundo. El hombre nace bueno, es naturalmente bueno; la sociedad le malea y pervierte...

—¡Cállate, hombre —exclamó doña Ermelinda—, que no me dejas oír cantar al canario! ¿No le oye usted, don Augusto? ¡Es un encanto oírle! Y cuando ésta se ponía a aprender sus lecciones de piano había que oírle a un canario que entonces tuve: se excitaba, y cuanto más ésta daba a las teclas, más él a cantar y más cantar. Como que se murió de eso, reventado...

—¡Hasta los animales domésticos se contagian de nuestros vicios! —agregó el tío—. ¡Hasta a los animales que con nosotros conviven les hemos arrancado del santo estado de naturaleza! ¡Oh, humanidad, humanidad!

—Y ¿ha tenido usted que esperar mucho, don Augusto? —preguntó la tía.

—Oh, no, señora, no, nada, nada, un momento, un relámpago... por lo menos así me lo pareció...

—¡Ah, vamos!

—Sí, tía, muy poco tiempo, pero lo bastante para que se haya repuesto de una ligera indisposición que trajo de la calle...

—¿Cómo?

—Oh, no fue nada, señora, nada...

—Ahora yo les dejo, tengo que hacer —dijo Eugenia, y dando la mano a Augusto se fue.

—Y ¿qué, cómo va eso? —le preguntó a Augusto la tía así que Eugenia hubo salido.

—Y ¿qué es eso?

—¡La conquista, naturalmente!

—¡Mal, muy mal! Me ha dicho que tiene novio y que se ha de casar con él.

—¿No te lo decía yo, Ermelinda, no te lo decía?

—Pues ¡no, no y no!, no puede ser. Eso del novio es una locura, don Augusto, ¡una locura!

—Pero, señora, ¿y si está enamorada de él...?

—Eso digo yo —exclamó el tío—, eso digo yo. ¡La libertad, la santa libertad, la libertad de elección!

—Pues ¡no, no y no! ¿Acaso sabe esa chiquilla lo que se hace...? ¡Despreciarle a usted, don Augusto, a usted! ¡Eso no puede ser!

—Pero, señora, reflexione, fíjese... no se puede, no se debe violentar así la voluntad de una joven como Eugenia... Se trata de su felicidad, y no debemos todos preocuparnos sino de ella, y hasta sacrificarnos para que la consiga...

—¿Usted, don Augusto, usted?

—¡Yo, sí, yo, señora! ¡Estoy dispuesto a sacrificarme por la felicidad de Eugenia, de su sobrina, porque mi felicidad consiste en que ella sea feliz!

—¡Bravo! —exclamó el tío— ¡bravo! ¡bravo! ¡He aquí un héroe! ¡he aquí un anarquista... místico!

—¿Anarquista? —dijo Augusto.

—Anarquista, sí. Porque mi anarquismo consiste en

eso, en eso precisamente, en que cada cual se sacrifique
por los demás, en que uno sea feliz haciendo felices a los
otros, en que...

—¡Pues bueno te pones, Fermín, cuando un día cualquiera no se te sirve la sopa sino diez minutos después de
las doce!

—Bueno, es que ya sabes, Ermelinda, que mi anarquismo es teórico... me esfuerzo por llegar a la perfección,
pero...

—¡Y la felicidad también es teórica! —exclamó Augusto, compungido y como quien habla consigo mismo, y
luego—: He decidido sacrificarme a la felicidad de Eugenia y he pensado en un acto heroico.

—¿Cuál?

—¿No me dijo usted una vez, señora, que la casa que
a Eugenia dejó su desgraciado padre...

—Sí, mi pobre hermano.

—... está gravada con una hipoteca que se lleva sus rentas todas?

—Sí, señor.

—Pues bien; ¡yo sé lo que he de hacer! —y se dirigió
a la puerta.

—Pero, don Augusto...

—Augusto se siente capaz de las más heroicas determinaciones, de los más grandes sacrificios. Y ahora se sabrá
si está enamorado nada más que de cabeza o lo está también de corazón, si es que cree estar enamorado sin estarlo. Eugenia, señores, me ha despertado a la vida, a la verdadera vida, y, sea ella de quien fuere, yo le debo gratitud eterna. Y ahora, ¡adiós!

Y se salió solemnemente. Y no bien hubo salido gritó
doña Ermelinda: ¡Chiquilla!

XII

—Señorito —entró un día después a decir a Augusto Liduvina—, ahí está la del planchado.

—¿La del planchado? ¡Ah, sí, que pase!

Entró la muchacha llevando el cesto del planchado de Augusto. Quedáronse mirándose, y ella, la pobre, sintió que se le encendía el rostro, pues nunca cosa igual le ocurrió en aquella casa en tantas veces como allí entró. Parecía antes como si el señorito ni la hubiese visto siquiera, lo que a ella, que creía conocerse, habíala tenido inquieta y hasta mohína. ¡No fijarse en ella! ¡No mirarla como la miraban otros hombres! ¡No devorarla con los ojos, o más bien lamerle con ellos los de ella y la boca y la cara toda!

—¿Qué te pasa, Rosario, porque creo que te llamas así, no?

—Sí, así me llamo.

—Y ¿qué te pasa?

—¿Por qué, señorito Augusto?

—Nunca te he visto ponerte así colorada. Y además me pareces otra.

—El que me parece que es otro es usted...

—Puede ser... puede ser... Pero ven, acércate.

—¡Vamos, déjese de bromas y despachemos!

—¿Bromas? Pero ¿tú crees que es broma? —le dijo con voz más seria—. Acércate, así, que te vea bien.

—Pero ¿es que no me ha visto otras veces?

—Sí, pero hasta ahora no me había dado cuenta de que fueses tan guapa como eres...

—Vamos, vamos, señorito, no se burle... —y le ardía la cara.

—Y ahora, con esos colores, talmente el sol...

—Vamos...

—Ven acá, ven. Tú dirás que el señorito Augusto se ha vuelto loco, ¿no es así? Pues no, no es eso, ¡no! Es que lo ha estado hasta ahora, o mejor dicho, es que he estado hasta ahora tonto, tonto del todo, perdido en una niebla, ciego... No hace sino muy poco tiempo que se me han abierto los ojos. Ya ves, tantas veces como has entrado en esta casa y te he mirado y no te había visto. Es, Rosario, como si no hubiese vivido, lo mismo que si no hubiese vivido... Estaba tonto, tonto... Pero ¿qué te pasa, chiquilla, qué es lo que te pasa?

Rosario, que se había tenido que sentar en una silla, ocultó la cara en las manos y rompió a llorar. Augusto se levantó, cerró la puerta, volvió a la mocita, y poniéndole una mano sobre el hombro le dijo con su voz más húmeda y más caliente, muy bajo:

—Pero ¿qué te pasa, chiquilla, qué es eso?

—Que con esas cosas me hace usted llorar, don Augusto...

—¡Ángel de Dios!

—No diga usted esas cosas, don Augusto.

—¡Cómo que no las diga! Sí, he vivido ciego, tonto, como si no viviera, hasta que llegó una mujer, ¿sabes?, otra, y me abrió los ojos y he visto el mundo, y sobre todo he aprendido a veros a vosotras, a las mujeres...

—Y esa mujer... sería alguna mala mujer...

—¿Mala? ¿mala dices? ¿Sabes lo que dices, Rosario, sabes lo que dices? ¿Sabes lo que es ser malo? ¿Qué es ser malo? No, no, no, esa mujer es, como tú, un ángel; pero esa mujer no me quiere... no me quiere... no me quiere... —y al decirlo se le quebró la voz y se le empañaron en lágrimas los ojos.

—¡Pobre don Augusto!

—¡Sí, tú lo has dicho, Rosario, tú lo has dicho! ¡pobre don Augusto! Pero mira, Rosario, quita el don y di: ¡pobre Augusto! Vamos, di: ¡pobre Augusto!

—Pero, señorito...

—Vamos, dilo: ¡pobre Augusto!

—Si usted se empeña... ¡pobre Augusto!

Augusto se sentó.

—¡Ven acá! —la dijo.

Levantóse ella cual movida por un resorte, como una hipnótica sugestionada, con la respiración anhelante. Cojióla él, la sentó sobre sus rodillas, la apretó fuertemente a su pecho, y teniendo su mejilla apretada contra la mejilla de la muchacha, que echaba fuego, estalló diciendo:

—¡Ay, Rosario, Rosario, yo no sé lo que me pasa, yo no sé lo que es de mí! Esa mujer que tú dices que es mala, sin conocerla, me ha vuelto ciego al darme la vista. Yo no vivía, y ahora vivo; pero ahora que vivo es cuando siento lo que es morir. Tengo que defenderme de esa mujer, tengo que defenderme de su mirada. ¿Me ayudarás tú, Rosario, me ayudarás a que de ella me defienda?

Un ¡sí! tenuísimo, con susurro que parecía venir de otro mundo, rozó el oído de Augusto.

—Yo ya no sé lo que me pasa, Rosario, ni lo que digo, ni lo que hago, ni lo que pienso; yo ya no sé si estoy o no enamorado de esa mujer, de esa mujer a la que llamas mala...

—Es que yo, don Augusto...

—Augusto, Augusto...

—Es que yo, Augusto...

—Bueno, cállate, basta —y cerraba él los ojos—, no digas nada, déjame hablar solo, conmigo mismo. Así he vivido desde que se murió mi madre, conmigo mismo, nada más que conmigo; es decir, dormido. Y no he sabido lo que es dormir juntamente, dormir dos un mismo sueño. ¡Dormir juntos! No estar juntos durmiendo cada cual su sueño, ¡no!, sino dormir juntos, ¡dormir juntos el mismo sueño! ¿Y si durmiéramos tú y yo, Rosario, el mismo sueño?

—Y esa mujer... —empezó la pobre chica, temblando entre los brazos de Augusto y con lágrimas en la voz.

—Esa mujer, Rosario, no me quiere... no me quiere... no me quiere... Pero ella me ha enseñado que hay otras mujeres, por ella he sabido que hay otras mujeres... y alguna podrá quererme... ¿Me querrás tú, Rosario, dime, me querrás tú? —y la apretaba como loco contra su pecho.

—Creo que sí... que le querré...

—¡Que te querré, Rosario, que te querré!

—Que te querré...

—¡Así, así, Rosario, así! ¡Eh!

En aquel momento se abrió la puerta, apareció Liduvina, y exclamando: ¡ah!, volvió a cerrarla. Augusto se turbó mucho más que Rosario, la cual, poniéndose rápidamente en pie, se atusó el pelo, se sacudió el cuerpo y con voz entrecortada dijo:

—Bueno, señorito, ¿hacemos la cuenta?

—Sí, tienes razón. Pero volverás, eh, volverás.

—Sí, volveré.

—¿Y me perdonas todo? ¿me lo perdonas?

—¿Perdonarle... qué?

—Esto, esto... Ha sido una locura. ¿Me lo perdonas?

—Yo no tengo nada que perdonarle, señorito. Y lo que debe hacer es no pensar en esa mujer.

—Y tú, ¿pensarás en mí?

—Vaya, que tengo que irme.

Arreglaron la cuenta y Rosario se fue. Y apenas se había ido entró Liduvina:

—¿No me preguntaba usted el otro día, señorito, en qué se conoce si un hombre está o no enamorado?

—En efecto.

—Y le dije en que hace o dice tonterías. Pues bien, ahora puedo asegurarle que usted está enamorado.

—Pero ¿de quién? ¿de Rosario?

—¿De Rosario...? ¡Quiá! ¡De la otra!

—Y ¿de dónde sacas eso, Liduvina?

—¡Bah! Usted ha estado diciendo y haciendo a ésta lo que no pudo decir ni hacer a la otra.

—Pero ¿tú te crees...?

—No, no, si ya me supongo que no ha pasado a mayores; pero...

—¡Liduvina, Liduvina!

—Como usted quiera, señorito.

El pobre fue a acostarse ardiéndole la cabeza. Y al echarse en la cama, a cuyos pies dormía Orfeo, se decía: «¡Ay, Orfeo, Orfeo, esto de dormir solo, solo, solo, de dormir un solo sueño! El sueño de uno solo es la ilusión, la apariencia; el sueño de dos es ya la verdad, la realidad. ¿Qué es el mundo real sino el sueño que soñamos todos, el sueño común?»

Y cayó en el sueño.

XIII

Pocos días después de esto entró una mañana Liduvina en el cuarto de Augusto diciéndole que una señorita preguntaba por él.

—¿Una señorita?

—Sí, ella, la pianista.

—¿Eugenia?

—Eugenia, sí. Decididamente no es usted el único que se ha vuelto loco.

El pobre Augusto empezó a temblar. Y es que se sentía reo. Levantóse, lavóse de prisa, se vistió y fue dispuesto a todo.

—Ya sé, señor don Augusto —le dijo solemnemente Eugenia en cuanto le vio—, que ha comprado usted mi deuda a mi acreedor, que está en su poder la hipoteca de mi casa.

—No lo niego.

—Y ¿con qué derecho hizo eso?

—Con el derecho, señorita, que tiene todo ciudadano a comprar lo que bien le parezca y su poseedor quiera venderlo.

—No quiero decir eso, sino ¿para qué la ha comprado usted?

—Pues porque me dolía verla depender así de un hombre a quien acaso usted sea indiferente y que sospecho no es más que un traficante sin entrañas.

—Es decir, que usted pretende que dependa yo de usted, ya que no le soy indiferente...

—¡Oh, eso nunca, nunca, nunca! ¡Nunca, Eugenia, nunca! Yo no busco que usted dependa de mí. Me ofende usted sólo con suponerlo. Verá usted —y dejándola sola se salió agitadísimo.

Volvió al poco rato trayendo unos papeles.

—He aquí, Eugenia, los documentos que acreditan su deuda. Tómelos usted y haga de ellos lo que quiera.

—¿Cómo?

—Sí, que renuncio a todo. Para eso lo compré.

—Lo sabía, y por eso le dije que usted no pretende sino hacer que dependa de usted. Me quiere usted ligar por la gratitud. ¡Quiere usted comprarme!

—¡Eugenia! ¡Eugenia!

—Sí, quiere usted comprarme, quiere usted comprarme; ¡quiere usted comprar... no mi amor, que ése no se compra, sino mi cuerpo!

—¡Eugenia! ¡Eugenia!

—Esto es, aunque usted no lo crea, una infamia, nada más que una infamia.

—¡Eugenia, por Dios, Eugenia!

—¡No se me acerque usted más, que no respondo de mí!

—Pues bien, sí, me acerco. ¡Pégame, Eugenia, pégame; insúltame, escúpeme, haz de mí lo que quieras!

—No merece usted nada —y Eugenia se levantó—; me voy, pero ¡cónstele que no acepto su limosna o su oferta! Trabajaré más que nunca; haré que trabaje mi novio, pronto mi marido, y viviremos. Y en cuanto a eso, quédese usted con mi casa.

—Pero ¡si yo no me opongo, Eugenia, a que usted se case con ese novio que dice!

—¿Cómo? ¿cómo? ¿A ver?

—¡Si yo no he hecho esto para que usted, ligada por gratitud, acceda a tomarme por marido!... ¡Si yo renuncio a mi propia felicidad, mejor dicho, si mi felicidad consiste en que usted sea feliz y nada más, en que sea usted feliz con el marido que libremente escoja!...

—¡Ah, ya, ya caigo; usted se reserva el papel de heroica víctima, de mártir! Quédese usted con la casa, le digo.
Se la regalo.

—Pero, Eugenia, Eugenia...

—¡Basta!

Y sin más mirarle, aquellos dos ojos de fuego desapa-
recieron.

Quedóse Augusto un momento fuera de sí, sin darse
cuenta de que existía, y cuando sacudió la niebla de con-
fusión que le envolviera tomó el sombrero y se echó a la
calle, a errar a la ventura. Al pasar junto a una iglesia,
San Martín, entró en ella, casi sin darse cuenta de lo que
hacía. No vio al entrar sino el mortecino resplandor de
la lamparilla que frente al altar mayor ardía. Parecíale respirar oscuridad, olor a vejez, a tradición sahumada en in-
cienso, a hogar de siglos, y andando casi a tientas fue a
sentarse en un banco. Dejóse en él caer más que se sentó.
Sentíase cansado, mortalmente cansado y como si toda
aquella oscuridad, toda aquella vejez que respiraba le pe-
sasen sobre el corazón. De un susurro que parecía venir
de lejos, de muy lejos, emergía una tos contenida de cuando en cuando. Acordóse de su madre.

Cerró los ojos y volvió a soñar aquella casa dulce y tibia, en que la luz entraba por entre las blancas flores bordadas en los visillos. Volvió a ver a su madre, yendo y
viniendo sin ruido, siempre de negro, con aquella su sonrisa que era poso de lágrimas. Y repasó su vida toda de
hijo, cuando formaba parte de su madre y vivía a su amparo, y aquella muerte lenta, grave, dulce e indolorosa de
la pobre señora, cuando se fue como un ave peregrina que
emprende sin ruido el vuelo. Luego recordó o resoñó el
encuentro de Orfeo, y al poco rato encontróse sumido en
un estado de espíritu en que pasaban ante él, en cinematógrafo, las más extrañas visiones.

Junto a él un hombre susurraba rezos. El hombre se
levantó para salir y él le siguió. A la salida de la iglesia
el hombre aquel mojó los dedos índice y corazón de su
diestra en el aguabenditera y ofreció agua bendita a Augus-

to, santiguándose luego. Encontráronse juntos en la cancela.

—¡Don Avito! —exclamó Augusto.

—¡El mismo, Augustito, el mismo!

—Pero ¿usted por aquí?

—Sí, yo por aquí; enseña mucho la vida, y más la muerte; enseñan más, mucho más que la ciencia.

—Pero ¿y el candidato a genio?

Don Avito Carrascal le contó la lamentable historia de su hijo*. Y concluyó diciendo: «Ya ves, Augustito, cómo he venido a esto…»

Augusto callaba mirando al suelo. Iban por la Alameda.

—Sí, Augusto, sí —prosiguió don Avito—; la vida es la única maestra de la vida; no hay pedagogía que valga. Sólo se aprende a vivir viviendo, y cada hombre tiene que recomenzar el aprendizaje de la vida de nuevo…

—¿Y la labor de las generaciones, don Avito, el legado de los siglos?

—No hay más que dos legados: el de las ilusiones y el de los desengaños, y ambos sólo se encuentran donde nos encontramos hace poco: en el templo. De seguro que te llevó allá o una gran ilusión o un gran desengaño.

—Las dos cosas.

—Sí, las dos cosas, sí. Porque la ilusión, la esperanza, engendra el desengaño, el recuerdo, y el desengaño, el recuerdo, engendra a su vez la ilusión, la esperanza. La ciencia es realidad, es presente, querido Augusto, y yo no puedo vivir ya de nada presente. Desde que mi pobre Apolodoro, mi víctima —y al decir esto le lloraba la voz—, murió, es decir, se mató, no hay ya presente posible, no hay ciencia ni realidad que valgan para mí; no puedo vivir sino recordándole o esperándole. Y he ido a parar a ese hogar de todas las ilusiones y todos los desengaños: ¡a la iglesia!

---

* Historia que he contado en mi novela *Amor y pedagogía. (Nota del autor.)*

—¿De modo es que ahora cree usted?

—¡Qué sé yo...!

—Pero ¿no cree usted?

—No sé si creo o no creo; sé que rezo. Y no sé bien lo que rezo. Somos unos cuantos que al anochecer nos reunimos ahí a rezar el rosario. No sé quiénes son, ni ellos me conocen, pero nos sentimos solidarios, en íntima comunión unos con otros. Y ahora pienso que a la humanidad maldita la falta que le hacen los genios.

—¿Y su mujer, don Avito?

—¡Ah, mi mujer! —exclamó Carrascal, y una lágrima que se le había asomado a un ojo pareció irradiarle luz interna—. ¡Mi mujer! ¡la he descubierto! Hasta mi tremenda desgracia no he sabido lo que tenía en ella. Sólo he penetrado en el misterio de la vida cuando en las noches terribles que sucedieron al suicidio de mi Apolodoro reclinaba mi cabeza en el regazo de ella, de la madre, y lloraba, lloraba, lloraba. Y ella, pasándome dulcemente la mano por la cabeza, me decía: «¡Pobre hijo mío! ¡pobre hijo mío!» Nunca, nunca ha sido más madre que ahora. Jamás creí al hacerla madre, ¿y cómo?, nada más que para que me diese la materia prima del genio... jamás creí al hacerla madre que como tal la necesitaría para mí un día. Porque yo no conocí a mi madre, Augusto, no la conocí; yo no he tenido madre, no he sabido qué es tenerla hasta que al perder mi mujer a mi hijo y suyo se ha sentido madre mía. Tú conociste a tu madre, Augusto, a la excelente doña Soledad, si no te aconsejaría que te casases.

—La conocí, don Avito, pero la perdí, y ahí, en la iglesia, estaba recordándola...

—Pues si quieres volver a tenerla, ¡cásate, Augusto, cásate!

—No, aquélla no, aquélla, no la volveré a tener.

—Es verdad, pero ¡cásate!

—¿Y cómo? —añadió Augusto con una forzada sonrisa y recordando lo que había oído de una de las doctrinas de don Avito— ¿cómo? ¿deductiva o inductivamente?

—¡Déjate ahora de esas cosas; por Dios, Augusto, no me recuerdes tragedias! Pero... en fin, si te he de seguir el humor, ¡cásate intuitivamente!

—¿Y si la mujer a quien quiero no me quiere?

—Cásate con la mujer que te quiera, aunque no la quieras tú. Es mejor casarse para que le conquisten a uno el amor que para conquistarlo. Busca una que te quiera.

Por la mente de Augusto pasó en rapidísima visión la imagen de la chica de la planchadora. Porque se había hecho la ilusión de que aquella pobrecita quedó enamorada de él.

Cuando al cabo Augusto se despidió de don Avito dirigióse al Casino. Quería despejar la niebla de su cabeza y la de su corazón echando una partida de ajedrez con Víctor.

XIV

Notó Augusto que algo insólito le ocurría a su amigo Víctor; no acertaba ninguna jugada, estaba displicente y silencioso.

—Víctor, algo te pasa...

—Sí, hombre, sí; me pasa una cosa grave. Y como necesito desahogo, vamos fuera; la noche está muy hermosa; te lo contaré.

Víctor, aunque el más íntimo amigo de Augusto, le llevaba cinco o seis años de edad y hacía más de doce que estaba casado, pues contrajo matrimonio siendo muy joven, por deber de conciencia, según decían. No tenía hijos.

Cuando estuvieron en la calle, Víctor comenzó:

—Ya sabes, Augusto, que me tuve que casar muy joven...

—¿Que te tuviste que casar?

—Sí, vamos, no te hagas el de nuevas, que la murmuración llega a todos. Nos casaron nuestros padres, los míos y los de mi Elena, cuando éramos unos chiquillos. Y el matrimonio fue para nosotros un juego. Jugábamos a marido y mujer. Pero aquello fue una falsa alarma...

—¿Qué es lo que fue una falsa alarma?

—Pues aquello por que nos casaron. Pudibundeces de nuestros sendos padres. Se enteraron de un desliz nuestro, que tuvo su cachito de escándalo, y sin esperar a ver qué consecuencias tenía, o si las tenía, nos casaron.

—Hicieron bien.

—No diré yo tanto. Mas el caso fue que ni tuvo consecuencias aquel desliz ni las tuvieron los consiguientes deslices de después de casados.

—¿Deslices?

—Sí, en nuestro caso no eran sino deslices. Nos deslizábamos. Ya te he dicho que jugábamos a marido y mujer...

—¡Hombre!

—No, no seas demasiado malicioso. Éramos y aún somos jóvenes para pervertirnos. Pero en lo que menos pensábamos era en constituir un hogar. Éramos dos mozuelos que vivían juntos haciendo eso que se llama vida marital. Pero pasó el año y al ver que no venía fruto empezamos a ponernos de morro, a mirarnos un poco de reojo, a incriminarnos mutuamente en silencio. Yo no me avenía a no ser padre. Era un hombre ya, tenía más de veintiún años, y, francamente, eso de que yo fuese menos que otros, menos que cualquier bárbaro que a los nueve meses justos de haberse casado, o antes, tiene su primer hijo... a esto no me resignaba.

—Pero, hombre, ¿qué culpa...?

—Y, es claro, yo, aun sin decírselo, le echaba la culpa a ella y me decía: «Esta mujer es estéril y te pone en ridículo.» Y ella, por su parte, no me cabía duda, me culpaba a mí, y hasta suponía, qué sé yo...

—¿Qué?

—Nada, que cuando pasa un año y otro y otro y el matrimonio no tiene hijos, la mujer da en pensar que la culpa es del marido y que lo es porque no fue sano al matrimonio, porque llevó cualquier dolencia... El caso es que nos sentíamos enemigos el uno del otro; que el demonio se nos había metido en casa. Y al fin estalló el tal demonio y llegaron las reconvenciones mutuas y aquello de «tú no sirves» y «quien no sirve eres tú» y todo lo demás.

—¿Sería por eso que hubo una temporada, a los dos o

tres años de haberte casado, que anduviste tan malo, tan preocupado, neurasténico? ¿cuando tuviste que ir solo a aquel sanatorio?

—No, no fue eso... fue algo peor.

Hubo un silencio. Víctor miraba al suelo.

—Bueno, bueno, guárdatelo; no quiero romper tus secretos.

—¡Pues sea, te lo diré! Fue que exacerbado por aquellas querellas intestinas con mi pobre mujer, llegué a imaginarme que la cuestión dependía no de la intensidad de lo que sea, sino del número, ¿me entiendes?

—Sí, creo entenderte...

—Y di en dedicarme a comer como un bárbaro lo que creí más sustancioso y nutritivo y bien sazonado con todo género de especias, en especial las que pasan por más afrodisiacas, y a frecuentar lo más posible a mi mujer. Y, claro...

—Te pusiste enfermo.

—¡Natural! Y si no acudo a tiempo y entramos en razón me las lío al otro mundo. Pero curé de aquello en ambos sentidos, volví a mi mujer y nos calmamos y resignamos. Y poco a poco volvió a reinar en casa no ya la paz, sino hasta la dicha. Al principio de esta nueva vida, a los cuatro o cinco años de casados, lamentábamos alguna que otra vez nuestra soledad, pero muy pronto no sólo nos consolamos, sino que nos habituamos. Y acabamos no sólo por no echar de menos a los hijos, sino hasta por compadecer a los que los tienen. Nos habituamos uno a otro, nos hicimos el uno costumbre del otro. Tú no puedes entender esto...

—No, no lo entiendo.

—Pues bien; yo me hice una costumbre de mi mujer y Elena se hizo una costumbre mía. Todo estaba moderadamente regularizado en nuestra casa, todo, lo mismo que las comidas. A las doce en punto, ni minuto más ni minuto menos, la sopa en la mesa, y de tal modo, que comemos todos los días casi las mismas cosas, en el mismo orden y en la misma cantidad. Aborrezco el cambio y lo aborrece Elena. En mi casa se vive al reló.

—Vamos, sí, esto me recuerda lo que dice nuestro amigo Luis del matrimonio Romera, que suele decir que son marido y mujer solterones.

—En efecto, porque no hay solterón más solterón y recalcitrante que el casado sin hijos. Una vez, para suplir la falta de hijos, que al fin y al cabo ni en mí había muerto el sentimiento de la paternidad ni menos el de la maternidad en ella, adoptamos, o si quieres prohijamos, un perro; pero al verle un día morir a nuestra vista, porque se le atravesó un hueso en la garganta, y ver aquellos ojos húmedos que parecían suplicarnos vida, nos entró una pena y un horror tal que no quisimos más perros ni cosa viva. Y nos contentamos con unas muñecas, unas grandes peponas, que son las que has visto en casa, y que mi Elena viste y desnuda.

—Ésas no se os morirán.

—En efecto. Y todo iba muy bien y nosotros contentísimos. Ni me turban el sueño llantos de niño, ni tenía que preocuparme de si será varón o hembra y qué he de hacer de él o de ella... Y, además, he tenido siempre mi mujer a mi disposición, cómodamente, sin estorbos de embarazos ni de lactancias; en fin, ¡un encanto de vida!

—¿Sabes que eso en poco o nada se diferencia...?

—¿De qué? ¿De un arrimo ilegal? Así lo creo. Un matrimonio sin hijos puede llegar a convertirse en una especie de concubinato legal, muy bien ordenado, muy higiénico, relativamente casto, pero, en fin, ¡lo dicho! Marido y mujer solterones, pero solterones arrimados, en efecto. Y así han transcurrido estos más de once años, van para doce... Pero ahora... ¿sabes lo que me pasa?

—Hombre, ¿cómo lo he de saber?

—Pero ¿no sabes lo que me pasa?

—Como no sea que has dejado encinta a tu mujer...

—Eso, hombre, eso. ¡Figúrate qué desgracia!

—¿Desgracia? ¿Pues no lo deseasteis tanto...?

—Sí, al principio, los dos o tres primeros años, poco

más. Pero ahora, ahora... Ha vuelto el demonio a casa, han vuelto las disensiones. Y ahora como antaño cada uno de nosotros culpaba al otro de la esterilidad del lazo, ahora cada uno culpa al otro de esto que se nos viene. Y ya empezamos a llamarle... no, no te lo digo...

—Pues no me lo digas si no quieres.

—Empezamos a llamarle ¡el intruso! Y yo he soñado que se nos moría una mañana con un hueso atravesado en la garganta...

—¡Qué barbaridad!

—Sí, tienes razón, una barbaridad. Y ¡adiós regularidad, adiós comodidad, adiós costumbres! Todavía ayer estaba Elena de vómitos; parece que es una de las molestias anejas al estado que llaman... ¡Interesante! ¡Interesante! ¡Interesante! ¡Vaya un interés! ¡De vómito! ¿Has visto nada más indecoroso, nada más sucio?

—Pero ¿ella estará gozosísima al sentirse madre?

—¿Ella? ¡Cómo yo! Esto es una mala jugada de la Providencia, de la Naturaleza o de quien sea, una burla. Si hubiera venido... el nene o nena, lo que fuere... si hubiera venido cuando, inocentes tórtolos llenos, más que de amor paternal, de vanidad, le esperábamos; si hubiera venido cuando creíamos que el no tener hijos era ser menos que otros; si hubiera venido entonces, ¡santo y muy bueno!, pero ¿ahora, ahora? Te digo que esto es una burla. Si no fuera por...

—¿Qué hombre, qué?

—Te lo regalaba, para que hiciese compañía a Orfeo.

—Hombre, cálmate, y no digas disparates...

—Tienes razón, disparato. Perdóname. Pero ¿te parece bien, al cabo de cerca de doce años, cuando nos iba tan ricamente, cuando estábamos curados de la ridícula vanidad de los recién casados, venirnos esto? Es claro, ¡vivíamos tan tranquilos, tan seguros, tan confiados...!

—¡Hombre, hombre!

—Tienes razón, sí, tienes razón. Y lo más terrible es, ¿a que no te figuras?, que mi pobre Elena no puede defenderse del sentimiento del ridículo que la asalta. ¡Se siente en ridículo!

—Pues no veo...

—No, tampoco yo lo veo, pero así es; se siente en ridículo. Y hace tales cosas que temo por el... intruso... o intrusa.

—¡Hombre! —exclamó Augusto alarmado.

—¡No, no, Augusto, no, no! No hemos perdido el sentido moral, y Elena, que es como sabes profundamente religiosa, acata, aunque a regañadientes, los designios de la Providencia y se resigna a ser madre. Y será buena madre, no me cabe de ello duda, muy buena madre. Pero es tal el sentimiento del ridículo en ella, que para ocultar su estado, para encubrir su embarazo, la creo capaz de cosas que... En fin, no quiero pensar en ello. Por de pronto, hace ya una semana que no sale de casa; dice que le da vergüenza, que se le figura que van a quedarse todos mirándola en la calle. Y ya habla de que nos vayamos, de que si ella ha de salir a tomar el aire y el sol cuando esté ya en meses mayores, no ha de hacerlo donde haya gentes que la conozcan y que acaso vayan a felicitarla por ello.

Callaron los dos amigos un rato, y después que el breve silencio selló el relato dijo Víctor:

—Conque ¡anda, Augusto, anda y cásate, para que acaso te suceda algo por el estilo; anda y cásate con la pianista!

—Y ¡quién sabe...! —dijo Augusto como quien habla consigo mismo— ¡quién sabe...! Acaso casándome volveré a tener madre...

—Madre, sí —añadió Víctor—, ¡de tus hijos! Si los tienes...

—¡Y madre mía! Acaso ahora, Víctor, empieces a tener en tu mujer una madre, una madre tuya.

—Lo que voy a empezar ahora es a perder noches...

—O a ganarlas, Víctor, o a ganarlas.

—En fin, que no sé lo que me pasa, ni lo que nos pasa. Y yo por mí creo que llegaría a resignarme; pero mi Elena, mi pobre Elena... ¡Pobrecita!

—¿Ves? Ya empiezas a compadecerla.

—En fin, Augusto, ¡que pienses mucho antes de casarte!

Y se separaron.

Augusto entró en su casa llena la cabeza de cuanto había oído a don Avito y a Víctor. Apenas se acordaba ya ni de Eugenia ni de la hipoteca liberada, ni de la mozuela de la planchadora.

Cuando al entrar en casa salió saltando a recibirle Orfeo, le cojió, le tentó bien el gaznate, y apretándole el seno le dijo: «Cuidado con los huesos, Orfeo, mucho cuidadito con ellos, ¿eh? No quiero que te atragantes con uno; no quiero verte morir a mis ojos suplicándome vida. Ya ves, Orfeo, don Avito, el pedagogo, se ha convertido a la religión de sus abuelos... ¡es la herencia! Y Víctor no se resigna a ser padre. Aquél no se consuela de haber perdido a su hijo y éste no se consuela de ir a tenerlo. Y ¡qué ojos, Orfeo, qué ojos! ¡Cómo le fulguraban cuando me dijo: "¡Quiere usted comprarme! ¡quiere usted comprar no mi amor, que ése no se compra, sino mi cuerpo! ¡Quédese con mi casa!" ¡Comprar yo su cuerpo... su cuerpo...! ¡Si me sobra el mío, Orfeo, me sobra el mío! Lo que yo necesito es alma, alma, alma. Y una alma de fuego, como la que irradia de los ojos de ella, de Eugenia. ¡Su cuerpo... su cuerpo... sí, su cuerpo es magnífico, espléndido, divino; pero es que su cuerpo es alma, alma pura, todo él vida, todo él significación, todo él idea! A mí me sobra el cuerpo, Orfeo, me sobra el cuerpo porque me falta alma. O ¿no es más bien que me falta alma porque me sobra cuerpo? Yo me toco el cuerpo, Orfeo, me lo palpo, me lo veo, pero ¿el alma?, ¿dónde está mi alma? ¿es que la tengo? Sólo la sentí resollar un poco cuando tuve aquí abrazada, sobre mis rodillas, a Rosario, a la pobre Rosarito; cuando ella lloraba y lloraba yo. Aquellas lágrimas no podían salir de mi cuerpo; salían de mi alma. El alma es un manantial que sólo se revela en lágrimas. Hasta que se llora de veras no se sabe si se tiene o no alma. Y ahora vamos a dormir, Orfeo, si es que nos dejan.»

XV

—Pero ¿qué has hecho, chiquilla? —preguntó doña Ermelinda a su sobrina.

—¿Qué he hecho? Lo que usted, si es que tiene vergüenza, habría hecho en mi caso; estoy de ello segura. ¡Querer comprarme! ¡querer comprarme a mí!

—Mira, chiquilla, es siempre mucho mejor que quieran comprarla a una que no es el que quieran venderla, no lo dudes.

—¡Querer comprarme! ¡querer comprarme a mí!

—Pero si no es eso, Eugenia, si no es eso. Lo ha hecho por generosidad, por heroísmo...

—No quiero héroes. Es decir, los que procuran serlo. Cuando el heroísmo viene por sí, naturalmente, ¡bueno!; pero ¿por cálculo? ¡Querer comprarme! ¡querer comprarme a mí, a mí! Le digo a usted, tía, que me la ha de pagar. Me la ha de pagar ese...

—¿Ese... qué? ¡Vamos, acaba?

—Ese... panoli desaborido. Y para mí como si no existiera. ¡Como que no existe!

—Pero qué tonterías estás diciendo...

—¿Es que cree usted tía, que ese tío...?

—¿Quién, Fermín?

—No, ése... ese del canario, ¿tiene algo dentro?

—Tendrá por lo menos sus entrañas...

—Pero ¿usted cree que tiene entrañas? ¡Quiá! ¡Si es hueco, como si lo viera, hueco!

—Pero ven acá, chiquilla, hablemos fríamente y no digas ni hagas tonterías. Olvida eso. Yo creo que debes aceptarle...

—Pero si no le quiero, tía...

—Y tú ¿qué sabes lo que es querer? Careces de experiencia. Tú sabrás lo que es una fusa o una corchea, pero lo que es querer...

—Me parece, tía, que está usted hablando por hablar...

—¿Qué sabes tú lo que es querer, chiquilla?

—Pero si quiero a otro...

—¿A otro? ¿A ese gandul de Mauricio, a quien se le pasea el alma por el cuerpo? ¿A eso le llamas querer? ¿a eso le llamas otro? Augusto es tu salvación y sólo Augusto. ¡Tan fino, tan rico, tan bueno...!

—Pues por eso no le quiero, porque es tan bueno como usted dice... No me gustan los hombres buenos.

—Ni a mí, hija, ni a mí, pero...

—¿Pero qué?

—Que hay que casarse con ellos. Para eso han nacido y son buenos, para maridos.

—Pero si no le quiero, ¿cómo he de casarme con él?

—¿Cómo? ¡casándote! ¿No me casé yo con tu tío...?

—Pero, tía...

—Sí, ahora creo que sí, me parece que sí; pero cuando me casé no sé si le quería. Mira, eso del amor es una cosa de libros, algo que se ha inventado no más que para hablar y escribir de ello. Tonterías de poetas. Lo positivo es el matrimonio. El Código civil no habla del amor y sí del matrimonio. Todo eso del amor no es más que música...

—¿Música?

—Música, sí. Y ya sabes que la música apenas sirve sino para vivir de enseñarla, y que si no te aprovechas de una ocasión como esta que se te presenta vas a tardar en salir de tu purgatorio...

—Y ¿qué? ¿Les pido yo a ustedes algo? ¿No me gano por mí mi vida? ¿Les soy gravosa?

—No te sulfures así, polvorilla, ni digas esas cosas, porque vamos a reñir de veras. Nadie te habla de eso. Y todo lo que te digo y aconsejo es por tu bien.

—Sí, por mi bien... por mi bien... Por mi bien ha hecho el señor don Augusto Pérez esa hombrada, por mi bien... ¡Una hombrada, sí, una hombrada! ¡Quererme comprar...! ¡Quererme comprar a mí... a mí! ¡Una hombrada, lo dicho, una hombrada... una cosa de hombre! Los hombres, tía, ya lo voy viendo, son unos groseros, unos brutos, carecen de delicadeza. No saben hacer ni un favor sin ofender...

—¿Todos?

—¡Todos, sí, todos! Los que son de veras hombres se entiende.

—¡Ah!

—Sí, porque los otros, los que no son groseros y brutos y egoístas, no son hombres.

—Pues ¿qué son?

—¡Qué sé yo... maricas!

—¡Vaya unas teorías, chiquilla!

—En esta casa hay que contagiarse.

—Pero eso no se lo has oído nunca a tu tío.

—No, se me ha ocurrido a mí observando a los hombres.

—¿También a tu tío?

—Mi tío no es un hombre... de esos.

—Entonces es un marica, ¿eh?, un marica. ¡Vamos, habla!

—No, no, no, tampoco. Mi tío es... vamos... mi tío... No me acostumbro del todo a que sea algo así... vamos... de carne y hueso.

—Pues ¿qué, qué crees de tu tío?

—Que no es más que... no sé cómo decirlo... que no es más que mi tío. Vamos, así como si no existiese de verdad.

—Eso te creerás tú, chiquilla. Pero yo te digo que tu tío existe, ¡vaya si existe!

—Brutos, todos brutos, brutos todos. ¿No sabe usted

lo que ese bárbaro de Martín Rubio le dijo al pobre don
Emeterio a los pocos días de quedarse éste viudo?

—No lo he oído, creo.

—Pues verá usted; fue cuando la epidemia aquella, ya
sabe usted. Todo el mundo estaba alarmadísimo, a mí no
me dejaron ustedes salir de casa en una porción de días
y hasta tomaba el agua hervida. Todos huían los unos de
los otros, y si se veía a alguien de luto reciente era como
si estuviese apestado. Pues bien; a los cinco o seis días de
haber enviudado el pobre don Emeterio tuvo que salir de
casa, de luto por supuesto, y se encontró de manos a boca
con ese bárbaro de Martín. Éste, al verle de luto, se
mantuvo a cierta prudente distancia de él, como temiendo el contagio, y le dijo: «Pero, hombre, ¿qué es eso? ¿alguna desgracia en tu casa?» «Sí —le contestó el pobre don
Emeterio—, acabo de perder a mi pobre mujer...» «¡Lástima! Y ¿cómo, cómo ha sido eso?» «De sobreparto», le
dijo don Emeterio. «¡Ah, menos mal!», le contestó el bárbaro de Martín, y entonces se le acercó a darle la mano.
¡Habráse visto caballería mayor...! ¡Una hombrada! Le
digo a usted que son unos brutos, nada más que unos
brutos.

—Y es mejor que sean unos brutos que no unos holgaza-
nes, como, por ejemplo, ese zanguango de Mauricio, que
te tiene, yo no sé por qué, sorbido el seso... Porque según
mis informes, y son de buena tinta, te lo aseguro, maldi-
to si el muy bausán [39] está de veras enamorado de ti...

—¡Pero lo estoy yo de él y basta!

—Y ¿te parece que ése... tu novio quiero decir... es de
veras hombre? Si fuese hombre, hace tiempo que habría
buscado salida y trabajo.

—Pues si no es hombre, quiero yo hacerle tal. Es verdad, tiene el defecto que usted dice, tía, pero acaso es por
eso por lo que le quiero. Y ahora, después de la hombrada de don Augusto... ¡quererme comprar a mí, a mí!...

---

[39]   *bausán:* Aunque de suyo significa un pelele vestido de armas, aquí
se utiliza en sentido figurado como *simple.*

después de eso estoy decidida a jugarme el todo por el todo casándome con Mauricio.

—Y ¿de qué vais a vivir, desgraciada?

—¡De lo que yo gane! Trabajaré, y más que ahora. Aceptaré lecciones que he rechazado. Así como así, he renunciado ya a esa casa, se la he regalado a don Augusto. Era un capricho, nada más que un capricho. Es la casa en que nací. Y ahora, libre ya de esa pesadilla de la casa y de su hipoteca, me pondré a trabajar con más ahínco. Y Mauricio, viéndome trabajar para los dos, no tendrá más remedio que buscar trabajo y trabajar él. Es decir, si tiene vergüenza...

—¿Y si no la tiene?

—Pues si no la tiene... ¡dependerá de mí!

—Sí, ¡el marido de la pianista!

—Y aunque así sea. Será mío, mío, y cuanto más de mí dependa, más mío.

—Sí, tuyo... pero como puede serlo un perro. Y eso se llama comprar un hombre.

—¿No ha querido un hombre, con su capital, comprarme? Pues ¿qué de extraño tiene que yo, una mujer, quiera, con mi trabajo, comprar un hombre?

—Todo esto que estás diciendo, chiquilla, se parece mucho a eso que tu tío llama feminismo.

—No sé, ni me importa saberlo. Pero le digo a usted, tía, que todavía no ha nacido el hombre que me pueda comprar a mí. ¿A mí? ¿a mí? ¿comprarme a mí?

En este punto de la conversación entró la criada a anunciar que don Augusto esperaba a la señora.

—¿Él? ¡vete! Yo no quiero verle. Dile que le he dicho ya mi última palabra.

—Reflexiona un poco, chiquilla, cálmate; no lo tomes así. Tú no has sabido interpretar las intenciones de don Augusto.

Cuando Augusto se encontró ante doña Ermelinda empezó a darle sus excusas. Estaba, según decía, profundamente afectado; Eugenia no había sabido interpretar sus verdaderas intenciones. Él, por su parte, había cancelado

formalmente la hipoteca de la casa y ésta aparecía legalmente libre de semejante carga y en poder de su dueña.
Y si ella se obstinaba en no recibir las rentas, él, por su
parte, tampoco podía hacerlo; de manera que aquello se
perdería sin provecho para nadie, o mejor dicho, iría de-
positándose a nombre de su dueña. Además, él renunciaba a sus pretensiones a la mano de Eugenia y sólo quería
que ésta fuese feliz; hasta se hallaba dispuesto a buscar
una buena colocación a Mauricio para que no tuviese que
vivir de las rentas de su mujer.

—¡Tiene usted un corazón de oro! —exclamó doña Ermelinda.

—Ahora sólo falta, señora, que convenza a su sobrina
de cuáles han sido mis verdaderas intenciones, y que si
lo de deshipotecar la casa fue una impertinencia me la perdone. Pero me parece que no es cosa ya de volver atrás.
Si ella quiere seré yo padrino de la boda. Y luego empren-
deré un largo y lejano viaje.

Doña Ermelinda llamó a la criada, a la que dijo que
llamase a Eugenia, pues don Augusto deseaba hablar con
ella. «La señorita acaba de salir», contestó la criada.

XVI

—Eres imposible, Mauricio —le decía Eugenia a su novio, en el cuchitril aquel de la portería—, completamente imposible, y si sigues así, si no sacudes esa pachorra, si no haces algo para buscarte una colocación y que podamos casarnos, soy capaz de cualquier disparate.

—¿De qué disparate? Vamos, di, rica —y le acariciaba el cuello ensortijándose en uno de sus dedos un rizo de la nuca de la muchacha.

—Mira, si quieres, nos casamos así y yo seguiré trabajando... para los dos.

—Pero ¿y qué dirán de mí, mujer, si acepto semejante cosa?

—¿Y a mí qué me importa lo que de ti digan?

—¡Hombre, hombre, eso es grave!

—Sí, a mí no me importa eso; lo que yo quiero es que esto se acabe cuanto antes...

—¿Tan mal nos va?

—Sí, nos va mal, muy mal. Y si no te decides soy capaz de...

—¿De qué, vamos?

—De aceptar el sacrificio de don Augusto.

—¿De casarte con él?

—¡No, eso nunca! De recobrar mi finca.

—Pues ¡hazlo, rica, hazlo! Si esa es la solución y no otra...

—Y te atreves...

—¡Pues no he de atreverme! Ese pobre don Augusto me parece a mí que no anda bien de la cabeza, y pues ha tenido ese capricho, no creo que debemos molestarle...

—De modo que tú...

—Pues ¡claro está, rica, claro está!

—Hombre, al fin y al cabo.

—No tanto como tú quisieras, según te explicas. Pero ven acá...

—Vamos, déjame, Mauricio; ya te he dicho cien veces que no seas...

—Que no sea cariñoso...

—¡No, que no seas... bruto! Estate quieto. Y si quieres más confianzas sacude esa pereza, busca de veras trabajo, y lo demás ya lo sabes. Conque, a ver si tienes juicio, ¿eh? Mira que ya otra vez te di una bofetada.

—¡Y qué bien que me supo! ¡Anda rica, dame otra! Mira, aquí tienes mi cara...

—No lo digas mucho...

—¡Anda, vamos!

—No, no quiero darte ese gusto.

—¿Ni otro?

—Te he dicho que no seas bruto. Y te repito que si no te das prisa a buscar trabajo soy capaz de aceptar eso.

—Pues bien, Eugenia, ¿quieres que te hable con el corazón en la mano, la verdad, toda la verdad?

—¡Habla!

—Yo te quiero mucho, pero mucho, estoy completamente chalado por ti, pero eso del matrimonio me asusta, me da un miedo atroz. Yo nací haragán por temperamento, no te lo niego; lo que más me molesta es tener que trabajar, y preveo que si nos casamos, y como supongo que tú querrás que tengamos hijos...

—¡Pues no faltaba más!

—Voy a tener que trabajar, y de firme, porque la vida es cara. Y eso de aceptar el que seas tú la que trabaje, ¡eso, nunca, nunca, nunca! Mauricio Blanco Clará no puede vivir del trabajo de una mujer. Pero hay acaso una solución que sin tener yo que trabajar ni tú se arregle todo...

—A ver, a ver...

—Pues... ¿me prometes, chiquilla, no incomodarte?

—¡Anda, habla!

—Por todo lo que yo sé y lo que te he oído, ese pobre don Augusto es un panoli, un pobre diablo; vamos, un...

—¡Anda, sigue!

—Pero no te me incomodarás.

—¡Que sigas te he dicho!

—Es, pues, como venía diciéndote, un... predestinado. Y acaso lo mejor sea no sólo que aceptes eso de tu casa, sino que...

—Vamos, ¿qué?

—Que le aceptes a él por marido.

—¿Eh? —y se puso ella en pie.

—Le aceptas, y como es un pobre hombre, pues... todo se arregla...

—¿Cómo que se arregla todo?

—Si, él paga, y nosotros...

—Nosotros... ¿qué?

—Pues nosotros...

—¡Basta!

Y se salió Eugenia, con los ojos hechos un incendio y diciéndose: «Pero ¡qué brutos, qué brutos! Jamás lo hubiera creído... ¡Qué brutos!» Y al llegar a su casa se encerró en su cuarto y rompió a llorar. Y tuvo que acostarse presa de una fiebre.

Mauricio se quedó un breve rato como suspenso; mas pronto se repuso, encendió un cigarrillo, salió a la calle y le echó un piropo a la primera moza de garbo que pasó a su lado. Y aquella noche hablaba, con un amigo, de don Juan Tenorio.

—A mí ese tío no acaba de convencerme —decía Mauricio—; eso no es más que teatro.

—¡Y que lo digas tú, Mauricio, que pasas por un Tenorio, por un seductor!

—¿Seductor? ¿seductor yo? ¡Qué cosas se inventan, Rogelio!

—¿Y lo de la pianista?

—¡Bah! ¿Quieres que te diga la verdad, Rogelio?

—¡Venga!

—Pues bien; de cada cien líos, más o menos honrados, y ese a que aludías es honradísimo, ¡eh!, de cada cien líos entre hombre y mujer, en más de noventa la seductora es ella y el seducido es él.

—Pues qué, ¿me negarás que has conquistado a la pianista, a la Eugenia?

—Sí, te lo niego; no soy yo quien la ha conquistado, sino ella quien me ha conquistado a mí.

—¡Seductor!

—Como quieras... Es ella, ella. No supe resistirme.

—Para el caso es igual...

—Pero me parece que eso se va a acabar y voy a encontrarme otra vez libre. Libre de ella, claro, porque no respondo de que me conquiste otra. ¡Soy tan débil! Si yo hubiera nacido mujer...

—Bueno, ¿y cómo se va a acabar?

—Porque... pues, ¡porque he metido la pata! Quise que siguiéramos, es decir, que empezáramos las relaciones, ¿entiendes?, sin compromiso ni consecuencias... y, ¡claro!, me parece que me va a dar soleta. Esa mujer quería absorberme.

—¡Y te absorberá!

—¡Quién sabe!... ¡Soy tan débil! Yo nací para que una mujer me mantenga, pero con dignidad, ¿sabes?, y si no, ¡nada!

—Y ¿a qué llamas dignidad? ¿puede saberse?

—¡Hombre, eso no se pregunta! Hay cosas que no pueden definirse.

—¡Es verdad! —contestó con profunda convicción Rogelio, añadiendo—: Y si la pianista te deja, ¿qué vas a hacer?

—Pues quedar vacante. Y a ver si alguna otra me conquista. ¡He sido ya conquistado tantas veces...! Pero ésta, con eso de no ceder, de mantenerse siempre a honesta distancia, de ser honrada, en fin, porque como honrada lo es hasta donde la que más, con todo eso me tenía chaladito, pero del todo chaladito. Habría acabado por hacer de mí lo que hubiese querido. Y ahora, si me deja, lo sentiré, y mucho, pero me veré libre.

—¿Libre?

—Libre, sí, para otra.

—Yo creo que haréis las paces...

—¡Quién sabe!... Pero lo dudo, porque tiene un geniecito... Y hoy la ofendí, la verdad, la ofendí.

XVII

—¿Te acuerdas, Augusto —le decía Víctor—, de aquel
don Eloíno Rodríguez de Alburquerque y Álvarez de
Castro?

—¿Aquel empleado de Hacienda tan aficionado a co-
rrerla, sobre todo de lo baratito?

—El mismo. Pues bien... ¡se ha casado!

—¡Valiente carcamal se lleva la que haya cargado
con él!

—Pero lo estupendo es su manera de casarse. Entérate
y ve tomando notas. Ya sabrás que don Eloíno Rodríguez
de Alburquerque y Álvarez de Castro, a pesar de sus ape-
llidos, apenas si tiene sobre qué caerse muerto ni más que
su sueldo en Hacienda, y que está, además, completamente
averiado de salud.

—Tal vida ha llevado.

—Pues el pobre padece una afección cardiaca de la que
no puede recobrarse. Sus días están contados. Acaba de
salir de un achuchón gravísimo, que le ha puesto a las
puertas de la muerte y le ha llevado al matrimonio, pero
a otro... revienta. Es el caso que el pobre hombre andaba
de casa en casa de huéspedes y de todas partes tenía que
salir, porque por cuatro pesetas no pueden pedirse golle-
rías ni canguingos en mojo de gato y él era muy exigente.
Y no del todo limpio. Y así rodando de casa en casa fue

a dar a la de una venerable patrona, y entrada en años, mayor que él, que, como sabes, más cerca anda de los sesenta que de los cincuenta, y viuda dos veces; la primera, de un carpintero que se suicidó tirándose de un andamio a la calle, y a quien recuerda a menudo como *su* Rogelio, y la segunda, de un sargento de carabineros que le dejó al morir un capitalito que le da una peseta al día. Y hete aquí que hallándose en casa de esta señora viuda da mi don Eloíno en ponerse malo, muy malo, tan malo que la cosa parecía sin remedio y que se moría. Llamaron primero a que le viera don José, y luego a don Valentín. Y el hombre, ¡a morir! Y su enfermedad pedía tantos y tales cuidados, y a las veces no del todo aseados, que monopolizaba a la patrona, y los otros huéspedes empezaban ya a amenazar con marcharse. Y don Eloíno, que no podía pagar mucho más, y la doble viuda diciéndole que no podía tenerle más en su casa, pues le estaba perjudicando el negocio. «Pero ¡por Dios, señora, por caridad! —parece que le decía él—. ¿Adónde voy yo en este estado, en qué otra casa van a recibirme? Si usted me echa tendré que ir a morirme al hospital… ¡Por Dios, por caridad! ¡para los días que he de vivir…!» Porque él estaba convencido de que se moría y muy pronto. Pero ella, por su parte, lo que es natural, que su casa no era hospital, que vivía de su negocio y que se estaba ya perjudicando. Cuando en esto a uno de los compañeros de oficina de don Eloíno se le ocurre una idea salvadora, y fue que le dijo: «Usted no tiene, don Eloíno, sino un medio de que esta buena señora se avenga a tenerle en su casa mientras viva.» «¿Cuál?», preguntó él. «Primero —le dijo el amigo— sepamos lo que usted se cree de su enfermedad.» «Ah, pues yo, que he de durar poco, muy poco; acaso no lleguen a verme con vida mis hermanos.» «¿Tan mal se cree usted?» «Me siento morir…» «Pues si así es, le queda un medio de conseguir que esta buena mujer no le ponga de patitas en la calle, obligándole a irse al hospital.» «Y ¿cuál es?» «Casarse con ella.» «¿Casarme con ella? ¿con la patrona? ¿Quién, yo? ¡Un Rodríguez de Alburquerque y Álvarez de Castro! ¡Hombre, no estoy para bromas!» Y parece que la ocurrencia le hizo un efecto tal que a poco se queda en ella.

—Y no es para menos.

—Pero el amigo, así que él se repuso de la primera sorpresa, le hizo ver que casándose con la patrona le dejaba trece duros mensuales de viudedad, que de otro modo no aprovecharía nadie y se irían al Estado. Ya ves tú...

—Sí, sé de más de uno, amigo Víctor, que se ha casado nada más que para que el Estado no se ahorrase una viudedad. ¡Eso es civismo!

—Pero si don Eloíno rechazó indignado tal proposición, figúrate lo que diría la patrona: «¿Yo? ¿Casarme yo, a mis años, y por tercera vez, con ese carcamal? ¡Qué asco!» Pero se informó del médico, le aseguraron que no le quedaban a don Eloíno sino muy pocos días de vida, y diciendo: «La verdad es que trece duros al mes me arreglan», acabó aceptándolo. Y entonces se le llamó al párroco, al bueno de don Matías, varón apostólico, como sabes, para que acabase de convencer al desahuciado. «Sí, sí, sí —dijo don Matías—; sí, ¡pobrecito! ¡pobrecito!» Y le convenció. Llamó luego don Eloíno a Correíta y dicen que le dijo que quería reconciliarse con él —estaban reñidos—, y que fuese testigo de su boda. «Pero ¿se casa usted, don Eloíno?» «Sí, Correíta, sí, ¡me caso con la patrona! ¡con doña Sinfo!; ¡yo, un Rodríguez de Alburquerque y Álvarez de Castro, figúrate! Yo porque me cuide los pocos días de vida que me quedan... no sé si llegarán mis hermanos a tiempo de verme vivo... y ella por los trece duros de viudedad que le dejo.» Y cuentan que cuando Correíta se fue a su casa y se lo contó todo, como es natural, a su mujer, a Emilia, ésta exclamó: «Pero ¡tú eres un majadero, Pepe! ¿Por qué no le dijiste que se casase con Encarna —Encarnación es una criada, ni joven ni guapa, que llevó Emilia como a dote a su matrimonio—, que le habría cuidado por los trece duros de viudedad tan bien como esa tía?» Y es fama que la Encarna añadió: «Tiene usted razón, señorita; también yo me hubiera casado con él y le habría cuidado lo que viviese, que no será mucho, por trece duros.»

—Pero todo eso, Víctor, parece inventado.

—Pues no lo es. Hay cosas que no se inventan. Y aún falta lo mejor. Y me contaba don Valentín, que es después de don José quien ha estado tratando a don Eloíno, que al ir un día a verle y encontrarse con don Matías revestido, creyó que era para darle la Extremaunción al enfermo, y le dicen que estaba casándole. Y al volver más tarde le acompañó hasta la puerta la recién casada patrona, ¡por tercera vez!, y con voz compungida y ansiosa le preguntaba: «Pero, diga usted, don Valetín, ¿vivirá? ¿vivirá todavía?» «No, señora, no; es cuestión de días...» «Se morirá pronto, ¿eh?» «Sí, muy pronto.» «Pero ¿de veras se morirá?»

—¡Qué enormidad!

—Y no es todo. Don Valentín ordenó que no se le diese al enfermo más que leche, y de ésta poquita de cada vez, pero doña Sinfo decía a otro huésped: «¡Quiá! ¡yo le doy de todo lo que me pida! ¡A qué quitarle sus gustos si ha de vivir tan poco...!» Y luego ordenó que le diese unas ayudas, y ella decía: «¿Unas ayudas? ¡Uf, qué asco! ¿A ese tío carcamal? ¡Yo, no, yo no! ¡Si hubiese sido a alguno de los otros dos, a los que quería, con los que me casé por mi gusto! Pero ¿a éste? ¿unas ayudas? ¿Yo? ¡Como no...!»

—¡Todo esto es fantástico!

—No, es histórico. Y llegaron unos hermanos de don Eloíno, hermano y hermana, y él decía abrumado por la desgracia: «¡Casarse mi hermano, mi hermano, un Rodríguez de Alburquerque y Álvarez de Castro, con la patrona de la calle de Pellejeros! ¡mi hermano, hijo de un presidente que fue de la Audiencia de Zaragoza, de Zara-go-za, con una... doña Sinfo!» Estaba aterrado. Y la viuda del suicida y recién casada con el desahuciado se decía: «Y ahora verá usted, como si lo viera, ¡con esto de que somos cuñados se irán sin pagarme el pupilaje, cuando yo vivo de esto!» Y parece que le pagaron,

sí, el pupilaje, y se lo pagó el marido, pero se llevaron un
bastón de puño de oro que él tenía.

—¿Y murió?

—Sí, bastante después. Mejoró, mejoró bastante. Y ella,
la patrona, decía: «De esto tiene la culpa ese don Valentín, que le ha entendido la enfermedad… Mejor era el otro,
don José, que no se la entendía. Si sólo le hubiese tratado
él, ya estaría muerto, y no que ahora me va a fastidiar.»
Ella, doña Sinfo, tiene, además de los hijos del primer marido, una hija del segundo, del carabinero, y a poco de
haberse casado le decía don Eloíno: «Ven, ven acá; ven,
ven que te dé un beso, que ya soy tu padre, eres hija
mía…» «Hija, no —decía la madre, ¡ahijada!» «¡Hijastra, señora, hijastra! Ven acá… os dejo bien…» Y es fama
que la madre refunfuñaba: «¡Y el sinvergüenza no lo
hacía más que para sobarla…! ¡Habráse visto…!» Y luego vino, como es natural, la ruptura. «Esto fue un engaño, nada más que un engaño, don Eloíno, porque si me
casé con usted fue porque me aseguraron que usted se moría y muy pronto, que si no… ¡pa chasco! Me han engañado, me han engañado.» «También a mí me han
engañado, señora. Y ¿qué quería usted que hubiese yo
hecho? ¿Morirme por darle gusto?» «Eso era lo convenido.» «Ya me moriré, señora, ya me moriré… y antes que
quisiera… ¡Un Rodríguez de Alburquerque y Álvarez de
Castro!»

Y riñeron por cuestión de unos cuartos más o menos
de pupilaje, y acabó ella por echarle de casa. «¡Adiós, don
Eloíno, que le vaya a usted bien!» «Quede usted con Dios,
doña Sinfo.» Y al fin se ha muerto el tercer marido de
esta señora dejándola 2,15 pesetas diarias, y además le han
dado 500 para lutos. Por supuesto, que no las ha empleado en tales lutos. A lo más le ha sacado un par de misas,
por remordimiento y por gratitud a los trece duros de viudedad.

—Pero ¡qué cosas, Dios mío!

—Cosas que no se inventan, que no es posible inventar. Ahora estoy recojiendo más datos de esta tragicome-

dia, de esta farsa fúnebre. Pensé primero hacer de ello un sainete; pero considerándolo mejor he decidido meterlo de cualquier manera, como Cervantes metió en su *Quijote* aquellas novelas que en él figuran [40], en una novela que estoy escribiendo para desquitarme de los quebraderos de cabeza que me da el embarazo de mi mujer.

—Pero ¿te has metido a escribir una novela?

—¿Y qué quieres que hiciese?

—¿Y cuál es su argumento, si se puede saber?

—Mi novela no tiene argumento, o mejor dicho, será el que vaya saliendo. El argumento se hace él solo.

—¿Y cómo es eso?

—Pues mira, un día de éstos que no sabía bien qué hacer, pero sentía ansia de hacer algo, una comezón muy íntima, un escarabajeo de la fantasía, me dije: voy a escribir una novela, pero voy a escribirla como se vive, sin saber lo que vendrá. Me senté, cojí unas cuartillas y empecé lo primero que se me ocurrió, sin saber lo que seguiría, sin plan alguno. Mis personajes se irán haciendo según obren y hablen, sobre todo según hablen; su carácter se irá formando poco a poco. Y a las veces su carácter será el de no tenerlo.

—Sí, como el mío.

—No sé. Ello irá saliendo. Yo me dejo llevar.

—¿Y hay psicología? ¿descripciones?

—Lo que hay es diálogo; sobre todo diálogo. La cosa es que los personajes hablen, que hablen mucho, aunque no digan nada.

—Eso te lo habrá insinuado Elena, ¿eh?

—¿Por qué?

—Porque una vez que me pidió una novela para matar el tiempo, recuerdo que me dijo que tuviese mucho diálogo y muy cortado.

—Sí, cuando en una que lee se encuentra con largas descripciones, sermones o relatos, los salta diciendo: ¡paja!

---

[40] Se refiere a las novelitas intercaladas, como la famosa «El curioso impertinente», que figuran en el *Quijote*.

rubbish

¡paja! ¡paja! Para ella sólo el diálogo no es paja. Y ya ves tú, puede muy bien repartirse un sermón en un diálogo...

—¿Y por qué será esto?...

—Pues porque a la gente le gusta la conversación por la conversación misma, aunque no diga nada. Hay quien no resiste un discurso de media hora y se está tres horas charlando en un café. Es el encanto de la conversación, de hablar por hablar, del hablar roto e interrumpido.

—También a mí el tono de discurso me carga...

—Sí, es la complacencia del hombre en el habla, y en el habla viva... Y sobre todo que parezca que el autor no dice las cosas por sí, no nos molesta con su personalidad, con su yo satánico. Aunque, por supuesto, todo lo que digan mis personajes lo digo yo...

—Eso hasta cierto punto...

—¿Cómo hasta cierto punto?

—Sí, que empezarás creyendo que los llevas tú, de tu mano, y es fácil que acabes convenciéndote de que son ellos los que te llevan. Es muy frecuente que un autor acabe por ser juguete de sus ficciones...

—Tal vez, pero el caso es que en esa novela pienso meter todo lo que se me ocurra, sea como fuere.

—Pues acabará no siendo novela.

—No, será... será... *nivola.*

—Y ¿qué es eso, qué es *nivola?*

—Pues le he oído contar a Manuel Machado, el poeta, el hermano de Antonio, que una vez le llevó a don Eduardo Benot[41], para leérselo, un soneto que estaba en alejandrinos o en no sé qué otra forma heterodoxa. Se lo leyó y don Eduardo le dijo: «Pero ¡eso no es soneto!...» «No, señor —le contestó Machado—, no es soneto, es... *sonite.*» Pues así con mi novela, no va a ser novela, sino... ¿cómo dije?, *navilo... nebulo,* no, no, *nivola,* eso es, *¡nivola!* Así nadie tendrá derecho a decir que deroga

---

[41] Eduardo Benot (1822-1907), conocido político y hombre de letras español.

las leyes de su género... Invento el género, e inventar un
género no es más que darle un nombre nuevo, y le doy
las leyes que me place. ¡Y mucho diálogo!

—¿Y cuando un personaje se queda solo?

—Entonces... un monólogo. Y para que parezca algo
así como un diálogo invento un perro a quien el personaje se dirige.

—¿Sabes, Víctor, que se me antoja que me estás inven-
tando?...

—¡Puede ser!

Al separarse uno de otro, Víctor y Augusto, iba diciéndose éste: «Y esta mi vida, ¿es novela, es nivola o qué es?
Todo esto que me pasa y que les pasa a los que me rodean, ¿es realidad o es ficción? ¿No es acaso todo esto
un sueño de Dios o de quien sea, que se desvanecerá en
cuanto Él despierte, y por eso le rezamos y elevamos a
Él cánticos e himnos, para adormecerle, para cunar su sueño? ¿No es acaso la liturgia de todas las religiones un
modo de brezar el sueño de Dios y que no despierte y deje
de soñarnos? ¡Ay, mi Eugenia! ¡mi Eugenia! Y mi Rosarito...»

—¡Hola, Orfeo!

Orfeo le había salido al encuentro, brincaba, le quería
trepar piernas arriba. Cojióle y el animalito empezó a lamerle la mano.

—Señorito —le dijo Liduvina—, ahí le aguarda Rosarito con la plancha.

—¿Y cómo no la despachaste tú?

—Qué sé yo... Le dije que el señorito no podía tardar,
que si quería aguardarse...

—Pero podías haberle despachado como otras veces...

—Sí, pero... en fin, usted me entiende...

—¡Liduvina! ¡Liduvina!

—Es mejor que la despache usted mismo.

—Voy allá.

XVIII

—¡Hola, Rosarito! —exclamó Augusto apenas la vio.

—Buenas tardes, don Augusto —y la voz de la muchacha era serena y clara y no menos clara y serena su mirada.

—¿Cómo no has despachado con Liduvina como otras
veces en que yo no estoy en casa cuando llegas?

—¡No sé! Me dijo que me esperase. Creí que querría
usted decirme algo...

«Pero ¿esto es ingenuidad o qué es?», pensó Augusto
y se quedó un momento suspenso. Hubo un instante em-
barazoso, preñado de un inquieto silencio.

—Lo que quiero, Rosario, es que olvides lo del otro día,
que no vuelvas a acordarte de ello, ¿entiendes?

—Bueno, como usted quiera...

—Sí, aquello fue una locura... una locura... no sabía
bien lo que me hacía ni lo que decía... como no lo sé ahora... —e iba acercándose a la chica.

Ésta le esperaba tranquilamente y como resignada.
Augusto se sentó en un sofá, la llamó: ¡ven acá!, la dijo
que se sentara, como la otra vez sobre sus rodillas, y la
estuvo un buen rato mirando a los ojos. Ella resistió tranquilamente aquella mirada, pero temblaba toda ella como
la hoja de un chopo.

—¿Tiemblas, chiquilla...?

—¿Yo? Yo no. Me parece que es usted...

—No tiembles, cálmate.

—No vuelva a hacerme llorar...

—Vamos, sí, que quieres que te vuelva a hacer llorar. Di, ¿tienes novio?

—Pero qué preguntas...

—Dímelo, ¿le tienes?

—¡Novio... así, novio... no!

—Pero ¿es que no se te ha dirigido todavía ningún mozo de tu edad?

—Ya ve usted, don Augusto...

—¿Y qué le has dicho?

—Hay cosas que no se dicen...

—Es verdad. Y vamos, di, ¿os queréis?

—Pero ¡por Dios, don Augusto...!

—Mira, si es que vas a llorar te dejo.

La chica apoyó la cabeza en el pecho de Augusto, ocultándolo en él, y rompió a llorar procurando ahogar sus sollozos. «Esta chiquilla se me va a desmayar», pensó él mientras le acariciaba la cabellera.

—¡Cálmate! ¡cálmate!

—¿Y aquella mujer...? —preguntó Rosarito sin levantar la cabeza y tragándose sus sollozos.

—Ah, ¿te acuerdas? Pues aquella mujer ha acabado por rechazarme del todo. Nunca la gané, pero ahora la he perdido del todo, ¡del todo!

La chica levantó la frente y le miró cara a cara, como para ver si decía la verdad.

—Es que me quiere engañar... —susurró.

—¿Cómo que te quiero engañar? Ah, ya, ya. Conque esas tenemos, ¿eh? Pues ¿no dices que tenías novio?

—Yo no he dicho nada...

—¡Calma! ¡calma! —y poniéndola junto a sí en el sofá se levantó él y empezó a pasearse por la estancia.

Pero al volver la vista a ella vio que la pobre muchacha estaba demudada y temblorosa. Comprendió que se encontraba sin amparo, que así, sola frente a él, a cierta distancia, sentada en aquel sofá como un reo ante el fiscal, sentíase desfallecer.

—¡Es verdad! —exclamó—; estamos más protegidos cuanto más cerca.

Volvió a sentarse, volvió a sentarla sobre sí, la ciñó con sus brazos y la apretó a su pecho. La pobrecilla le echó un brazo sobre el hombro, como para apoyarse en él, y volvió a ocultar su cara en el seno de Augusto. Y allí, como oyese el martilleo del corazón de éste, se alarmó.

—¿Está usted malo, don Augusto?

—¿Y quién está bueno?

—¿Quiere usted que llame para que le traigan algo?

—No, no, déjalo. Yo sé cuál es mi enfermedad. Y lo que me hace falta es emprender un viaje. —Y después de un silencio—: ¿Me acompañarás en él?

—¡Don Augusto!

—¡Deja el don! ¿Me acompañarás?

—Como usted quiera...

Una niebla invadió la mente de Augusto; la sangre empezó a latirle en las sienes, sintió una opresión en el pecho. Y para libertarse de ello empezó a besar a Rosarito en los ojos, que los tenía que cerrar. De pronto se levantó y dijo dejándola:

—¡Déjame! ¡déjame! ¡tengo miedo!

—¿Miedo de qué?

La repentina serenidad de la mozuela le asustó más aún.

—Tengo miedo, no sé de quién, de ti, de mí; ¡de lo que sea! ¡de Liduvina! Mira, vete, vete, pero volverás, ¿no es eso? ¿volverás?

—Cuando usted quiera.

—Y me acompañarás en mi viaje, ¿no es así?

—Como usted mande...

—¡Vete, vete ahora!

—Y aquella mujer...

Abalanzóse Augusto a la chica, que se había ya puesto en pie, la cojió, la apretó contra su pecho, juntó sus labios secos a los labios de ella y así, sin besarla, se estuvo un rato apretando boca a boca mientras sacudía su cabeza. Y luego soltándola: ¡anda, vete!

Rosario se salió. Y apenas se había salido fue Augusto,

y cansado como si acabase de recorrer a pie leguas por entre montañas se echó sobre su cama, apagó la luz, y se quedó monologando:

«La he estado mintiendo y he estado mintiéndome. ¡Siempre es así! Todo es fantasía y no hay más que fantasía. El hombre en cuanto habla miente, y en cuanto se habla a sí mismo, es decir, en cuanto piensa sabiendo que piensa, se miente. No hay más verdad que la vida fisiológica. La palabra, este producto social, se ha hecho para mentir. Le he oído a nuestro filósofo que la verdad es, como la palabra, un producto social, lo que creen todos, y creyéndolo se entienden. Lo que es producto social es la mentira...»

Al sentir unos lametones en la mano exclamó: «Ah, ¿ya estás aquí, Orfeo? Tú como no hablas no mientes, y hasta creo que no te equivocas, que no te mientes. Aunque, como animal doméstico que eres, algo se te habrá pegado del hombre... No hacemos más que mentir y darnos importancia. La palabra se hizo para exagerar nuestras sensaciones e impresiones todas... acaso para creerlas. La palabra y todo género de expresión convencional, como el beso y el abrazo... No hacemos sino representar cada uno su papel. ¡Todos personas, todos caretas, todos cómicos! Nadie sufre ni goza lo que dice y expresa y acaso cree que goza y sufre; si no, no se podría vivir. En el fondo estamos tan tranquilos. Como yo ahora aquí, representando a solas mi comedia, hecho actor y espectador a la vez. No mata más que el dolor físico. La única verdad es el hombre fisiológico, el que no habla, el que no miente...»

Oyó un golpecito a la puerta.

—¿Qué hay?

—¿Es que no va usted a cenar hoy? —preguntó Liduvina.

—Es verdad; espera, que allá voy.

«Y luego dormiré hoy, como los otros días, y dormirá ella. ¿Dormirá Rosarito? ¿No habré turbado la tranquilidad de su espíritu? Y esa naturalidad suya, ¿es inocencia o es malicia? Pero acaso no hay nada más malicioso que

la inocencia, o bien, más inocente que la malicia. Sí, sí,
ya me suponía yo que en el fondo no hay nada más…
más… ¿cómo lo diré?… más cínico que la inocencia. Sí,
esa tranquilidad con que se me entregaba, eso que hizo
me entrara miedo, miedo no sé bien de qué, eso no era
sino inocencia. Y lo de: "¿Y aquella mujer?", celos, ¿eh?,
¿celos? Probablemente no nace el amor sino al nacer los
celos; son los celos los que nos revelan el amor. **Por muy
enamorada que esté una mujer de un hombre, o un**
hombre de una mujer, no se dan cuenta de que lo están,
no se dicen a sí mismos que lo están, es decir, no se ena-
moran de veras sino cuando él ve que ella mira a otro
hombre o ella le ve a él mirar a otra mujer. Si no hubiese
más que un solo hombre y una sola mujer en el mundo,
sin más sociedad, sería imposible que se enamorasen uno
de otro. Además de que hace siempre falta la tercera, la
Celestina, y la Celestina es la sociedad. ¡El Gran Galeoto [42]! ¡Y qué bien está eso! ¡Sí, el Gran Galeoto! Aunque
sólo fuese por el lenguaje. Y por esto es todo eso del amor
una mentira más. ¿Y el fisiológico? ¡Bah, eso fisiológico
no es amor ni cosa que lo valga! ¡Por eso es verdad!
Pero… vamos, Orfeo, vamos a cenar. ¡Esto sí que es
verdad!»

---

[42] *El gran galeoto* (1881), famoso drama de José de Echegaray
(1832-1916), cuyo tema central es la fuerza de la murmuración y del qué
dirán.

XIX

A los dos días de esto anunciáronle a Augusto que una señora deseaba verle y hablarle. Salió a recibirla y se encontró con doña Ermelinda, que al: «¿usted por aquí?» de Augusto, contestó con un: «¡como no ha querido volver a vernos...!»

—Usted comprende, señora —contestó Augusto—, que después de lo que me ha pasado en su casa las dos últimas veces que he ido, la una con Eugenia a solas y la otra cuando no quiso verme, no debía volver. Yo me atengo a lo hecho y lo dicho, pero no puedo volver por allí...

—Pues traigo una misión para usted de parte de Eugenia...

—¿De ella?

—Sí, de ella. Yo no sé qué ha podido ocurrirle con el novio, pero no quiere oír hablar de él, está contra él furiosa, y el otro día, al volver a casa, se encerró en su cuarto y se negó a cenar. Tenía los ojos encendidos de haber llorado, pero con esas lágrimas que escaldan, ¿sabe usted?, las de rabia...

—¡Ah!, pero ¿es que hay diferentes clases de lágrimas?

—Naturalmente; hay lágrimas que refrescan y desahogan y lágrimas que encienden y sofocan más. Había llorado y no quiso cenar. Y me estuvo repitiendo su estribillo de que los hombres son ustedes todos unos brutos y nada más que unos brutos. Y ha estado estos días de morro, con un humor de todos los diablos. Hasta que ayer me llamó, me dijo que estaba arrepentida de cuanto le había dicho a usted, que se excedió y fue con usted injusta, que reconoce la rectitud y nobleza de las intenciones de usted y que quiere no ya que usted le perdone aquello que le dijo de que la quería comprar, sino que no cree semejante cosa. Es en esto en lo que hizo más hincapié. Dice que ante todo quiere que usted le crea que si dijo aquello fue por excitación, por despecho, pero que no lo cree...

—Y creo que no lo crea.

—Después... después me encargó que averiguase yo de usted con diplomacia...

—Y la mejor diplomacia, señora, es no tenerla, y sobre todo conmigo...

—Después me rogó que averiguase si le molestaría a usted el que ella aceptase, sin compromiso alguno, el regalo que usted le ha hecho de su propia casa...

—¿Cómo sin compromiso?

—Vamos, sí, el que acepte el regalo como tal regalo.

—Si como tal se lo doy, ¿cómo ha de aceptarlo?

—Porque dice que sí, que está dispuesta, para demostrarle su buena voluntad y lo sincero de su arrepentimiento por lo que le dijo, a aceptar su generosa donación, pero sin que eso implique...

—¡Basta, señora, basta! Ahora parece que sin darse cuenta vuelven a ofenderme...

—Será sin intención...

—Hay ocasiones en que las peores ofensas son esas que se infligen sin intención, según se dice.

—Pues no lo entiendo...

—Y es, sin embargo, cosa muy clara. Una vez entré en una reunión y uno que allí había y me conocía ni me saludó siquiera. Al salir me quejé de ello a un amigo y éste me dijo: «No le extrañe a usted, no lo ha hecho a posta; es que no se ha percatado siquiera de la presencia de usted.» Y le contesté: «Pues ahí está la grosería mayor; no en que no me haya saludado, sino en que no se haya dado cuenta de mi presencia.» «Eso es en él involuntario; es un distraído...», me replicó. Y yo a mi vez: «Las mayores groserías son las llamadas involuntarias, y la grosería de las groserías distraerse delante de personas. Es, señora, como eso que llaman neciamente olvidos involuntarios, como si cupiese olvidarse voluntariamente de algo. El olvido involuntario suele ser una grosería.»

—Y a qué viene esto...

—Esto viene, señora doña Ermelinda, a que después de haberme pedido perdón por aquella especie ofensiva de que con mi donativo buscaba comprarla forzando su agradecimiento, no sé bien a qué viene aceptarlo pero haciendo constar que sin compromiso. ¿Qué compromiso, vamos, qué compromiso?

—¡No se exalte usted así, don Augusto...!

—¡Pues no he de exaltarme, señora, pues no he de exaltarme! ¿Es que esa... muchacha se va a burlar de mí y va a querer jugar conmigo? —y al decir esto se acordaba de Rosarito.

—¡Por Dios, don Augusto, por Dios...!

—Ya tengo dicho que la hipoteca se deshizo, que la he cancelado, y que si ella no se hace cargo de su casa yo nada tengo que ver con ella. ¡Y que me lo agradezca o no, ya no me importa!

—Pero, don Augusto, ¡no se ponga así! ¡Si lo que ella quiere es hacer las paces con usted, que vuelvan a ser amigos...!

—Sí, ahora que ha roto la guerra con el otro, ¿no es eso? Antes era yo el otro; ahora soy el uno, ¿no es eso? Ahora se trata de pescarme, ¿eh?

—Pero ¡si no he dicho tal cosa...!

—No, pero lo adivino.

—Pues se equivoca usted de medio a medio. Porque precisamente después de haberme mi sobrina dicho todo lo que acabo de repetirle a usted, al insinuarle yo y aconsejarle que pues ha reñido con el gandul de su novio procurase ganar a usted como tal, vamos, usted me entiende...

—Sí, que me reconquistase...

—¡Eso! Pues bien, al aconsejarle esto, me dijo una y cien veces que eso no y que no y que no; que le estimaba y apreciaba a usted para amigo y como tal, pero no le gustaba como marido, que no quería casarse sino con un hombre de quien estuviese enamorada...

—Y que de mí no podrá llegar a estarlo, ¿no es eso?

—No, tanto como eso no dijo...

—Vamos, sí; que esto también es diplomacia...

—¿Cómo?

—Sí, que viene usted no sólo a que yo perdone a esa... muchacha, sino a ver si accedo a pretenderla para mujer, ¿no es eso? Cosa convenida, ¿eh?, y ella se resignará...

—Le juro a usted, don Augusto, le juro por la santa memoria de mi santa madre que esté en gloria, le juro...

—El segundo, no jurar...

—Pues le juro que es usted el que ahora se olvida, involuntariamente por supuesto, de quién soy yo, de quién es Ermelinda Ruiz y Ruiz.

—Si así fuese...

—Sí, así es, así —y pronunció estas palabras con tal acento que no dejaba lugar a duda.

—Pues entonces... entonces... diga a su sobrina que acepto sus explicaciones, que se las agradezco profundamente, que seguiré siendo su amigo, un amigo leal y noble, pero sólo amigo, ¿eh?, nada más que amigo, sólo amigo... Y no le diga que yo no soy un piano en que se puede tocar a todo antojo, que no soy un hombre de hoy te dejo y luego te tomo, que no soy sustituto ni vicenovio, que no soy plato de segunda mesa...

—¡No se exalte usted así!

—¡No, si no me exalto! Pues bien, que sigo siendo su amigo...

—¿E irá usted pronto a vernos?

—Eso...

—Mire que si no la pobrecilla no me va a creer, va a sentirlo...

—Es que pienso emprender un viaje largo y lejano...

—Antes, de despedida...

—Bueno, veremos...

Separáronse. Cuando doña Ermelinda llegó a casa y contó a su sobrina la conversación con Augusto, Eugenia se dijo: «Aquí hay otra, no me cabe duda; ahora sí que le reconquisto.»

Augusto, por su parte, al quedarse solo púsose a pasearse por la estancia diciéndose: «Quiere jugar conmigo, como si yo fuese un piano... me deja, me toma, me volverá a dejar... Yo estaba de reserva... Diga lo que quiera, anda buscando que yo vuelva a solicitarla, acaso para vengarse, tal vez para dar celos al otro y volverle al retortero... Como si yo fuese un muñeco, un ente, un don nadie... ¡Y yo tengo mi carácter, vaya si le tengo, yo soy yo! Sí, ¡yo soy yo! ¡yo soy yo! Le debo a ella, a Eugenia, ¿cómo negarlo?, el que haya despertado mi facultad amorosa; pero una vez que me la despertó y suscitó no necesito ya de ella; lo que sobran son mujeres.»

Al llegar a esto no pudo por menos que sonreírse, y es que se acordó de aquella frase de Víctor cuando anunciándoles Gervasio, recién casado, que se iba con su mujer a pasar una temporadita en París, le dijo: «¿A París y con mujer? ¡Eso es como ir con un bacalao a Escocia!» Lo que le hizo muchísima gracia a Augusto.

Y siguió diciéndose: «Lo que sobran son mujeres. ¡Y qué encanto la inocencia maliciosa, la malicia inocente de Rosarito, esta nueva edición de la eterna Eva!, ¡qué encanto de chiquilla! Ella, Eugenia, me ha bajado del abstracto al concreto, pero ella me llevó al genérico, y hay tantas mujeres apetitosas, tantas... ¡tantas Eugenias! ¡tantas Rosarios! No, no, conmigo no juega nadie, y menos una mujer! ¡Yo soy yo! ¡Mi alma será pequeña, pero es mía!» Y sintiendo en esta exaltación de su yo como si éste se le fuera hinchando, hinchando y la casa le viniera estrecha, salió a la calle para darle espacio y desahogo.

Apenas pisó la calle y se encontró con el cielo sobre la cabeza y las gentes que iban y venían, cada cual a su negocio o a su gusto y que no se fijaban en él, involuntariamente por supuesto, ni le hacían caso, por no conocerle sin duda, sintió que su yo, aquel yo del «¡yo soy yo!» se le iba achicando, achicando y se le replegaba en el cuerpo y aun dentro de éste buscaba un rinconcito en que acurrucarse y que no se le viera. La calle era un cinematógrafo y él sentíase cinematográfico, una sombra, un fantasma. Y es que siempre un baño en muchedumbre humana, un perderse en la masa de hombres que iban y venían sin conocerle ni percatarse de él, le produjo el efecto mismo de un baño en naturaleza abierta a cielo abierto, y a la rosa de los vientos.

Sólo a solas se sentía él; sólo a solas podía decirse a sí mismo, tal vez para convencerse, «¡yo soy yo!»; ante los demás, mejido [43] en la muchedumbre atareada o distraída, no se sentía a sí mismo.

Así llegó a aquel recatado jardincillo que había en la solitaria plaza del retirado barrio en que vivía. Era la plaza un remanso de quietud donde siempre jugaban algunos niños, pues no circulaban por allí tranvías ni apenas coches, e iban algunos ancianos a tomar el sol en las tardecitas dulces del otoño, cuando las hojas de la docena de castaños de Indias que allí vivían recluidos, después de haber temblado al cierzo, rodaban por el enlosado o cubrían los asientos de aquellos bancos de madera siempre pintada de verde, del color de la hoja fresca. Aquellos árboles domésticos, urbanos, en correcta formación, que recibían riego a horas fijas, cuando no llovía, por una reguera y que extendían sus raíces bajo el enlosado de la plaza; aquellos árboles presos que esperaban ver salir y ponerse el sol sobre los tejados de las casas; aquellos árboles enjaulados, que tal vez añoraban la remota selva, atraíanle con un miserioso tiro. En sus copas cantaban algunos pájaros urbanos también, de esos que aprenden a huir de los niños y alguna vez a acercarse a los ancianos que les ofrecen unas migas de pan.

¡Cuántas veces sentado solo y solitario en uno de los

---

[43]   *mejido:* Calificativo que de suyo se aplica al huevo o a la yema batida con agua.

bancos verdes de aquella plazuela vio el incendio del ocaso sobre un tejado y alguna vez destacarse sobre el oro
en fuego del espléndido arrebol el contorno de un gato negro sobre la chimenea de una casa! Y en tanto, en otoño,
llovían hojas amarillas, anchas hojas como de vid, a modo
de manos momificadas, laminadas, sobre los jardincillos
del centro con sus arriates y sus macetas de flores. Y jugaban los niños entre las hojas secas, jugaban acaso a re-
cojerlas, sin darse cuenta del encendido ocaso.

Cuando llegó aquel día a la tranquila plaza y se sentó
en el banco, no sin antes haber despejado su asiento de
las hojas secas que lo cubrían —pues era otoño—, jugaban allí cerca, como de ordinario, unos chiquillos. Y uno
de ellos, poniéndole a otro junto al tronco de uno de los
castaños de Indias, bien arrimadito a él, le decía: «Tú estabas ahí preso, te tenían unos ladrones...» «Es que yo...»,
empezó malhumorado el otro, y el primero le replicó: «No,
tú no eras tú...» Augusto no quiso oír más; levantóse y
se fue a otro banco. Y se dijo: «Así jugamos también los
mayores; ¡tú no eres tú! ¡yo no soy yo! Y estos pobres
árboles, ¿son ellos? Se les cae la hoja antes, mucho antes
que a sus hermanos del monte, y se quedan en esqueleto,
y estos esqueletos proyectan su recortada sombra sobre
los empedrados al resplandor de los reverberos de luz eléctrica. ¡Un árbol iluminado por la luz eléctrica! ¡qué extraña, qué fantástica apariencia la de su copa en prima-
vera cuando el arco voltaico ese le da aquella apariencia
metálica! ¡y aquí que las brisas no los mecen...! ¡Pobres
árboles que no pueden gozar de una de esas negras noches
del campo, de esas noches sin luna, con su manto de estrellas palpitantes! Parece que al plantar a cada uno de
estos árboles en este sitio les ha dicho el hombre: "¡tú no
eres tú!" y para que no lo olviden le han dado esa ilu-
minación nocturna por luz eléctrica... para que no se
duerman... ¡pobres árboles trasnochadores! ¡No, no, conmigo no se juega como con vosotros!»

Levantóse y empezó a recorrer calles como un sonám-
bulo.

XX

Emprendería el viaje, ¿sí o no? Ya lo había anunciado, primero a Rosarito, sin saber bien lo que se decía, por decir algo, o más bien como un pretexto para preguntarle si le acompañaría en él, y luego a doña Ermelinda, para probarle... ¿qué? ¿qué es lo que pretendió probarle con aquello de que iba a emprender un viaje? ¡Lo que fuese! Mas era el caso que había soltado por dos veces prenda, que había dicho que iba a emprender un viaje largo y lejano y él era hombre de carácter, él era él; ¿tenía que ser hombre de palabra?

Los hombres de palabra primero dicen una cosa y después la piensan, y por último la hacen, resulte bien o mal luego de pensada; los hombres de palabra no se rectifican ni se vuelven atrás de lo que una vez han dicho. Y él dijo que iba a emprender un viaje largo y lejano.

¡Un viaje largo y lejano! ¿Por qué? ¿para qué? ¿cómo? ¿adónde?

Anunciáronle que una señorita deseaba verle. «¿Una señorita?» «Sí —dijo Liduvina—, me parece que es... ¡la pianista!» «¡Eugenia!» «La misma.» Quedóse suspenso. Como un relámpago de mareo pasóle por la mente la idea de despacharla, de que le dijeran que no estaba en casa. «Viene a conquistarme, a jugar conmigo como con un muñeco —se dijo—, a que le haga el juego, a que sustituya al otro...» Luego lo pensó mejor. «¡No, hay que mostrarse fuerte!»

—Dile que ahora voy.

Le tenía absorto la intrepidez de aquella mujer. «Hay que confesar que es toda una mujer, que es todo un carácter, ¡vaya un arrojo! ¡vaya una resolución! ¡vaya unos ojos!; pero ¡no, no, no, no me doblega! ¡no me conquista!»

Cuando entró Augusto en la sala, Eugenia estaba de pie. Hízole una seña de que se sentara, mas ella, antes de hacerlo, exclamó: «¡A usted, don Augusto, le han engañado lo mismo que me han engañado a mí!» Con lo que se sintió el pobre hombre desarmado y sin saber qué decir. Sentáronse los dos, y se siguió un brevísimo silencio.

—Pues sí, lo dicho, don Augusto, a usted le han engañado respecto a mí y a mí me han engañado respecto a usted; esto es todo.

—Pero ¡si hemos hablado uno con otro, Eugenia!

—No haga usted caso de lo que le dije. ¡Lo pasado, pasado!

—Sí, siempre es lo pasado pasado, ni puede ser de otra manera.

—Usted me entiende. Y yo quiero que no dé a mi aceptación de su generoso donativo otro sentido que el que tiene.

—Como yo deseo, señorita, que no dé a mi donativo otra significación que la que tiene.

—Así, lealtad por lealtad. Y ahora, como debemos hablar claro, he de decirle que después de todo lo pasado y de cuanto le dije, no podría yo, aunque quisiera, pretender pagarle esa generosa donación de otra manera que con mi más puro agradecimiento. Así como usted, por su parte, creo...

—En efecto, señorita, por mi parte yo, después de lo pasado, de lo que usted me dijo en nuestra última entrevista, de lo que me contó su señora tía y de lo que adivino, no podría, aunque lo deseara, pretender cotizar mi generosidad...

—¿Estamos, pues, de acuerdo?

—De perfecto acuerdo, señorita.

—Y así, ¿podremos volver a ser amigos, buenos amigos, verdaderos amigos?

—Podremos.

Le tendió Eugenia su fina mano, blanca y fría como la nieve, de ahusados dedos hechos a dominar teclados, y la estrechó en la suya, que en aquel momento temblaba.

—Seremos, pues, amigo don Augusto, buenos amigos, aunque esta amistad a mí...

—¿Qué?

—Acaso ante el público...

—¿Qué? ¡Hable! ¡hable!

—Pero, en fin, después de dolorosas experiencias recientes he renunciado ya a ciertas cosas...

—Explíquese usted más claro, señorita. No vale decir las cosas a medias.

—Pues bien, don Augusto, las cosas claras, muy claras. ¿Cree usted que es fácil que después de lo pasado y sabiendo, como ya se sabe entre nuestros conocimientos, que usted ha deshipotecado mi patrimonio regalándomelo así, es fácil que haya quien se dirija a mí con ciertas pretensiones?

«¡Esta mujer es diabólica!», pensó Augusto, y bajó la cabeza mirando al suelo sin saber qué contestar. Cuando, al instante, la levantó vio que Eugenia se enjugaba una furtiva lágrima.

—¡Eugenia! —exclamó, y le temblaba la voz.

—¡Augusto! —susurró rendidamente ella.

—Pero, ¿y qué quieres que hagamos?

—Oh, no, es la fatalidad, no es más que la fatalidad; somos juguete de ella. ¡Es una desgracia!

Augusto fue, dejando su butaca, a sentarse en el sofá, al lado de Eugenia.

—¡Mira, Eugenia, por Dios, que no juegues así conmigo! La fatalidad eres tú; aquí no hay más fatalidad que tú. Eres tú, que me traes y me llevas y me haces dar vueltas como un argadillo[44]; eres tú, que me vuelves loco; eres tú, que me haces quebrantar mis más firmes propósitos; eres tú, que haces que yo no sea yo...

Y le echó el brazo al cuello, la atrajo a sí y la apretó contra su seno. Y ella tranquilamente se quitó el sombrero.

—Sí, Augusto, es la fatalidad la que nos ha traído a esto. Ni... ni tú ni yo podemos ser infieles, desleales a nosotros mismos; ni tú puedes aparecer queriéndome comprar como yo en un momento de ofuscación te dije, ni yo puedo aparecer haciendo de ti un sustituto, un vice, un plato de segunda mesa, como a mi tía le dijiste, y queriendo no más que premiar tu generosidad...

—Pero ¿y qué nos importa, Eugenia mía, el aparecer de un modo o de otro? ¿a qué ojos?

—¡A los mismos nuestros!

—Y qué, Eugenia mía...

Volvió a apretarla a sí y empezó a llenarle de besos la frente y los ojos. Se oía la respiración de ambos.

—¡Déjame! ¡déjame! —dijo ella, mientras se arreglaba y componía el pelo.

—No, tú... tú... tú... Eugenia... tú...

—No, yo no, no puede ser...

—¿Es que no me quieres?

—Eso de querer... ¿quién sabe lo que es querer? No sé... no sé... no estoy segura de ello...

—¿Y esto entonces?

—¡Esto es una... fatalidad del momento! producto de arrepentimiento... qué sé yo... estas cosas hay que ponerlas a prueba... Y además, ¿no habíamos quedado, Augusto, en que seríamos amigos, buenos amigos, pero nada más que amigos?

—Sí, pero... ¿Y aquello de tu sacrificio? ¿Aquello de que por haber aceptado mi dádiva, por ser amiga, nada más que amiga mía, no va ya a haber quien te pretenda?

—¡Ah, eso no importa; tengo tomada mi resolución!

---

44 *argadillo:* Argadijo, devanadera.

—¿Acaso después de aquella ruptura...?

—Acaso...

—¡Eugenia! ¡Eugenia!

En este momento se oyó llamar a la puerta, y Augusto, tembloroso, encendido de rostro, exclamó con voz seca: «¿Qué hay?»

—¡La Rosario, que espera! —dijo la voz de Liduvina.

Augusto cambió de color, poniéndose lívido.

—¡Ah! —exclamó Eugenia—, aquí estorbo ya. Es la... Rosario que le espera a usted. ¿Ve usted cómo no podemos ser más que amigos, buenos amigos, muy buenos amigos?

—Pero Eugenia...

—Que espera la Rosario...

—Y si me rechazaste, Eugenia, como me rechazaste, diciéndome que te quería comprar y en rigor porque tenías otro, ¿qué iba a hacer yo luego que al verte aprendí a querer? ¿No sabes acaso lo que es el despecho, lo que es el cariño desnidado?

—Vaya, Augusto, venga esa mano; volveremos a vernos, pero conste que lo pasado, pasado.

—No, no, lo pasado, pasado, ¡no! ¡no! ¡no!

—Bien, bien, que espera la Rosario...

—Por Dios, Eugenia...

—No, si nada de extraño tiene; también a mí me esperaba en un tiempo el... Mauricio. Volveremos a vernos. Y seamos serios y leales a nosotros mismos.

Púsose el sombrero, tendió su mano a Augusto que, cojiéndosela, se la llevó a los labios y la cubrió de besos, y salió, acompañándola él hasta la puerta. La miró un rato bajar las escaleras garbosa y con pie firme. Desde un descansillo de abajo alzó ella sus ojos y le saludó con la mirada y con la mano. Volvióse Augusto, entró al gabinete, y al ver a Rosario allí de pie, con la cesta de la plancha, le dijo bruscamente: «¿Qué hay?»

—Me parece, don Augusto, que esa mujer le está engañando a usted...

—Y a ti ¿qué te importa?

—Me importa todo lo de usted.

—Lo que quieres decir es que te estoy engañando...

—Eso es lo que no me importa.

—¿Me vas a hacer creer que después de las esperanzas que te he hecho concebir no estás celosa?

—Si usted supiera, don Augusto, cómo me he criado y en qué familia, comprendería que aunque soy una chiquilla estoy ya fuera de esas cosas de celos. Nosotras, las de mi posición...

—¡Cállate!

—Como usted quiera. Pero le repito que esa mujer le está a usted engañando. Si no fuera así y si usted la quiere y es ese su gusto, ¿qué más quisiera yo sino que usted se casase con ella?

—Pero ¿dices todo eso de verdad?

—De verdad.

—¿Cuántos años tienes?

—Diecinueve.

—Ven acá —y cojiéndola con sus dos manos de los sendos hombros la puso cara a cara consigo y se le quedó mirando a los ojos.

Y fue Augusto quien se demudó de color, no ella.

—La verdad es, chiquilla, que no te entiendo.

—Lo creo.

—Yo no sé qué es esto, si inocencia, malicia, burla, precoz perversidad...

—Esto no es más que cariño.

—¿Cariño? ¿y por qué?

—¿Quiere usted saber por qué? ¿no se ofenderá si se lo digo? ¿me promete no ofenderse?

—Anda, dímelo.

—Pues bien, por... por... porque es usted un infeliz, un pobre hombre...

—¿También tú?

—Como usted quiera. Pero fíese de esta chiquilla; fíese de... la Rosario. Más leal a usted... ¡ni Orfeo!

—¿Siempre?

—¡Siempre!

—¿Pase lo que pase?

—Sí, pase lo que pase.

—Tú, tú eres la verdadera... —y fue a cojerla.

—No, ahora, no, cuando esté usted más tranquilo. Y cuando no...

—Basta, te entiendo.

Y se despidieron.

Y al quedarse solo se decía Augusto: «Entre una y otra me van a volver loco de atar... yo ya no soy yo...»

—Me parece que el señorito debía dedicarse a la política o a algo así por el estilo —le dijo Liduvina mientras le servía la comida—; eso le distraería.

—¿Y cómo se te ha ocurrido eso, mujer de Dios?

—Porque es mejor que se distraiga uno a no que le distraigan y... ¡ya ve usted!

—Bueno, pues llama ahora a tu marido, a Domingo, en cuanto acabe de comer, y dile que quiero echar con él una partida de tute... que me distraiga.

Y cuando la estaba jugando dejó de pronto Augusto la baraja sobre la mesa y preguntó:

—Di, Domingo, cuando un hombre está enamorado de dos o más mujeres a la vez, ¿qué debe hacer?

—¡Según y conforme!

—¿Cómo según y conforme?

—¡Sí! Si tiene mucho dinero y muchas agallas, casarse con todas ellas, y si no no casarse con ninguna.

—Pero ¡hombre, eso primero no es posible!

—¡En teniendo mucho dinero todo es posible!

—¿Y si ellas se enteran?

—Eso a ellas no les importa.

—¿Pues no ha de importarle, hombre, a una mujer el que otra le quite parte del cariño de su marido?

—Se contenta con su parte, señorito, si no se le pone tasa al dinero que gasta. Lo que le molesta a una mujer es que su hombre la ponga a ración de comer, de vestir, de todo lo demás así, de lujo; pero si le deja gastar lo que quiera... Ahora, si tiene hijos de él...

—Si tiene hijos, ¿qué?

—Que los verdaderos celos vienen de ahí, señorito, de los hijos. Es una madre que no tolera otra madre o que puede serlo, es una madre que no tolera que se les merme a sus hijos para otros hijos o para otra mujer. Pero si no tiene hijos y no le tasan el comedero y el vestidero, y la pompa y la fanfarria, ¡bah!, hasta le ahorran así molestias... Si uno tiene además de una mujer que le cueste otra que no le cueste nada, aquella que le cuesta apenas si siente celos de esta otra que no le cuesta, y si además de no costarle nada le produce encima... si lleva a una mujer dinero que de otra saca, entonces...

—Entonces, ¿qué?

—Que todo marcha a pedir de boca. Créame usted, señorito, no hay Otelas...

—Ni Desdémonos [45].

—¡Puede ser...!

—Pero qué cosas dices...

—Es que antes de haberme casado con Liduvina y venir a servir a casa del señorito había servido yo en muchas casas de señorones... me han salido los dientes en ellas...

—¿Y en vuestra clase?

—¿En nuestra clase? ¡bah!, nosotros no nos permitimos ciertos lujos...

—¿Y a qué llamas lujos?

—A esas cosas que se ve en los teatros y se lee en las novelas...

—¡Pues, hombre, pocos crímenes de esos que llaman pasionales, por celos, se ven en vuestra clase...!

—¡Bah!, eso es porque esos... chulos van al teatro y leen novelas, que si no...

—Si no, ¿qué?

—Que a todos nos gusta, señorito, hacer papel y nadie es el que es, sino el que le hacen los demás.

—Filósofo estás...

—Así me llamaba el último amo que tuve antes. Pero yo creo lo que le ha dicho mi Liduvina, que usted debe dedicarse a la política.

---

[45] Desdémona, mujer de Otelo, prototipo del marido celoso, creado por William Shakespeare.

XXI

—Sí, tiene usted razón —le decía don Antonio a Augusto aquella tarde, en el Casino, hablando a solas, en un rinconcito—, tiene usted razón, hay un misterio doloroso, dolorosísimo en mi vida. Usted ha adivinado algo. Pocas veces ha visitado usted mi pobre hogar... ¿hogar?, pero habrá notado...

—Sí, algo extraño, yo no sé qué tristeza flotante que me atraía a él...

—A pesar de mis hijos, de mis pobres hijos, a usted le habrá parecido un hogar sin hijos, acaso sin esposos...

—No sé... no sé...

—Vinimos de lejos, de muy lejos, huyendo, pero hay cosas que van siempre con uno, que le rodean y envuelven como un ámbito misterioso. Mi pobre mujer...

—Sí, en el rostro de su señora se adivina toda una vida de...

—De martirio, dígalo usted. Pues bien, amigo don Augusto, usted ha sido, no sé bien por qué, por una cierta oculta simpatía, quien mayor afecto, más compasión acaso nos ha mostrado, y yo, para figurarme una vez más que me libro de un peso, voy a confiarle mis desdichas. Esa mujer, la madre de mis hijos, no es mi mujer.

—Me lo suponía; pero si es ella la madre de sus hijos, si con usted vive como su mujer, lo es.

—No, yo tengo otra mujer... legítima, según se la llama. Estoy casado, pero no con la que usted conoce. Y ésta, la madre de mis hijos, está casada también, pero no conmigo.

—Ah, un doble...

—No, un cuádruple, como va usted a verlo. Yo me casé loco, pero enteramente loco de amor, con una mujercita reservada y callandrona, que hablaba poco y parecía querer decir siempre mucho más de lo que decía, con unos ojos garzos dulces, dulces, dulces, que parecían dormidos y sólo se despertaban de tarde en tarde, pero era entonces para chispear fuego. Y ella era toda así. Su corazón, su alma toda, todo su cuerpo, que parecían de ordinario dormidos, despertaban de pronto como en sobresalto, pero era para volver a dormirse muy pronto, pasado el relámpago de vida, ¡y de qué vida!, y luego como si nada hubiese sido, como si se hubiese olvidado de todo lo que pasó. Era como si estuviésemos siempre recomenzando la vida, como si la estuviese reconquistando de continuo. Me admitió de novio como en un ataque epiléptico y creo que en otro ataque me dio el sí ante el altar. Y nunca pude conseguir que me dijese si me quería o no. Cuantas veces se lo pregunté, antes y después de casarnos, siempre me contestó: «Eso no se pregunta; es una tontería.» Otras veces decía que el verbo amar ya no se usa sino en el teatro y los libros, y que si yo le hubiese escrito: ¡te amo!, me habría despedido al punto. Vivimos más de dos años de casados de una extraña manera, reanudando yo cada día la conquista de aquella esfinge. No tuvimos hijos. Un día faltó a casa por la noche, me puse como loco, la anduve buscando por todas partes, y al siguiente día supe por una carta muy seca y muy breve que se había ido lejos, muy lejos, con otro hombre...

—Y no sospechó usted nada antes, no lo barruntó...

—¡Nada! Mi mujer salía sola de casa con bastante frecuencia, a casa de su madre, de unas amigas, y su misma extraña frialdad la defendía ante mí de toda sospecha. ¡Y nada adiviné nunca en aquella esfinge! El hombre con

quien huyó era un hombre casado, que no sólo dejó a su
mujer y a una pequeña niña para irse con la mía, sino que
se llevó la fortuna toda de la suya, que era regular, después de haberla manejado a su antojo. Es decir, que no
sólo abandonó a su esposa, sino que la arruinó robándo-
le lo suyo. Y en aquella seca y breve y fría carta que recibí
se hacía alusión al estado en que la pobre mujer del raptor de la mía se quedaba. ¡Raptor o raptado... no lo sé!
En unos días ni dormí, ni comí, ni descansé; no hacía sino pasear por los más apartados barrios de mi ciudad.
Y estuve a punto de dar en los vicios más bajos y más viles.
Y cuando empezó a asentárseme el dolor, a convertír-
seme en pensamiento, me acordé de aquella otra pobre
víctima, de aquella mujer que se quedaba sin amparo,
robada de su cariño y de su fortuna. Creí un caso de conciencia, pues que mi mujer era la causa de su desgracia,
ir a ofrecerla mi ayuda pecuniaria, ya que Dios me dio
fortuna.

—Adivino el resto, don Antonio.

—No importa. La fui a ver. Figúrese usted aquella nuestra primera entrevista. Lloramos nuestras sendas desgracias, que eran una desgracia común. Yo me decía:
«¿Y es por mi mujer por la que ha dejado a ésta ese hombre?», y sentía, ¿por qué no he de confesarle la verdad?,
una cierta íntima satisfacción, algo inexplicable, como
si yo hubiese sabido escojer mejor que él y él lo reconociese. Y ella, su mujer, se hacía una reflexión análoga, aunque
invertida, según después me ha declarado. Le ofrecí mi
ayuda pecuniaria, lo que de mi fortuna necesitase, y empezó rechazándomelo. «Trabajaré para vivir y mantener
a mi hija», me dijo. Pero insistí y tanto insistí que acabó
aceptándomelo. La ofrecí hacerla mi ama de llaves, que
se viniese a vivir conmigo, claro que viniéndonos muy lejos
de nuestra patria, y después de mucho pensarlo lo aceptó
también.

—Y es claro, al irse a vivir juntos...

—No, eso tardó, tardó algo. Fue cosa de la convivencia, de un cierto sentimiento de venganza, de despecho,

de qué sé yo... Me prendé no ya de ella, sino de su hija,
de la desdichada hija del amante de mi mujer; la cobré
un amor de padre, un violento amor de padre, como el
que hoy le tengo, pues la quiero tanto, tanto, sí, cuando
no más, que a mis propios hijos. La cojía en mis brazos,
la apretaba a mi pecho, la envolvía en besos, y lloraba,
lloraba sobre ella. Y la pobre niña me decía: «¿Por qué
lloras, papá?», pues le hacía que me llamase así y por tal
me tuviera. Y su pobre madre al verme llorar así lloraba
también y alguna vez mezclamos nuestras lágrimas sobre
la rubia cabecita de la hija del amante de mi mujer, del
ladrón de mi dicha.

Un día supe —prosiguió— que mi mujer había tenido
un hijo de su amante y aquel día todas mis entrañas se
sublevaron, sufrí como nunca había sufrido y creí volverme loco y quitarme la vida. Los celos, lo más brutal de
los celos, no lo sentí hasta entonces. La herida de mi alma,
que parecía cicatrizada, se abrió y sangraba... ¡sangraba fuego! Más de dos años había vivido con mi mujer, con mi propia mujer, y ¡nada! ¡y ahora aquel ladrón...! Me imaginé que mi mujer habría despertado del
todo y que vivía en pura brasa. La otra, la que vivía conmigo, conoció algo y me preguntó: «¿Qué te pasa?» Habíamos convenido en tutearnos, por la niña. «¡Déjame!»,
le contesté. Pero acabé confesándoselo todo, y ella al oír-
melo temblaba. Y creo que la contagié de mis furiosos
celos...

—Y claro, después de eso...

—No, vino algo después y por otro camino. Y fue que
un día estando los dos con la niña, la tenía yo sobre mis
rodillas y estaba contándole cuentos y besándola y dicién-
dola bobadas, se acercó su madre y empezó a acariciarla
también. Y entonces ella, ¡pobrecilla!, me puso una de
sus manitas sobre el hombro y la otra sobre el de su madre, y nos dijo: «Papaíto... mamaíta... ¿por qué no me
traéis un hermanito para que juegue conmigo, como le tienen otras niñas, y no que estoy sola...?» Nos pusimos
lívidos, nos miramos a los ojos con una de esas miradas

que desnudan las almas, nos vimos éstas al desnudo, y luego, para no avergonzarnos, nos pusimos a besuquear a
la niña, y alguno de estos besos cambió de rumbo. Aquella noche, entre lágrimas y furores de celos, engendramos
al primer hermanito de la hija del ladrón de mi dicha.

—¡Extraña historia!

—Y fueron nuestros amores, si es que así quiere usted
llamarlos, unos amores secos y mudos, hechos de fuego
y rabia, sin ternezas de palabra. Mi mujer, la madre de
mis hijos quiero decir, porque ésta y no otra es mi mujer,
mi mujer es, como usted habrá visto, una mujer agracia-
da, tal vez hermosa, pero a mí nunca me inspiró ardor
de deseos, y esto a pesar de la convivencia. Y aun después
que acabamos en lo que le digo me figuré no estar en ex-
ceso enamorado de ella, hasta que pude convencerme de
lo contrario. Y es que una vez, después de uno de sus par-
tos, después del nacimiento del cuarto de nuestros hijos,
se me puso tan mal, tan mal, que creí que se me moría.
Perdió la más de la sangre de sus venas, se quedó como
la cera de blanca, se le cerraban los párpados... Creí per-
derla. Y me puse como loco, blanco yo también como la
cera, la sangre se me helaba. Y fui a un rincón de la casa,
donde nadie me viese, y me arrodillé y pedí a Dios que
me matara antes que dejase morir a aquella santa mujer.
Y lloré y me pellizqué y me arañé el pecho hasta sacarme
sangre. Y comprendí con cuán fuerte atadura estaba mi
corazón atado al corazón de la madre de mis hijos. Y cuando ésta se repuso algo y recobró conocimiento y salió de
peligro, acerqué mi boca a su oído, según ella sonreía a
la vida renaciente tendida en la cama, y le dije lo que nunca
le había dicho y nunca le he vuelto de la misma manera
a decir. Y ella sonreía, sonreía, sonreía mirando al techo.
Y puse mi boca sobre su boca, y me enlacé con sus desnu-
dos brazos el cuello, y acabé llorando de mis ojos sobre
sus ojos. Y me dijo: «Gracias, Antonio, gracias, por mí,
por nuestros hijos, por nuestros hijos todos... todos... todos... por ella, por Rita...» Rita es nuestra hija mayor,
la hija del ladrón... no, no, nuestra hija, mi hija. La del

ladrón es la otra, es la de la que se llamó mi mujer en un tiempo. ¿Lo comprende usted ahora todo?

—Sí, y mucho más, don Antonio.

—¿Mucho más?

—¡Más, sí! De modo que usted tiene dos mujeres, don Antonio.

—No, no, no tengo más que una, una sola, la madre de mis hijos. La otra no es mi mujer, no sé si lo es del padre de su hija.

—Y esa tristeza...

—La ley es siempre triste, don Augusto. Y es más triste un amor que nace y se cría sobre la tumba de otro y como una planta que se alimenta, como de mantillo, de la podredumbre de otra planta. Crímenes, sí, crímenes ajenos nos han juntado, ¿y es nuestra unión acaso crimen? Ellos rompieron lo que no debe romperse, ¿por qué no habíamos nosotros de anudar los cabos sueltos?

—Y no han vuelto a saber...

—No hemos querido volver a saber. Y luego nuestra Rita es una mujercita ya; el mejor día se nos casa... Con mi nombre, por supuesto, con mi nombre, y haga luego la ley lo que quiera. Es mi hija y no del ladrón; yo la he criado.

XXII

—Y bien, ¿qué? —le preguntaba Augusto a Víctor—
¿cómo habéis recibido al intruso?

—¡Ah, nunca lo hubiese creído, nunca! Todavía la vís-
pera de nacer nuestra irritación era grandísima. Y mientras estaba pugnando por venir al mundo no sabes bien
los insultos que me lanzaba mi Elena. «¡Tú, tú tienes la
culpa, tú!», me decía. Y otras veces: «¡Quítate de delante, quítate de mi vista! ¿no te da vergüenza de estar aquí?
Si me muero, tuya será la culpa.» Y otras veces: «¡Ésta
y no más, ésta y no más!» Pero nació y todo ha cambiado. Parece como si hubiésemos despertado de un sueño
y como si acabáramos de casarnos. Yo me he quedado
ciego, talmente ciego; ese chiquillo me ha cegado. Tan ciego estoy, que todos dicen que mi Elena ha quedado con
la preñez y el parto desfiguradísima, que está hecha un
esqueleto y que ha envejecido lo menos diez años, y a mí
me parece más fresca, más lozana, más joven y hasta más
metida en carnes que nunca.

—Eso me recuerda, Víctor, la leyenda del *fogueteiro* que
tengo oída en Portugal.

—Venga.

—Tú sabes que en Portugal eso de los fuegos artificiales, de la pirotecnia, es una verdadera bella arte. El que
no ha visto fuegos artificiales en Portugal no sabe todo

lo que se puede hacer con eso. ¡Y qué nomenclatura, Dios mío!

—Pero venga la leyenda.

—Allá voy. Pues el caso es que había en un pueblo portugués un pirotécnico o *fogueteiro* que tenía una mujer hermosísima, que era su consuelo, su encanto y su orgullo. Estaba locamente enamorado de ella, pero aún más era orgullo. Complacíase en dar dentera, por así decirlo, a los demás mortales, y la paseaba consigo como diciéndoles: ¿veis esta mujer? ¿os gusta? ¿sí, eh?, ¡pues es la mía, mía sola! ¡y fastidiarse! No hacía sino ponderar las excelencias de la hermosura de su mujer y hasta pretendía que era la inspiradora de sus más bellas producciones pirotécnicas, la musa de sus fuegos artificiales. Y hete que una vez, preparando unos de éstos, mientras estaba, como de costumbre, su hermosa mujer a su lado para inspirarle, se le prende fuego la pólvora, hay una explosión y tienen que sacar a marido y mujer desvanecidos y con gravísimas quemaduras. A la mujer se le quemó buena parte de la cara y del busto, de tal manera que se quedó horriblemente desfigurada, pero él, el *fogueteiro,* tuvo la fortuna de quedarse ciego y no ver el desfiguramiento de su mujer. Y después de esto seguía orgulloso de la hermosura de su mujer y ponderándola a todos y caminando al lado de ella, convertida ahora en su lazarilla, con el mismo aire y talle de arrogante desafío que antes. «¿Han visto ustedes mujer más hermosa?», preguntaba, y todos, sabedores de su historia, se compadecían del pobre *fogueteiro* y le ponderaban la hermosura de su mujer.

—Y bien, ¿no seguía siendo hermosa para él?

—Acaso más que antes, como para ti tu mujer después que te ha dado al intruso.

—¡No le llames así!

—Fue cosa tuya.

—Sí, pero no quiero oírsela a otro.

—Eso pasa mucho; el mote mismo que damos a alguien nos suena muy de otro modo cuando se lo oímos a otro.

—Sí, dicen que nadie conoce su voz...

—Ni su cara. Yo por lo menos sé de mí decirte que una de las cosas que me da más pavor es quedarme mirándome al espejo, a solas, cuando nadie me ve. Acabo por dudar de mi propia existencia e imaginarme, viéndome como otro, que soy un sueño, un ente de ficción...

—Pues no te mires así...

—No puedo remediarlo. Tengo la manía de la introspección.

—Pues acabarás como los faquires, que dicen se contemplan el propio ombligo.

—Y creo que si uno no conoce su voz ni su cara, tampoco conoce nada que sea suyo, muy suyo, como si fuera parte de él...

—Su mujer, por ejemplo.

—En efecto; se me antoja que debe de ser imposible conocer a aquella mujer con quien se convive y que acaba por formar parte nuestra. ¿No has oído aquello que decía uno de nuestros más grandes poetas, Campoamor? [46].

—No; ¿qué es ello?

—Pues decía que cuando uno se casa, si lo hace enamorado de veras, al principio no puede tocar al cuerpo de su mujer sin emberrenchinarse y encenderse en deseo carnal, pero que pasa tiempo, se acostumbra, y llega un día en que lo mismo le es tocar con la mano al muslo desnudo de su mujer que al propio muslo suyo, pero también entonces, si tuvieran que cortarle a su mujer el muslo le dolería como si le cortasen el propio.

—Y así es, en verdad. ¡No sabes cómo sufrí en el parto!

—Ella más.

—¡Quién sabe...! Y ahora como es ya algo mío, parte de mi ser, me he dado tan poca cuenta de eso que dicen de que se ha desfigurado y afeado, como no se da uno cuenta de que se desfigura, se envejece y se afea.

—Pero ¿crees de veras que uno no se da cuenta de que se envejece y afea?

---

[46]   Ramón de Campoamor (1817-1901), ilustre poeta español del XIX, conocido por sus «doloras», composiciones poéticas en que mezcla la experiencia cotidiana con una enseñanza.

—No, aunque lo diga. Si la cosa es continua y lenta. Ahora, si de repente le ocurre a uno algo... Pero eso de que se sienta uno envejecer, ¡quiá!; lo que siente uno es que envejecen las cosas en derredor de él o que rejuvenecen. Y eso es lo único que siento ahora al tener un hijo. Porque ya sabes lo que suelen decir los padres señalando a sus hijos: «¡Éstos, éstos son los que nos hacen viejos!» Ver crecer al hijo es lo más dulce y lo más terrible, creo. No te cases, pues, Augusto, no te cases, si quieres gozar de la ilusión de una juventud eterna.

—Y ¿qué voy a hacer si no me caso? ¿en qué voy a pasar el tiempo?

—Dedícate a filósofo.

—Y ¿no es acaso el matrimonio la mejor, tal vez la única escuela de filosofía?

—¡No, hombre, no! Pues ¿no has visto cuántos y cuán grandes filósofos ha habido solteros? Que ahora recuerde, aparte de los que han sido frailes, tienes a Descartes, a Pascal, a Spinoza, a Kant...

—¡No me hables de los filósofos solteros!

—Y de Sócrates, ¿no recuerdas cómo despachó de su lado a su mujer Jantipa, el día en que había de morirse, para que no le perturbase?

—No me hables tampoco de eso. No me resuelvo a creer sino que eso que nos cuenta Platón no es sino una novela...

—O una *nivola*...

—Como quieras.

Y rompiendo bruscamente la voluptuosidad de la conversación se salió.

En la calle acercósele un mendigo diciéndole: «¡Una limosna, por Dios, señorito, que tengo siete hijos...!» «¡No haberlos hecho!», le contestó malhumorado Augusto. «Ya quisiera yo haberle visto a usted en mi caso —replicó el mendigo, añadiendo—: y ¿qué quiere usted que hagamos los pobres si no hacemos hijos... para los ricos?» «Tienes razón —replicó Augusto—, y por filósofo, ¡ahí va, toma!», y le dio una peseta, que el buen hombre se fue al punto a gastar a la taberna próxima.

XXIII

El pobre Augusto estaba consternado. No era sólo que
se encontrase, como el asno de Buridán [47], entre Eugenia
y Rosario; era que aquello de enamorarse de casi todas
las que veía, en vez de amenguársele, íbale en medro.
Y llegó a descubrir cosas fatales.

—¡Vete, vete, Liduvina, por Dios! ¡vete, déjame solo!
¡Anda, vete! —le decía una vez a su criada.

Y apenas ella se fue, apoyó los codos sobre la mesa,
la cabeza en las palmas de las manos, y se dijo: «¡Esto
es terrible, verdaderamente terrible! ¡Me parece que sin
darme cuenta de ello me voy enamorando... hasta de Liduvina! ¡Pobre Domingo! Sin duda. Ella, a pesar de sus
cincuenta años, aún está de buen ver, y sobre todo bien
metida en carnes, y cuando alguna vez sale de la cocina
con los brazos remangados y tan redondos... ¡vamos, que
esto es una locura! ¡Y esa doble barbilla y esos pliegues

---

[47] Alusión humorística al dilema de Augusto, indeciso a la hora de
elegir entre dos partidos igualmente interesantes. Jean Buridan fue un
filósofo francés famoso por su dialéctica nominalista. Estudió mucho
la libertad psicológica cuya amplitud menoscaba al negar la posibilidad
de elegir cuando los motivos son iguales en sentidos diversos. Sus contemporáneos le atribuyen el ejemplo del asno —«el asno de Buridán»—
que, en realidad, fue utilizado ya por Aristóteles.

que se le hacen en el cuello...! Esto es terrible, terrible, terrible...»

«Ven acá, Orfeo —prosiguió, cojiendo al perro—, ¿qué crees tú que debo yo hacer? ¿Cómo voy a defenderme de esto hasta que al fin me decida y me case? ¡Ah, ya! ¡una idea, una idea luminosa, Orfeo! Convirtamos a la mujer, que así me persigue, en materia de estudio. ¿Qué te parece de que me dedique a la psicología femenina? Sí, sí, y haré dos monografías, pues ahora se llevan mucho las monografías; una se titulará: *Eugenia,* y la otra: *Rosario,* añadiendo: *estudio de mujer.* ¿Qué te parece de mi idea, Orfeo?»

Y decidió ir a consultarlo con Antolín S. —o sea Sánchez— Paparrigópulos, que por entonces se dedicaba a estudios de mujeres, aunque más en los libros que no en la vida.

Antolín S. Paparrigópulos era lo que se dice un erudito, un joven que había de dar a la patria días de gloria dilucidando sus más ignoradas glorias. Y si el nombre de S. Paparrigópulos no sonaba aún entre los de aquella juventud bulliciosa que a fuerza de ruido quería atraer sobre sí la atención pública, era porque poseía la verdadera cualidad íntima de la fuerza: la paciencia, y porque era tal su respeto al público y a sí mismo que dilataba la hora de su presentación hasta que, suficientemente preparado, se sintiera seguro en el suelo que pisaba.

Muy lejos de buscar con cualquier novedad arlequinesca un efímero renombre de relumbrón cimentado sobre la ignorancia ajena, aspiraba en cuantos trabajos literarios tenía en proyecto, a la perfección que en lo humano cabe y a no salirse, sobre todo, de los linderos de la sensatez y del buen gusto. No quería desafinar para hacerse oír, sino reforzar con su voz, debidamente disciplinada, la hermosa sinfonía genuinamente nacional y castiza.

La inteligencia de S. Paparrigópulos era clara, sobre todo clara, de una trasparencia maravillosa, sin nebulosidades ni embolismos de ninguna especie. Pensaba en cas-

tellano neto, sin asomo alguno de hórridas brumas se-
tentrionales ni dejos de decadentismos de bulevar parisien-
se, en limpio castellano, y así era como pensaba sólido
y hondo, porque lo hacía con el alma del pueblo que lo
sustentaba y a que debía su espíritu. Las nieblas hiperbó-
reas le parecían bien entre los bebedores de cerveza enca-
bezada, pero no en esta clarísima España de esplendente
cielo y de sano Valdepeñas enyesado. Su filosofía era la
del malogrado Becerro de Bengoa [48], que después de llamar tío raro a Schopenhauer [49] aseguraba que no se le
habrían ocurrido a éste las cosas que se le ocurrieron, ni
habría sido pesimista, de haber bebido Valdepeñas en vez
de cerveza, y que decía también que la neurastenia proviene de meterse uno en lo que no le importa y que se
cura con ensalada de burro.

Convencido S. Paparrigópulos de que en última instancia todo es forma, forma más o menos interior, el universo mismo un caleidoscopio de formas enchufadas las
unas en las otras y de que por la forma viven cuantas grandes obras salvan los siglos, trabajaba con el esmero de los
maravillosos artífices del Renacimiento el lenguaje que había de revestir a sus futuros trabajos.

Había tenido la virtuosa fortaleza de resistir a todas las
corrientes de sentimentalismo neo-romántico y a esa
moda asoladora por las cuestiones llamadas sociales. Convencido de que la cuestión social es insoluble aquí abajo,
de que habrá siempre pobres y ricos y de que no puede
esperarse más alivio que el que aporten la caridad de éstos y la resignación de aquéllos, apartaba su espíritu de
disputas que a nada útil conducen y refugiábase en la pu-
rísima región del arte inmaculado, adonde no alcanza la
broza de las pasiones y donde halla el hombre consolador
refugio para las desilusiones de la vida. Abominaba, además, del estéril cosmopolitismo, que no hace sino sumir

---

[48] Ricardo Becerro de Bengoa (1845-1902), articulista español.
[49] Arthur Schopenhauer (1788-1860), filósofo alemán, padre del pesimismo moderno.

a los espíritus en ensueños de impotencia y en utopías ener-
vadoras, y amaba a esta su idolatrada España, tan calum-
niada cuanto desconocida de no pocos de sus hijos; a esta
España que le había de dar la materia prima de los trabajos sobre que fundaría su futura fama.

Dedicaba Paparrigópulos las poderosas energías de su
espíritu a investigar la íntima vida pasada de nuestro pueblo, y era su labor tan abnegada como sólida. Aspiraba
nada menos que a resucitar a los ojos de sus compatriotas nuestro pasado —es decir, el presente de sus bisabue-
los—, y conocedor del engaño de cuantos lo intentaban
a pura fantasía, buscaba y rebuscaba en todo género de
viejas memorias para levantar sobre inconmovibles silla-
res el edificio de su erudita ciencia histórica. No había
suceso pasado, por insignificante que pareciese, que no
tuviera a sus ojos un precio inestimable.

Sabía que hay que aprender a ver el universo en una
gota de agua, que con un hueso constituye el paleontólo-
go el animal entero y con un asa de puchero toda una vie-
ja civilización el arqueólogo, sin desconocer tampoco que
no debe mirarse a las estrellas con microscopio y con te-
lescopio a un infusorio, como los humoristas acostumbran
hacer para ver turbio. Mas aunque sabía que un asa de
puchero bastaba al arqueólogo genial para reconstruir un
arte enterrado en los limbos del olvido, como en su mo-
destia no se tenía por genio, prefería dos asas a un asa
sola —cuantas más asas mejor— y prefería el puchero todo
al asa sola.

«Todo lo que en extensión parece ganarse, piérdese en
intensidad»; tal era su lema. Sabía Paparrigópulos que en
un trabajo el más especificado, en la más concreta mono-
grafía puede verterse una filosofía entera, y creía, sobre
todo, en las maravillas de la diferenciación del trabajo
y en el enorme progreso aportado a las ciencias por la
abnegada legión de los pincha-ranas, caza-vocablos,
barrunta-fechas y cuenta-gotas de toda laya.

Tentaban en especial su atención los más arduos y en-
revesados problemas de nuestra historia literaria, tales

como el de la patria de Prudencio [50], aunque últimamente, a consecuencia decíase de unas calabazas, se dedicaba
al estudio de mujeres españolas de los pasados siglos.

En trabajos de índole al parecer insignificante era donde había que ver y admirar la agudeza, la sensatez, la pers-
picacia, la maravillosa intuición histórica y la penetración
crítica de S. Paparrigópulos. Había que ver sus cualidades
así, aplicadas y en concreto, sobre lo vivo, y no en abs-
tracta y pura teoría; había que verle en la suerte. Cada
disertación de aquéllas era todo un curso de lógica induc-
tiva, un monumento tan maravilloso como la obra de
Lionnet [51] acerca de la oruga del sauce, y una muestra,
sobre todo, de lo que es el austero amor a la santa Verdad. Huía de la ingeniosidad como de la peste y creía que
sólo acostumbrándonos a respetar a la divina Verdad, aun
en lo más pequeño, podremos rendirle el debido culto en
lo grande.

Preparaba una edición popular de los apólogos de Calila y Dimna [52] con una introducción acerca de la influencia de la literatura índica en la Edad Media española, y ojalá hubiese llegado a publicarla, porque su lectura
habría apartado, de seguro, al pueblo de la taberna y de
perniciosas doctrinas de imposibles redenciones económi-
cas. Pero las dos obras magnas que proyectaba Paparrigópulos eran una historia de los escritores oscuros españoles, es decir, de aquellos que no figuran en las historias
literarias corrientes o figuran sólo en rápida mención por
la supuesta insignificancia de sus obras, corrigiendo así
la injusticia de los tiempos, injusticia que tanto deplora-
ba y aun temía, y era otra su obra acerca de aquellos cuyas obras se han perdido sin que nos quede más que la
mención de sus nombres y a lo sumo la de los títulos de

---

[50]   Prudencio (348-410), poeta hispanolatino.
[51]   Jean Lionnet, famoso botánico, muy admirado por Unamuno.
[52]   *Calila e Dimna:* Colección de cuentos, fábulas y apólogos indios
traducidos al castellano en el siglo XIII.

las que escribieron. Y estaba a punto de acometer la historia de aquellos otros que habiendo pensado escribir no llegaron a hacerlo.

Para el mejor logro de sus empresas, una vez nutrido del sustancioso meollo de nuestra literatura nacional, se había bañado en las extranjeras, y como esto se le hacía penoso, pues era torpe para lenguas extranjeras y su aprendizaje exige tiempo que para más altos estudios necesitaba, recurrió a un notable expediente, aprendido de su ilustre maestro. Y era que leía las principales obras de crítica e historia literaria que en el extranjero se publicaran, siempre que las hallase en francés, y una vez que había cojido la opinión media de los críticos más reputados, respecto a este o aquel autor, hojeábalo en un periquete para cumplir con su conciencia y quedar libre para rehacer juicios ajenos sin mengua de su escrupulosa integridad de crítico.

Vese, pues, que no era S. Paparrigópulos uno de esos jóvenes espíritus vagabundos y erráticos que se pasean sin rumbo fijo por los dominios del pensamiento y de la fantasía, lanzando acaso acá y allá tal cual fugitivo chispazo, ¡no! Sus tendencias eran rigurosa y sólidamente itinerarias; era de los que van a alguna parte. Si en sus estudios no habría de aparecer nada saliente deberíase a que en ellos todo era cima, siendo a modo de mesetas, trasunto fiel de las vastas y soleadas llanuras castellanas donde ondea la mies dorada y sustanciosa.

¡Así diera la Providencia a España muchos Antolines Sánchez Paparrigópulos! Con ellos, haciéndonos todos dueños de nuestro tradicional peculio, podríamos sacarle pingües rendimientos, Paparrigópulos aspiraba —y aspira, pues aún vive y sigue preparando sus trabajos— a introducir la reja de su arado crítico, aunque sólo sea un centímetro más que los aradores que le habían precedido en su campo, para que la mies crezca, merced a nuevos jugos, más lozana y granen mejor las espigas y la harina sea más rica y comamos los españoles mejor pan espiritual y más barato.

Hemos dicho que Paparrigópulos sigue trabajando y

preparando sus trabajos para darlos a la luz. Y así es.
Augusto había tenido noticia de los estudios de mujeres
a que se dedicaba por comunes amigos de uno y de otro,
pero no había publicado nada ni lo ha publicado todavía.

No faltan otros eruditos que con la característica caridad de la especie, habiendo vislumbrado a Paparrigópulos y envidiosos de antemano de la fama que preven le
espera, tratan de empequeñecerle. Tal hay que dice de Paparrigópulos que, como el zorro, borra con el jopo sus
propias huellas, dando luego vueltas y más vueltas por
otros derroteros para despistar al cazador y que no se sepa
por dónde fue a atrapar la gallina, cuando si de algo
peca es de dejar en pie los andamios, una vez acabada la
torre, impidiendo así que se admire y vea bien ésta. Otro
le llama desdeñosamente concinador [53], como si el de
concinar no fuese arte supremo. El de más allá le acusa,
ya de traducir, ya de arreglar ideas tomadas del extranjero, olvidando que al revestirlas Paparrigópulos en tan
neto, castizo y trasparente castellano como es el suyo, las
hace castellanas y por ende propias, no de otro modo que
hizo el padre Isla [54] propio el *Gil Blas* de Lesage. Alguno
le moteja de que su principal apoyo es su honda fe en la
ignorancia ambiente, desconociendo el que así le juzga que
la fe es trasportadora de montañas. Pero la suprema injusticia de estos y otros rencorosos juicios de gentes a
quienes Paparrigópulos ningún mal ha hecho, su injusticia notoria, se verá bien clara con sólo tener en cuenta
que todavía no ha dado Paparrigópulos nada a luz y que
todos los que le muerden los zancajos hablan de oídas y
por no callar.

No se puede, en fin, escribir de este erudito singular sino
con reposada serenidad y sin efectismos *nivolescos* de ninguna clase.

---

[53]   *concinador:* El que dispone las palabras en el discurso de modo
armonioso, con arreglo al ritmo del número y de modo elegante.
[54]   Padre José Francisco de Isla (1703-1781), jesuita, autor del famoso *Fray Gerundio de Campazas* (1758 y 1768), tradujo la novela pi-
caresca *Gil Blas de Santillana,* de Alain René Lesage (1668-1747).

En este hombre, quiero decir, en este erudito, pues, pensó Augusto, sabedor de que se dedicaba a estudios de mujeres, claro está que en los libros, que es tratándose de ellas lo menos expuesto, y de mujeres de pasados siglos, que son también mucho menos expuestas para quien las estudia que las mujeres de hoy.

A este Antolín, erudito solitario que por timidez de dirigirse a las mujeres en la vida y para vengarse de esa timidez las estudiaba en los libros, fue a quien acudió a ver Augusto para de él aconsejarse.

No bien le hubo expuesto su propósito prorrumpió el erudito:

—¡Ay, pobre señor Pérez, cómo le compadezco a usted! ¿Quiere estudiar a la mujer? Tarea le mando...

—Como usted la estudia...

—Hay que sacrificarse. El estudio, y estudio oscuro, paciente, silencioso, es mi razón de ser en la vida. Pero yo, ya lo sabe usted, soy un modesto, modestísimo obrero del pensamiento, que acopio y ordeno materiales para que otros que vengan detrás de mí sepan aprovecharlos. La obra humana es colectiva; nada que no sea colectivo es ni sólido ni durable...

—¿Y las obras de los grandes genios? *La Divina Comedia,* la *Eneida,* una tragedia de Shakespeare, un cuadro de Velázquez...

—Todo eso es colectivo, mucho más colectivo de lo que se cree. *La Divina Comedia,* por ejemplo, fue preparada por toda una serie...

—Sí, ya sé eso.

—Y respecto a Velázquez... a propósito, ¿conoce usted el libro de Justi[55] sobre él?

Para Antolín, el principal, casi el único valor de las grandes obras maestras del ingenio humano, consiste en haber provocado un libro de crítica o de comentario; los grandes artistas, poetas, pintores, músicos, historiadores,

---

[55] Karl Justi (1832-1912), crítico alemán de arte, autor de un libro sobre el pintor Diego de Velázquez.

filósofos, han nacido para que un erudito haga su biografía y un crítico comente sus obras, y una frase cualquiera de un gran escritor directo no adquiere valor hasta que un erudito no la repite y cita la obra, la edición y la página en que la expuso. Y todo aquello de la solidaridad del trabajo colectivo no era más que envidia e impotencia. Pertenecía a la clase de esos comentadores de Homero que si Homero mismo redivivo entrase en su oficina cantando le echarían a empellones porque les estorbaba el trabajar sobre los textos muertos de sus obras y buscar un *apax* [56] cualquiera en ellas.

—Pero, bien, ¿qué opina usted de la psicología femenina? —le preguntó Augusto.

—Una pregunta así, tan vaga, tan genérica, tan en abstracto, no tiene sentido preciso para un modesto investigador como yo, amigo Pérez, para un hombre que no siendo genio, ni deseando serlo...

—¿Ni deseando?

—Sí, ni deseando. Es mal oficio. Pues bien, esa pregunta carece de sentido preciso para mí. El contestarla exigiría...

—Sí, vamos, como aquel otro cofrade de usted que escribió un libro sobre psicología del pueblo español y siendo, al parecer, español él y viviendo entre españoles, no se le ocurrió sino decir que éste dice esto y aquél aquello otro y hacer una bibliografía.

—¡Ah, la bibliografía! Sí, ya sé...

—No, no siga usted, amigo Paparrigópulos, y dígame lo más concretamente que sepa y pueda qué le parece de la psicología femenina.

—Habría que empezar por plantear una primera cuestión y es la de si la mujer tiene alma.

—¡Hombre!

—Ah, no sirve desecharla así, tan en absoluto...

«¿La tendrá él?», pensó Augusto, y luego:

---

[56] *apax:* Palabra que un autor utiliza una sola vez a lo largo de toda su obra.

—Bueno, pues de lo que en las mujeres hace las veces de alma... ¿qué cree usted?

—¿Me promete usted, amigo Pérez, guardarme el secreto de lo que le voy a decir?... Aunque, no, no, usted no es erudito.

—¿Qué quiere usted decir con eso?

—Que usted no es uno de esos que están a robarle a uno lo último que le hayan oído y darlo como suyo...

—Pero ¿esas tenemos...?

—Ay, amigo Pérez, el erudito es por naturaleza un ladronzuelo; se lo digo a usted yo, yo, yo que lo soy. Los eruditos andamos a quitarnos unos a otros las pequeñas cositas que averiguamos y a impedir que otro se nos adelante.

—Se comprende: el que tiene almacén guarda su género con más celo que el que tiene fábrica; hay que guardar el agua del pozo, no la del manantial.

—Puede ser. Pues bien, si usted, que no es erudito, me promete guardarme el secreto hasta que yo lo revele, le diré que he encontrado en un oscuro y casi desconocido escritor holandés del siglo XVII una interesantísima teoría respecto al alma de la mujer...

—Veámosla.

—Dice ese escritor, y lo dice en latín, que así como cada hombre tiene su alma, las mujeres todas no tienen sino una sola y misma alma, un alma colectiva, algo así como el entendimiento agente de Averroes [57], repartida entre todas ellas. Y añade que las diferencias que se observan en el modo de sentir, pensar y querer de cada mujer provienen no más que de las diferencias del cuerpo, debidas a raza, clima, alimentación, etc., y que por eso son tan insignificantes. Las mujeres, dice ese escritor, se parecen entre sí mucho más que los hombres y es porque todas son una sola y misma mujer...

—Ve ahí por qué, amigo Paparrigópulos, así que me

---

[57] Averroes (1126-1196), filósofo árabe, introductor de Aristóteles en Occidente.

enamoré de una me sentí en seguida enamorado de todas las demás.

—¡Claro está! Y añade ese interesantísimo y casi desconocido ginecólogo que la mujer tiene mucha más individualidad, pero mucha menos personalidad, que el hombre; cada una de ellas se siente más ella, más individual, que cada hombre, pero con menos contenido.

—Sí, sí, creo entrever lo que sea.

—Y por eso, amigo Pérez, lo mismo da que estudie usted a una mujer o a varias. La cuestión es ahondar en aquella a cuyo estudio usted se dedique.

—Y ¿no sería mejor tomar dos o más para poder hacer el estudio comparativo? Porque ya sabe usted que ahora se lleva mucho esto de lo comparativo...

—En efecto, la ciencia es comparación; mas en punto a mujeres no es menester comparar. Quien conozca una, una sola bien, las conoce todas, conoce a la Mujer. Además, ya sabe usted que todo lo que se gana en extensión se pierde en intensidad.

—En efecto, y yo deseo dedicarme al cultivo intensivo y no al extensivo de la mujer. Pero dos por lo menos... por lo menos dos...

—¡No, dos no! ¡de ninguna manera! De no contentarse con una, que yo creo es lo mejor y es bastante tarea, por lo menos tres. La dualidad no cierra.

—¿Cómo que no cierra la dualidad?

—Claro está. Con dos líneas no se cierra espacio. El más sencillo polígono es el triángulo. Por lo menos tres.

—Pero el triángulo carece de profundidad. El más sencillo poliedro es el tetraedro; de modo que por lo menos cuatro.

—Pero dos no, ¡nunca! De pasar de una, por lo menos tres. Pero ahonde usted en una.

—Tal es mi propósito.

XXIV

Cuando salió Augusto de su entrevista con Paparrigópulos íbase diciendo: «De modo que tengo que renunciar
a una de las dos o buscar una tercera. Aunque para esto
del estudio psicológico bien me puede servir de tercer término, de término puramente ideal de comparación, Liduvina. Tengo, pues, tres: Eugenia, que me habla a la imaginación, a la cabeza; Rosario, que me habla al corazón,
y Liduvina, mi cocinera, que me habla al estómago.
Y cabeza, corazón y estómago son las tres facultades del
alma que otros llaman inteligencia, sentimiento y voluntad. Se piensa con la cabeza, se siente con el corazón y
se quiere con el estómago. ¡Esto es evidente! Y ahora...»

«Ahora —prosiguió pensando—, ¡una idea luminosa,
luminosísima! Voy a fingir que quiero pretender de nuevo a Eugenia, voy a solicitarla de nuevo, a ver si me admite de novio, de futuro marido, claro que no más que
para probarla, como un experimento psicológico y seguro como estoy de que ella me rechazará... ¡pues no faltaba más! Tiene que rechazarme. Después de lo pasado, después de lo que en nuestra última entrevista me dijo, no
es posible ya que me admita. Es una mujer de palabra,
creo. Mas... ¿es que las mujeres tienen palabra? ¿es que
la mujer, la Mujer, así, con letra mayúscula, la única, la
que se reparte entre millones de cuerpos femeninos y más

o menos hermosos —más bien más que menos—; es que la Mujer está obligada a guardar su palabra? Eso de guardar su palabra, ¿no es acaso masculino? Pero ¡no, no! Eugenia no puede admitirme; no me quiere. No me quiere y aceptó ya mi dádiva. Y si aceptó mi dádiva y la disfruta, ¿para qué va a quererme?»

«Pero... ¿y si, volviéndose atrás de lo que me dijo —pensó luego—, me dice que sí y me acepta como novio, como futuro marido? Porque hay que ponerse en todo. ¿Y si me acepta?, digo. ¡Me fastidia! ¡Me pesca con mi propio anzuelo! ¡Eso sí que sería el pescador pescado! Pero ¡no, no! ¡no puede ser! ¿Y si es? ¡Ah! Entonces no queda sino resignarse. ¿Resignarse? Sí, resignarse. Hay que saber resignarse a la buena fortuna. Y acaso la resignación a la dicha es la ciencia más difícil. ¿No nos dice Píndaro que las desgracias todas de Tántalo le provinieron de no haber podido digerir su felicidad? ¡Hay que digerir la felicidad! Y si Eugenia me dice que sí, si me acepta, entonces... ¡venció la psicología! ¡Viva la psicología! Pero ¡no, no, no! No me aceptará, no puede aceptarme, aunque sólo sea por salirse con la suya. Una mujer como Eugenia no da su brazo a torcer; la Mujer, cuando se pone frente al Hombre a ver cuál es de más tesón y constancia en sus propósitos, es capaz de todo. ¡No, no me aceptará!»

—Rosarito le espera.

Con tres palabras, preñadas de sentimientos, interrumpió Liduvina el curso de las reflexiones de su amo.

—Di, Liduvina, ¿crees tú que las mujeres sois fieles a lo que una vez hayáis dicho? ¿sabéis guardar vuestra palabra?

—Según y conforme.

—Sí, el estribillo de tu marido. Pero contesta derechamente y no como acostumbráis hacer las mujeres, que rara vez contestáis a lo que se os pregunta, sino a lo que se os figuraba que se os iba a preguntar.

—Y ¿qué es lo que usted quiso preguntarme?

—Que si vosotras las mujeres guardáis una palabra que hubieseis dado.

—Según la palabra.

—¿Cómo según la palabra?

—Pues claro está. Unas palabras se dan para guardar-las y otras para no guardarlas. Ya nadie se engaña, por-que es valor entendido...

—Bueno, bueno, di a Rosario que entre.

Y cuando Rosario entró preguntóle Augusto:

—Di, Rosario, ¿qué crees tú, que una mujer debe guar-dar la palabra que dio o que no debe guardarla?

—No recuerdo haberle dado a usted palabra alguna...

—No se trata de eso, sino de si debe o no una mujer guardar la palabra que dio...

—Ah, sí, lo dice usted por la otra... por esa mujer...

—Por lo que lo diga; ¿qué crees tú?

—Pues yo no entiendo de esas cosas...

—¡No importa!

—Bueno, ya que usted se empeña, le diré que lo mejor es no dar palabra alguna.

—¿Y si se ha dado?

—No haberlo hecho.

«Está visto —se dijo Augusto— que a esta mozuela no la saco de ahí. Pero ya que está aquí, voy a poner en jue-go la psicología, a llevar a cabo un experimento.»

—¡Ven acá, siéntate aquí! —y le ofreció sus rodillas.

La muchacha obedeció tranquilamente y sin inmutar-se, como a cosa acordada y prevista. Augusto en cambio quedóse confuso y sin saber por dónde empezar su expe-riencia psicológica. Y como no sabía qué decir, pues... ha-cía. Apretaba a Rosario contra su pecho anhelante y le cubría la cara de besos, diciéndose entre tanto: «Me pa-rece que voy a perder la sangre fría necesaria para la in-vestigación psicológica.» Hasta que de pronto se detuvo, pareció calmarse, apartó a Rosario algo de sí y la dijo de repente:

—Pero ¿no sabes que quiero a otra mujer?

Rosario se calló, mirándole fijamente y encojiéndose de hombros.

—Pero ¿no lo sabes? —repitió él.

—¿Y a mí qué me importa eso ahora...?

—¿Cómo que no te importa?

—¡Ahora, no! Ahora me quiere usted a mí, me parece.

—Y a mí también me parece, pero...

Y entonces ocurrió algo insólito, algo que no entraba en las previsiones de Augusto, en su programa de experiencias psicológicas sobre la Mujer, y es que Rosario, bruscamente, le enlazó los brazos al cuello y empezó a besarle. Apenas si el pobre hombre tuvo tiempo para pensar: «Ahora soy yo el experimentado; esta mozuela está haciendo estudios de psicología masculina.» Y sin darse cuenta de lo que hacía sorprendióse acariciando con las temblorosas manos las pantorrillas de Rosario.

Levantóse de pronto Augusto, levantó luego en vilo a Rosario y la echó en el sofá. Ella se dejaba hacer, con el rostro encendido. Y él, teniéndola sujeta de los brazos con sus dos manos, se le quedó mirando a los ojos.

—¡No los cierres, Rosario, no los cierres, por Dios! Ábrelos. Así, así, cada vez más. Déjame que me vea en ellos, tan chiquitito...

Y al verse a sí mismo en aquellos ojos como en un espejo vivo, sintió que la primera exaltación se le iba templando.

—Déjame que me vea en ellos como en un espejo, que me vea tan chiquitito... Sólo así llegaré a conocerme... viéndome en ojos de mujer...

Y el espejo le miraba de un modo extraño. Rosario pensaba: «Este hombre no me parece como los demás; debe de estar loco.»

Apartóse de pronto de ella Augusto, se miró a sí mismo, y luego se palpó, exclamando al cabo:

—Y ahora, Rosario, perdóname.

—¿Perdonarle? ¿por qué?

Y había en la voz de la pobre Rosario más miedo que otro sentimiento alguno. Sentía deseos de huir, porque ella se decía: «Cuando uno empieza a decir o hacer incongruencias no sé adónde va a parar. Este hombre sería capaz de matarme en un arrebato de locura.» Y le brotaron unas lágrimas.

—¿Lo ves? —le dijo Augusto— ¿lo ves? Sí, perdóname, Rosarito, perdóname; no sabía lo que me hacía.

Y ella pensó: «Lo que no sabe es lo que no se hace.»

—Y ahora, ¡vete, vete!

—¿Me echa usted?

—No, me defiendo. ¡No te echo, no! ¡Dios me libre! Si quieres me iré yo y te quedas aquí tú, para que veas que no te echo.

«Decididamente, no está bueno», pensó ella y sintió lástima de él.

—Vete, vete, y no me olvides, ¿eh? —le cojió de la barbilla, acariciándosela—. No me olvides, no olvides al pobre Augusto.

La abrazó y la dio un largo y apretado beso en la boca. Al salir la muchacha le dirigió una mirada llena de un misterioso miedo. Y apenas ella salió, pensó para sí Augusto: «Me desprecia, indudablemente me desprecia; he estado ridículo, ridículo, ridículo... Pero ¿qué sabe ella, pobrecita, de estas cosa? ¿Qué sabe ella de psicología?»

Si el pobre Augusto hubiese podido entonces leer en el espíritu de Rosario habríase desesperado más. Porque la ingenua mozuela iba pensando: «Cualquier día vuelvo a darme yo un rato así a beneficio de la otra prójima...»

Íbale volviendo la exaltación a Augusto. Sentía que el tiempo perdido no vuelve trayendo las ocasiones que se desperdiciaron. Entróle una rabia contra sí mismo. Sin saber qué hacía y por ocupar el tiempo llamó a Liduvina y al verla ante sí, tan serena, tan rolliza, sonriéndose maliciosamente, fue tal y tan insólito el sentimiento que le invadió, que diciéndole: «¡Vete, vete, vete!», se salió a la calle. Es que temió un momento no poder contenerse y asaltar a Liduvina.

Al salir a la calle se encalmó. La muchedumbre es como un bosque; le pone a uno en su lugar, le reencaja.

«¿Estaré bien de la cabeza?», iba pensando Augusto. «¿No será acaso que mientras yo creo ir formalmente por la calle, como las personas normales —¿y qué es una per-

sona normal?—, vaya haciendo gestos, contorsiones y
pantomimas, y que la gente que yo creo pasa sin mirarme
o que me mira indiferentemente no sea así, sino que están
todos fijos en mí y riéndose o compadeciéndome...? Y esta
ocurrencia, ¿no es acaso locura? ¿Estaré de veras loco?
Y en último caso, aunque lo esté, ¿qué? Un hombre de
corazón, sensible, bueno, si no se vuelve loco es por ser
un perfecto majadero. El que no está loco es o tonto o
pillo. Lo que no quiere decir, claro está, que los pillos y
los tontos no enloquezcan.»

«Lo que he hecho con Rosarito —prosiguió pensando—
ha sido ridículo, sencillamente ridículo. ¿Qué habrá pensado de mí? Y ¿qué me importa lo que de mí piense una
mozuela así?... ¡Pobrecilla! Pero... ¡con qué ingenuidad
se dejaba hacer! Es un ser fisiológico, perfectamente fisiológico, nada más que fisiológico, sin psicología alguna. Es inútil, pues, tomarla de conejilla de Indias o de ra-
nita para experimentos psicológicos. A lo sumo fisiológi-
cos... Pero ¿es que la psicología, y sobre todo la femenina, es algo más que fisiología, o si se quiere psicología
fisiológica? ¿Tiene la mujer alma? Y a mí para meterme
en experimentos psicofisiológicos me falta preparación técnica. Nunca asistí a ningún laboratorio... carezco, además, de aparatos. Y la psicofisiología exige aparatos. ¿Estaré, pues, loco?»

Después de haberse desahogado con estas meditaciones
callejeras, por en medio de la atareada muchedumbre indiferente a sus cuitas, sintióse ya tranquilo y se volvió a
casa.

XXV

Fue Augusto a ver a Víctor, a acariciar al tardío hijo de éste, a recrearse en la contemplación de la nueva felicidad de aquel hogar, y de paso a consultar con él sobre el estado de su espíritu. Y al encontrarse con su amigo a solas, le dijo:

—¿Y de aquella novela o... ¿cómo era?... ¡ah, sí, *nivola!*... que estabas escribiendo? ¿supongo que ahora, con lo del hijo, la habrás abandonado?

—Pues supones mal. Precisamente por eso, por ser ya padre, he vuelto a ella. Y en ella desahogo el buen humor que me llena.

—¿Querrías leerme algo de ella?

Sacó Víctor las cuartillas y empezó a leer por aquí y por allá a su amigo.

—Pero, hombre, ¡te me han cambiado! —exclamó Augusto.

—¿Por qué?

—Porque ahí hay cosas que rayan en lo pornográfico y hasta a las veces pasan de ello...

—¿Pornográfico? ¡De ninguna manera! Lo que hay aquí son crudezas, pero no pornografías. Alguna vez algún desnudo, pero nunca un desvestido... Lo que hay es realismo...

—Realismo, sí, y además...

—Cinismo, ¿no es eso?

—¡Cinismo, sí!

—Pero el cinismo no es pornografía. Estas crudezas son un modo de excitar la imaginación para conducirla a un examen más penetrante de la realidad de las cosas; estas crudezas son crudezas... pedagógicas. ¡Lo dicho, pedagógicas!

—Y algo grotescas...

—En efecto, no te lo niego. Gusto de la bufonería.

—Que es siempre en el fondo tétrica.

—Por lo mismo. No me agradan sino los chistes lúgubres, las gracias funerarias. La risa por la risa misma me da grima, y hasta miedo. La risa no es sino la preparación para la tragedia.

—Pues a mí esas bufonadas crudas me producen un detestable efecto.

—Porque eres un solitario, Augusto, un solitario, entiéndemelo bien, un solitario... Y yo las escribo para curar... No, no, no las escribo para nada, sino porque me divierte escribirlas, y si divierten a los que las lean me doy por pagado. Pero si a la vez logro con ellas poner en camino de curación a algún solitario como tú, de doble soledad...

—¿Doble?

—Sí, soledad de cuerpo y soledad de alma.

—A propósito, Víctor...

—Sí, ya sé lo que vas a decirme. Venías a consultarme sobre tu estado, que desde hace algún tiempo es alarmante, verdaderamente alarmante, ¿no es eso?

—Sí, eso es.

—Lo adiviné. Pues bien, Augusto, cásate y cásate cuanto antes.

—Pero ¿con cuál?

—¡Ah!, pero ¿hay más de una?

—Y ¿cómo has adivinado también esto?

—Muy sencillo. Si hubieses preguntado: pero ¿con quién?, no habría supuesto que hay más de una ni que esa una haya; mas al preguntar: pero ¿con cuál?, se entiende con cuál de las dos, o tres, o diez, o ene.

—Es verdad.

—Cásate, pues, cásate, con una cualquiera de las ene de que estás enamorado, con la que tengas más a mano. Y sin pensarlo demasiado. Ya ves, yo me casé sin pensarlo; nos tuvieron que casar.

—Es que ahora me ha dado por dedicarme a las experiencias de psicología femenina.

—La única experiencia psicológica sobre la Mujer es el matrimonio. El que no se casa, jamás podrá experimentar psicológicamente el alma de la Mujer. El único laboratorio de psicología femenina o de ginepsicología es el matrimonio.

—Pero ¡eso no tiene remedio!

—Ninguna experimentación de verdad le tiene. Todo el que se mete a querer experimentar algo, pero guardando la retirada, no quemando las naves, nunca sabe nada de cierto. Jamás te fíes de otro cirujano que de aquel que se haya amputado a sí mismo algún propio miembro, ni te entregues a alienista que no esté loco. Cásate, pues, si quieres saber psicología.

—De modo que los solteros...

—La de los solteros no es psicología; no es más que metafísica, es decir, más allá de la física, más allá de lo natural.

—Y ¿qué es eso?

—Poco menos que en lo que estás tú.

—¿Yo estoy en la metafísica? Pero ¡si yo, querido Víctor, no estoy más allá de lo natural, sino más acá de ello!

—Es igual.

—¿Cómo que es igual?

—Sí, más acá de lo natural es lo mismo que más allá, como más allá del espacio es lo mismo que más acá de él. ¿Ves esta línea? —y trazó una línea en un papel—. Prolóngala por uno y otro extremo al infinito y los extremos se encontrarán, cerrarán en el infinito, donde se encuentra todo y todo se lía. Toda recta es curva de una circunferencia de radio infinito y en el infinito cierra. Luego lo mismo da lo de más acá de lo natural que lo de más allá. ¿No está claro?

—No, está oscurísimo, muy oscuro.

—Pues porque está tan oscuro, cásate.

—Sí, pero... ¡me asaltan tantas dudas!

—Mejor, pequeño Hamlet, mejor. ¿Dudas?, luego piensas; ¿piensas?, luego eres.

—Sí, dudar es pensar.

—Y pensar es dudar y nada más que dudar. Se cree, se sabe, se imagina sin dudar; ni la fe, ni el conocimiento, ni la imaginación suponen duda y hasta la duda las destruye, pero no se piensa sin dudar. Y es la duda lo que de la fe y del conocimiento, que son algo estático, quieto, muerto, hace pensamiento, que es dinámico, inquieto, vivo.

—¿Y la imaginación?

—Sí, ahí cabe alguna duda. Suelo dudar lo que les he de hacer decir o hacer a los personajes de mi *nivola,* y aun después de que les he hecho decir o hacer algo dudo de si estuvo bien y si es lo que en verdad les corresponde. Pero... ¡paso por todo! Sí, sí, cabe duda en el imaginar, que es un pensar...

. . . .

Mientras Augusto y Víctor sostenían esta conversación nivolesca, *yo, el autor de esta* nivola, *que tienes, lector, en la mano y estás leyendo, me sonreía enigmáticamente al ver que mis* nivolescos *personajes estaban abogando por mí y justificando mis procedimientos, y me decía a mí mismo:* «¡Cuán lejos estarán estos infelices de pensar que no están haciendo otra cosa que tratar de justificar lo que yo estoy haciendo con ellos! Así cuando uno busca razones para justificarse no hace en rigor otra cosa que justificar a Dios. Y yo soy el Dios de estos dos pobres diablos nivolescos.»

. . . .

XXVI

Augusto se dirigió a casa de Eugenia dispuesto a tentar la última experiencia psicológica, la definitiva, aunque temiendo que ella le rechazase. Y encontróse con ella en la escalera, que bajaba para salir cuando él subía para entrar.

—¿Usted por aquí, don Augusto?

—Sí, yo; mas puesto que tiene usted que salir, lo dejaré para otro día; me vuelvo.

—No, está arriba mi tío.

—No es con su tío, es con usted, Eugenia, con quien tenía que hablar. Dejémoslo para otro día.

—No, no, volvamos. Las cosas en caliente.

—Es que si está su tío...

—¡Bah! ¡es anarquista! No le llamaremos.

Y obligó a Augusto a que subiese con ella. El pobre hombre, que había ido con aires de experimentador, sentíase ahora rana.

Cuando estuvieron solos en la sala, Eugenia, sin quitarse el sombrero, con el traje de calle con que había entrado, le dijo:

—Bien, sepamos qué es lo que tenía que decirme.

—Pues... pues... —y el pobre Augusto balbuceaba—pues... pues...

—Bien; pues ¿qué?

—Que no puedo descansar, Eugenia; que les he dado mil vueltas en el magín a las cosas que nos dijimos la última vez que hablamos, y que a pesar de todo no puedo resignarme, ¡no, no puedo resignarme, no lo puedo!

—Y ¿a qué es a lo que no puede usted resignarse?

—Pues ¡a esto, Eugenia, a esto!

—Y ¿qué es esto?

—A esto, a que no seamos más que amigos...

—¡Más que amigos...! ¿Le parece a usted poco, señor don Augusto? ¿o es que quiere usted que seamos menos que amigos?

—No, Eugenia, no, no es eso.

—Pues ¿qué es?

—Por Dios, no me haga sufrir...

—El que se hace sufrir es usted mismo.

—¡No puedo resignarme, no!

—Pues ¿qué quiere usted?

—¡Que seamos... marido y mujer!

—¡Acabáramos!

—Para acabar hay que empezar.

—¿Y aquella palabra que me dio usted?

—No sabía lo que me decía.

—Y la Rosario aquella...

—¡Oh, por Dios, Eugenia, no me recuerdes eso! ¡no pienses en la Rosario!

Eugenia entonces se quitó el sombrero, lo dejó sobre una mesilla, volvió a sentarse y luego pausadamente y con solemnidad dijo:

—Pues bien, Augusto, ya que tú, que eres al fin y al cabo un hombre, no te crees obligado a guardar la palabra, yo que no soy nada más que una mujer tampoco debo guardarla. Además, quiero librarte de la Rosario y de las demás Rosarios o Petras que puedan envolverte. Lo que no hizo la gratitud por tu desprendimiento ni hizo el despecho de lo que con Mauricio me pasó —ya ves si te soy franca— hace la compasión. ¡Sí, Augusto, me das pena, mucha pena! —y al decir esto le dio dos leves palmaditas con la diestra en una rodilla.

—¡Eugenia! —y le tendió los brazos como para cojerla.

—¡Eh, cuidadito! —exclamó ella apartándoselos y hurtándose de ellos— ¡cuidadito!

—Pues la otra vez... la última vez...

—¡Sí, pero entonces era diferente!

«Estoy haciendo de rana», pensó el psicólogo experimental.

—¡Sí —prosiguió Eugenia—, a un amigo, nada más que amigo, pueden permitírsele ciertas pequeñas libertades que no se deben otorgar al... vamos, al... novio!

—Pues no lo comprendo...

—Cuando nos hayamos casado, Augusto, te lo explicaré. Y ahora, quietecito, ¿eh?

«Esto es hecho», pensó Augusto, que se sintió ya completa y perfectamente rana.

—Y ahora —agregó Eugenia levantándose— voy a llamar a mi tío.

—¿Para qué?

—¡Toma, para darle parte!

—¡Es verdad! —exclamó Augusto, consternado.

Al momento llegó don Fermín.

—Mire usted, tío —le dijo Eugenia—, aquí tiene usted a don Augusto Pérez, que ha venido a pedirme la mano. Y yo se la he concedido.

—¡Admirable! ¡admirable! —exclamó don Fermín— ¡admirable! ¡Ven acá, hija mía, ven acá que te abrace! ¡admirable!

—¿Tanto le admira a usted que vayamos a casarnos, tío?

—No, lo que me admira, lo que me arrebata, lo que me subyuga es la manera de haber resuelto este asunto, los dos solos, sin medianeros... ¡viva la anarquía! Y es lástima, es lástima que para llevar a cabo vuestro propósito tengáis que acudir a la autoridad... Por supuesto, sin acatarla en el fuero interno de vuestra conciencia, ¿eh?, *pro formula,* nada más que *pro formula.* Porque yo sé que os consideráis ya marido y mujer. ¡Y en todo caso yo, yo solo, en nombre del Dios anárquico, os caso!

Y esto basta. ¡Admirable! ¡admirable! Don Augusto, desde hoy esta casa es su casa.

—¿Desde hoy?

—Tiene usted razón, sí, lo fue siempre. Mi casa... ¿mía? Esta casa que habito fue siempre de usted, fue siempre de todos mis hermanos. Pero desde hoy... usted me entiende.

—Sí, le entiende a usted, tío.

En aquel momento llamaron a la puerta y Eugenia dijo:

—¡La tía!

Y al entrar ésta en la sala y ver aquello, exclamó:

—Ya, ¡enterada! ¿Conque es cosa hecha? Esto ya me lo sabía yo.

Augusto pensaba: «¡Rana, rana completa! Y me han pescado entre todos.»

—Se quedará usted hoy a comer con nosotros, por supuesto, para celebrarlo... —dijo doña Ermelinda.

—¡Y qué remedio! —se le escapó al pobre rana.

XXVII

Empezó entonces para Augusto una nueva vida. Casi todo el día se lo pasaba en casa de su novia y estudiando no psicología, sino estética.

¿Y Rosario? Rosario no volvió por su casa. La siguiente vez que le llevaron la ropa planchada fue otra la que se la llevó, una mujer cualquiera. Y apenas se atrevió a preguntar por qué no venía ya Rosario. ¿Para qué, si lo adivinaba? Y este desprecio, porque no era sino desprecio, bien lo conocía y, lejos de dolerle, casi le hizo gracia. Bien. Bien se desquitaría él en Eugenia. Que, por supuesto, seguía con lo de: «¡Eh, cuidadito y manos quedas!» ¡Buena era ella para otra cosa!

Eugenia le tenía a ración de vista y no más que de vista, encendiéndole el apetito. Una vez le dijo él:

—¡Me entran unas ganas de hacer unos versos a tus ojos!

Y ella le contestó:

—¡Hazlos!

—Mas para ello —agregó él— sería conveniente que tocases un poco el piano. Oyéndote en él, en tu instrumento profesional, me inspiraría.

—Pero ya sabes, Augusto, que desde que, gracias a tu generosidad, he podido ir dejando mis lecciones no he vuelto a tocar el piano y que lo aborrezco. ¡Me ha costado tantas molestias!

—No importa, tócalo, Eugenia, tócalo para que yo escriba mis versos.

—¡Sea, pero por única vez!

Sentóse Eugenia a tocar el piano y mientras lo tocaba escribió Augusto esto:

> Mi alma vagaba lejos de mi cuerpo
> en las brumas perdidas de la idea,
> perdida allá en las notas de la música
> que según dicen cantan las esferas;
> y yacía mi cuerpo solitario
> sin alma y triste errando por la tierra.
> Nacidos para arar juntos la vida
> no vivían; porque él era materia
> tan sólo y ella nada más que espíritu
> buscando completarse, ¡dulce Eugenia!
> Mas brotaron tus ojos como fuentes
> de viva luz encima de mi senda
> y prendieron a mi alma y la trajeron
> del vago cielo a la dudosa tierra,
> metiéronla en mi cuerpo, y desde entonces
> ¡y sólo desde entonces vivo, Eugenia!
> Son tus ojos cual clavos encendidos
> que mi cuerpo a mi espíritu sujetan,
> que hacen que sueñe en mí febril la sangre
> y que en carne convierten mis ideas.
> ¡Si esa luz de mi vida se apagara,
> desuncidos espíritu y materia,
> perderíame en brumas celestiales
> y del profundo en la voraz tiniebla!

—¿Qué te parecen? —le preguntó Augusto luego que se los hubo leído.

—Como mi piano, poco o nada musicales. Y eso de «según dicen...».

—Sí, es para darle familiaridad...

—Y lo de «dulce Eugenia» me parece un ripio.

—¿Qué? ¿que eres un ripio tú?

—¡Ahí, en esos versos, sí! Y luego todo eso me parece muy... muy...

—Vamos, sí, muy *nivolesco*.

—¿Qué es eso?

—Nada, un timo que nos traemos entre Víctor y yo.

—Pues mira, Augusto, yo no quiero timos en mi casa luego que nos casemos, ¿sabes? Ni timos ni perros. Conque ya puedes ir pensando lo que has de hacer de Orfeo...

—Pero ¡Eugenia, por Dios! ¡si ya sabes cómo le encontré, pobrecillo! ¡si es además mi confidente...! ¡si es a quien dirijo mis monólogos todos...!

—Es que cuando nos casemos no ha de haber monólogos en mi casa. ¡Está de más el perro!

—Por Dios, Eugenia, siquiera hasta que tengamos un hijo...

—Si lo tenemos...

—Claro, si lo tenemos. Y si no, ¿por qué no el perro? ¿por qué no el perro, del que se ha dicho con tanta justicia que sería el mejor amigo del hombre si tuviese dinero...?

—No, si tuviese dinero el perro no sería amigo del hombre, estoy segura de ello. Porque no lo tiene es su amigo.

Otro día le dijo Eugenia a Augusto:

—Mira, Augusto, tengo que hablarte de una cosa grave, muy grave, y te ruego que me perdones de antemano si lo que voy a decirte...

—¡Por Dios, Eugenia, habla!

—Tú sabes aquel novio que tuve...

—Sí, Mauricio.

—Pero no sabes por qué le tuve que despachar al muy sinvergüenza...

—No quiero saberlo.

—Eso te honra. Pues bien; le tuve que despachar al haragán y sinvergüenza aquel, pero...

—¿Qué, te persigue todavía?

—¡Todavía!

—¡Ah, como yo le coja!...

—No, no es eso. Me persigue, pero no ya con las intenciones que tú crees, sino con otras.

—¡A ver! ¡a ver!

—No te alarmes, Augusto, no te alarmes. El pobre Mauricio no muerde, ladra.

—Ah, pues haz lo que dice el refrán árabe: «Si vas a detenerte con cada perro que te salga a ladrar al camino, nunca llegarás al fin de él.» No sirve tirarles piedras. No le hagas caso.

—Creo que hay otro medio mejor.

—¿Cuál?

—Llevar a prevención mendrugos de pan en el bolsillo e irlos tirando a los perros que salen a ladrarnos, porque ladran por hambre.

—¿Qué quieres decir?

—Que ahora Mauricio no pretende sino que le busque una colocación cualquiera o un modo de vivir y dice que me dejará en paz, y si no...

—Si no...

—Amenaza con perseguirme para comprometerme...

—¡Desvergonzado! ¡bandido!

—No te exaltes. Y creo que lo mejor es quitárnosle de enmedio buscándole una colocación cualquiera que le dé para vivir y que sea lo más lejos posible. Es, además, de mi parte algo de compasión porque el pobrecillo es como es, y...

—Acaso tengas razón, Eugenia. Y mira, creo que podré arreglarlo todo. Mañana mismo hablaré a un amigo mío y me parece que le buscaremos ese empleo.

Y, en efecto, pudo encontrarle el empleo y conseguir que le destinasen bastante lejos.

XXVIII

Torció el gesto Augusto cuando una mañana le anunció Liduvina que un joven le esperaba y se encontró luego con que era Mauricio. Estuvo por despedirlo sin oírle, pero le atraía aquel hombre que fue en un tiempo novio de Eugenia, al que ésta quiso y acaso seguía queriendo en algún modo; aquel hombre que tal vez sabía de la que iba a ser mujer de él, de Augusto, intimidades que éste ignoraba; de aquel hombre que... Había algo que les unía.

—Vengo, señor —empezó sumisamente Mauricio—, a darle las gracias por el favor insigne que merced a la mediación de Eugenia usted se ha dignado otorgarme...

—No tiene usted de qué darme las gracias, señor mío, y espero que en adelante dejará usted en paz a la que va a ser mi mujer.

—Pero ¡si yo no la he molestado lo más mínimo!

—Sé a qué atenerme.

—Desde que me despidió, e hizo bien en despedirme, porque no soy yo el que a ella corresponde, he procurado consolarme como mejor he podido de esa desgracia y respetar, por supuesto, sus determinaciones. Y si ella le ha dicho a usted otra cosa...

—Le ruego que no vuelva a mentar a la que va a ser mi mujer, y mucho menos que insinúe siquiera el que ha-

ya faltado lo más mínimo a la verdad. Consuélese como
pueda y déjenos en paz.

—Es verdad. Y vuelvo a darles a ustedes dos las gracias por el favor que me han hecho proporcionándome
ese empleíto. Iré a servirlo y me consolaré como pueda.
Por cierto que pienso llevarme conmigo a una mucha-
chita...

—Y ¿a mí qué me importa eso, caballero?

—Es que me parece que usted debe de conocerla...

—¿Cómo? ¿cómo? ¿quiere usted burlarse...?

—No... no... Es una tal Rosario, que está en un taller
de planchado y que me parece le solía llevar a usted la
plancha...

Augusto palideció. «¿Sabrá éste todo?», se dijo, y esto
le azaró aún más que su anterior sospecha de que aquel
hombre supiese de Eugenia lo que él no sabía. Pero repú-
sose al pronto y exclamó:

—Y ¿a qué me viene usted ahora con eso?

—Me parece —prosiguió Mauricio, como si no hubiese oído nada— que a los despreciados se nos debe dejar
el que nos consolemos los unos con los otros.

—Pero ¿qué quiere usted decir, hombre, qué quiere usted decir? —y pensó Augusto si allí, en aquel que fue escenario de su última aventura con Rosario, estrangularía
o no a aquel hombre.

—¡No se exalte así, don Augusto, no se exalte así! No
quiero decir sino lo que he dicho. Ella... la que usted no
quiere que yo miente, me despreció, me despachó, y yo
me he encontrado con esa pobre chicuela, a la que otro
despreció y...

Augusto no pudo ya contenerse; palideció primero, se
encendió después, levantóse, cojió a Mauricio por los dos
brazos, lo levantó en vilo y le arrojó en el sofá sin darse
clara cuenta de lo que hacía, como para estrangularlo.
Y entonces, al verse Mauricio en el sofá, dijo con la
mayor frialdad:

—Mírese usted ahora, don Augusto, en mis pupilas y
verá qué chiquito se ve...

El pobre Augusto creyó derretirse. Por lo menos se le derritió la fuerza toda de los brazos, empezó la estancia a convertirse en niebla a sus ojos; pensó: «¿Estaré soñando?», y se encontró con que Mauricio, de pie ya y frente a él, le miraba con una socarrona sonrisa:

—¡Oh, no ha sido nada, don Augusto, no ha sido nada! Perdóneme usted, un arrebato... ni sé siquiera lo que me hice... ni me di cuenta... Y ¡gracias, gracias, otra vez gracias! ¡gracias a usted y a... ella! ¡Adiós!

Apenas había salido Mauricio, llamó Augusto a Liduvina.

—Di, Liduvina, ¿quién ha estado aquí conmigo?

—Un joven.

—¿De qué señas?

—Pero ¿necesita usted que se lo diga?

—¿De veras, ha estado aquí alguien conmigo?

—¡Señorito!

—No... no... júrame que ha estado aquí conmigo un joven y de las señas que me digas... alto, rubio, ¿no es eso?, de bigote, más bien grueso que flaco, de nariz aguileña... ¿ha estado?

—Pero ¿está usted bueno, don Augusto?

—¿No ha sido un sueño...?

—Como no lo hayamos soñado los dos...

—No, no pueden soñar dos al mismo tiempo la misma cosa. Y precisamente se conoce que algo no es sueño en que no es de uno solo...

—Pues ¡sí, estese tranquilo, sí! Estuvo ese joven que dice.

—Y ¿qué dijo al salir?

—Al salir no habló conmigo... ni le vi...

—Y tú ¿sabes quién es, Liduvina?

—Sí, sé quién es. El que fue novio de...

—Sí, basta. Y ahora, ¿de quién lo es?

—Eso ya sería saber demasiado.

—Como las mujeres sabéis tantas cosas que no os enseñan...

—Sí, y en cambio no logramos aprender las que quieren enseñarnos.

—Pues bueno, di la verdad, Liduvina: ¿no sabes con quién anda ahora ese... prójimo?

—No, pero me lo figuro.

—¿Por qué?

—Por lo que está usted diciendo.

—Bueno, llama ahora a Domingo.

—¿Para qué?

—Para saber si estoy también todavía soñando o no, y si tú eres de verdad Liduvina, su mujer, o si...

—¿O si Domingo está soñando también? Pero creo que hay otra cosa mejor.

—¿Cuál?

—Que venga Orfeo.

—Tienes razón; ¡ése no sueña!

Al poco rato, habiendo ya salido Liduvina, entraba el perro.

«¡Ven acá, Orfeo —le dijo su amo—, ven acá! ¡Pobrecito! ¡qué pocos días te quedan ya de vivir conmigo! No te quiere ella en casa. Y ¿adónde voy a echarte? ¿qué voy a hacer de ti? ¿qué será de ti sin mí? Eres capaz de morirte, ¡lo sé! Sólo un perro es capaz de morirse al verse sin amo. Y yo he sido más que tu amo, ¡tu padre, tu dios! ¡No te quiere en casa; te echa de mi lado! ¿Es que tú, el símbolo de la fidelidad, le estorbas en casa? ¡Quién lo sabe...! Acaso un perro sorprende los más secretos pensamientos de las personas con quienes vive, y aunque se calle... ¡Y tengo que casarme, no tengo más remedio que casarme... si no, jamás voy a salir del sueño! Tengo que despertar.»

«Pero ¿por qué me miras así, Orfeo? ¡Si parece que lloras sin lágrimas...! ¿Es que me quieres decir algo? Te veo sufrir por no tener palabra. ¡Qué pronto aseguré que tú no sueñas! ¡Tú sí que me estás soñando, Orfeo! ¿Por qué somos hombres los hombres sino porque hay perros y gatos y caballos y bueyes y ovejas y animales de toda clase, sobre todo domésticos? ¿Es que a falta de animales domésticos en que descargar el peso de la animalidad de la vida habría el hombre llegado a su humanidad? ¿Es que a no haber domesticado el hombre al caballo no andaría la mitad de nuestro linaje llevando a cuestas a la otra mitad? Sí, a vosotros se os debe la civilización. Y a las mujeres. Pero ¿no es acaso la mujer otro animal doméstico? Y de no haber mujeres, ¿serían hombres los hombres? ¡Ay, Orfeo, viene de fuera quien de casa te echa!»

Y le apretó contra su seno, y el perro, que parecía en efecto llorar, le lamía la barba.

XXIX

Todo estaba dispuesto ya para la boda. Augusto la quería recojida y modesta, pero ella, su mujer futura, parecía preferir que se le diese más boato y resonancia.

A medida que se acercaba aquel plazo, el novio ardía por tomarse ciertas pequeñas libertades y confianzas, y ella, Eugenia, se mantenía más en reserva.

—Pero ¡si dentro de unos días vamos a ser el uno del otro, Eugenia!

—Pues por lo mismo. Es menester que empecemos ya a respetarnos.

—Respeto... Respeto... El respeto excluye el cariño.

—Eso creerás tú... ¡Hombre al fin!

Y Augusto notaba en ella algo extraño, algo forzado. Alguna vez parecióle que trataba de esquivar sus miradas. Y se acordó de su madre, de su pobre madre, y del anhelo que sintió siempre por que su hijo se casara bien. Y ahora, próximo a casarse con Eugenia, le atormentaba más lo que Mauricio le dijera de llevarse a Rosario. Sentía celos, unos celos furiosos, y rabia por haber dejado pasar una ocasión, por el ridículo en que quedó ante la mozuela. «Ahora estarán riéndose los dos de mí —se decía—, y él doblemente, porque ha dejado a Eugenia encajándomela y porque se me lleva a Rosario.» Y alguna vez le entraron furiosas ganas de romper su compromiso y de ir a la conquista de Rosario, a arrebatársela a Mauricio.

—Y de aquella mocita, de aquella Rosario, ¿qué se ha hecho? —le preguntó Eugenia unos días antes del de la boda.

—Y ¿a qué viene recordarme ahora eso?

—¡Ah, si no te gusta el recuerdo, lo dejaré!

—No... no... pero...

—Sí, como una vez interrumpió ella una entrevista nuestra... ¿No has vuelto a saber de ella? —y le miró con mirada de las que atraviesan.

—No, no he vuelto a saber de ella.

—¿Quién la estará conquistando o quién la habrá conquistado a estas horas...? —y apartando su mirada de Augusto la fijó en el vacío, más allá de lo que miraba.

Por la mente del novio pasaron, en tropel, extraños agüeros. «Ésta parece saber algo», se dijo, y luego en voz alta:

—¿Es que sabes algo?

—¿Yo? —contestó ella fingiendo indiferencia y volvió a mirarle.

Entre los dos flotaba sombra de misterio.

—Supongo que la habrás olvidado...

—Pero ¿a qué esta insistencia en hablarme de esa... chiquilla?

—¡Qué sé yo!... Porque, hablando de otra cosa, ¿qué le pasará a un hombre cuando otro le quita la mujer a que pretendía y se la lleva?

A Augusto le subió una oleada de sangre a la cabeza al oír esto. Entráronle ganas de salir, correr en busca de Rosario, ganarla y volver con ella a Eugenia para decir a ésta: «¡Aquí la tienes, es mía y no de... *tu* Mauricio!»

Faltaban tres días para el de la boda. Augusto salió de casa de su novia pensativo. Apenas pudo dormir aquella noche.

A la mañana siguiente, apenas despertó, entró Liduvina en su cuarto.

—Aquí hay una carta para el señorito; acaban de traerla. Me parece que es de la señorita Eugenia...

—¿Carta? ¿de ella? ¿de ella carta? ¡Déjala ahí y vete!

Salió Liduvina. Augusto empezó a temblar. Un extraño desasosiego le agitaba el corazón. Se acordó de Rosario, luego de Mauricio. Pero no quiso tocar la carta. Miró con terror al sobre. Se levantó, se lavó, se vistió, pidió el desayuno, devorándolo luego. «No, no quiero leerla aquí», se dijo. Salió de su casa, fuese a la iglesia más próxima, y allí, entre unos cuantos devotos que oían misa, abrió la carta. «Aquí tendré que contenerme —se dijo—, porque yo no sé qué cosas me dice el corazón.» Y decía la carta:

«Apreciable Augusto: Cuando lea estas líneas yo estaré con Mauricio camino del pueblo adonde éste va destinado gracias a tu bondad, a la que debo también poder disfrutar de mis rentas, que con el sueldo de él nos permitirá vivir juntos con algún desahogo. No te pido que me perdones, porque después de esto creo que te convencerás de que ni yo te hubiera hecho feliz ni tú mucho menos a mí. Cuando se te pase la primera impresión volveré a escribirte para explicarte por qué doy este paso ahora y de esta manera. Mauricio quería que nos hubiéramos escapado el día mismo de la boda, después de salir de la iglesia; pero su plan era muy complicado y me pareció, además, una crueldad inútil. Y como te dije en otra ocasión, creo quedaremos amigos. Tu amiga

Eugenia Domingo del Arco.

P. S. No viene con nosotros Rosario. Te queda ahí y puedes con ella consolarte.»

Augusto se dejó caer en un banco, anonadado. Al poco rato se arrodilló y rezaba.

Al salir de la iglesia parecíale que iba tranquilo, mas era una terrible tranquilidad de bochorno. Se dirigió a casa de Eugenia, donde encontró a los pobres tíos consternados. La sobrina les había comunicado por carta su determinación y no remaneció en toda la noche. Había tomado la pareja un tren que salió al anochecer, muy poco después de la última entrevista de Augusto con su novia.

—Y ¿qué hacemos ahora? —dijo doña Ermelinda.

—¡Qué hemos de hacer, señora —contestó Augusto—, sino aguantarnos!

—¡Esto es una indignidad —exclamó don Fermín—; estas cosas no debían quedar sin un ejemplar castigo!

—Y ¿es usted, don Fermín, usted, el anarquista...?

—Y ¿qué tiene que ver? Estas cosas no se hacen así. ¡No se engaña así a un hombre!

—¡Al otro no le ha engañado! —dijo fríamente Augusto, y después de haberlo dicho se aterró de la frialdad con que lo dijera.

—Pero le engañará... le engañará... ¡no lo dude usted!

Augusto sintió un placer diabólico al pensar que Eugenia engañaría al cabo a Mauricio. «Pero no ya conmigo», se dijo muy bajito, de modo que apenas si se oyese a sí mismo.

—Bueno, señores, lamento lo sucedido, y más que nada por su sobrina, pero debo retirarme.

—Usted comprenderá, don Augusto, que nosotros... —empezó doña Ermelinda.

—¡Claro! ¡claro! Pero...

Aquello no podía prolongarse. Augusto, después de breves palabras más, se salió.

Iba aterrado de sí mismo y de lo que le pasaba, o mejor aún, de lo que no le pasaba. Aquella frialdad, al menos aparente, con que recibió el golpe de la burla suprema, aquella calma le hacía que hasta dudase de su propia existencia. «Si yo fuese un hombre como los demás —se decía—, con corazón; si fuese siquiera un hombre, si existiese de verdad, ¿cómo podía haber recibido esto con la relativa tranquilidad con que lo recibo?» Y empezó, sin darse de ello cuenta, a palparse, y hasta se pellizcó para ver si lo sentía.

De pronto sintió que alguien le tiraba de una pierna. Era Orfeo, que le había salido al encuentro, para consolarlo. Al ver a Orfeo sintió, ¡cosa extraña!, una gran alegría, lo tomó en brazos y le dijo: «¡Alégrate, Orfeo mío, alégrate! ¡alegrémonos los dos! ¡Ya no te echan de casa; ya no te separan de mí; ya no nos separarán al uno del otro! Viviremos juntos en la vida y en la muerte. No hay mal que por bien no venga, por grande que el mal sea y por pequeño que sea el bien, o al revés. ¡Tú, tú eres fiel, Orfeo mío, tú eres fiel! Yo ya supongo que algunas veces buscarás tu perra, pero no por eso huyes de casa, no por eso me abandonas; tú eres fiel, tú. Y mira, para que no tengas nunca que marcharte, traeré una perra a casa, sí, te la traeré. Porque ahora, ¿es que has salido a mi encuentro para consolar la pena que debía tener, o es que me encuentras al volver de una visita a tu perra? De todos modos, tú eres fiel, tú, y ya nadie te echará de mi casa, nadie nos separará.»

Entró en su casa, y no bien se volvió a ver en ella, solo, se le desencadenó en el alma la tempestad que parecía calma. Le invadió un sentimiento en que se daban confundidos tristeza, amarga tristeza, celos, rabia, miedo, odio, amor, compasión, desprecio, y sobre todo vergüenza, una enorme vergüenza, y la terrible conciencia del ridículo en que quedaba.

—¡Me ha matado! —le dijo a Liduvina.

—¿Quién?

—Ella.

Y se encerró en su cuarto. Y a la vez que las imágenes de Eugenia y de Mauricio presentábase a su espíritu la de Rosario, que también se burlaba de él. Y recordaba a su madre. Se echó sobre la cama, mordió la almohada, no acertaba a decirse nada concreto, se le enmudeció el monólogo, sintió como si se le acorchase el alma y rompió a llorar. Y lloró, lloró, lloró. Y en el llanto silencioso se le derretía el pensamiento.

XXX

Víctor encontró a Augusto hundido en un rincón de un sofá, mirando más abajo del suelo.

—¿Qué es eso? —le preguntó poniéndole una mano sobre el hombro.

—Y ¿me preguntas qué es esto? ¿No sabes lo que me ha pasado?

—Sí, sé lo que te ha pasado por fuera, es decir, lo que ha hecho ella; lo que no sé es lo que te pasa por dentro, es decir, no sé por qué estás así...

—¡Parece imposible!

—Se te ha ido un amor, el de a; ¿no te queda el de b, o el de c, o el de x, o el de otra cualquiera de las n?

—No es la ocasión para bromas, creo.

—Al contrario, ésta es la ocasión de bromas.

—Es que no me duele en el amor; ¡es la burla, la burla, la burla! Se han burlado de mí, me han escarnecido, me han puesto en ridículo; han querido demostrarme... ¿qué sé yo?... que no existo.

—¡Qué felicidad!

—No te burles, Víctor.

—Y ¿por qué no me he de burlar? Tú, querido experimentador, la quisiste tomar de rana, y es ella la que te ha tomado de rana a ti. ¡Chapúzate, pues, en la charca, y a croar y a vivir!

—Te ruego otra vez...

—Que no bromee, ¿eh? Pues bromearé. Para estas ocasiones se ha hecho la burla.

—Es que eso es corrosivo.

—Y hay que corroer. Y hay que confundir. Confundir sobre todo, confundirlo todo. Confundir el sueño con la vela, la ficción con la realidad, lo verdadero con lo falso; confundirlo todo en una sola niebla. La broma que no es corrosiva y confundente no sirve para nada. El niño se ríe en la tragedia; el viejo llora en la comedia. Quisiste hacerla rana, te ha hecho rana; acéptalo, pues, y sé para ti mismo rana.

—¿Qué quieres decir con eso?

—Experimenta en ti mismo.

—Sí, que me suicide.

—No digo ni que sí ni que no. Sería una solución como otra, pero no la mejor.

—Entonces, que les busque y les mate.

—Matar por matar es un desatino. A lo sumo para librarse del odio, que no hace sino corromper el alma. Porque más de un rencoroso se curó del rencor y sintió piedad, y hasta amor a su víctima, una vez que satisfizo su odio en ella. El acto malo libera del mal sentimiento. Y es porque la ley hace el pecado.

—Y ¿qué voy a hacer?

—Habrás oído que en este mundo no hay sino devorar o ser devorado...

—Sí, burlarse de otros o ser burlado.

—No; cabe otro término tercero y es devorarse uno a sí mismo, burlarse de sí mismo uno. ¡Devórate! El que devora goza, pero no se harta de recordar el acabamiento de sus goces y se hace pesimista; el que es devorado sufre, y no se harta de esperar la liberación de sus penas y se hace optimista. Devórate a ti mismo, y como el placer de devorarte se confundirá y neutralizará con el dolor de ser devorado, llegarás a la perfecta ecuanimidad de espíritu, a la ataraxia; no serás sino un mero espectáculo para ti mismo.

—Y ¿eres tú, tú, Víctor, tú el que me vienes con esas cosas?

—¡Sí, yo, Augusto, yo, soy yo!

—Pues en un tiempo no pensabas de esa manera tan... corrosiva.

—Es que entonces no era padre.

—Y ¿el ser padre...?

—El ser padre, al que no está loco o es un mentecato, le despierta lo más terrible que hay en el hombre: ¡el sentido de la responsabilidad! Yo entrego a mi hijo el legado perenne de la humanidad. Con meditar en el misterio de la paternidad hay para volverse loco. Y si los más de los padres no se vuelven locos es porque son tontos... o no son padres. Regocíjate, pues, Augusto, que con eso de habérsete escapado te evitó acaso el que fueses padre. Y yo te dije que te casaras, pero no que te hicieses padre. El matrimonio es un experimento... psicológico; la paternidad lo es... patológico.

—¡Es que me ha hecho padre, Víctor!

—¿Cómo? ¿que te ha hecho padre?

—¡Sí, de mí mismo! Con esto creo haber nacido de veras. Y para sufrir, para morir.

—Sí, el segundo nacimiento, el verdadero, es nacer por el dolor a la conciencia de la muerte incesante, de que estamos siempre muriendo. Pero si te has hecho padre de ti mismo es que te has hecho hijo de ti mismo también.

—Parece imposible, Víctor, parece imposible que pasándome lo que me pasa, después de lo que ha hecho conmigo... ¡ella!, pueda todavía oír con calma estas sutilezas, estos juegos de concepto, estas humoradas macabras, y hasta algo peor...

—¿Qué?

—Que me distraigan. ¡Me irrito contra mí mismo!

—Es la comedia, Augusto, es la comedia que representamos ante nosotros mismos, en lo que se llama el foro interno, en el tablado de la conciencia, haciendo a la vez de cómicos y de espectadores. Y en la escena del dolor representamos el dolor y nos parece un desentono el que de repente nos entre ganas de reír entonces. Y es cuando más ganas nos da de ello. ¡Comedia, comedia el dolor!

—¿Y si la comedia del dolor le lleva a uno a suicidarse?

—¡Comedia de suicidio!

—¡Es que se muere de veras!

—¡Comedia también!

—Pues ¿qué es lo real, lo verdadero, lo sentido?

—Y ¿quién te ha dicho que la comedia no es real y verdadera y sentida?

—¿Entonces?

—Que todo es uno y lo mismo; que hay que confundir, Augusto, hay que confundir. Y el que no confunde se confunde.

—Y el que confunde también.

—Acaso.

—¿Entonces?

—Pues esto, charlar, sutilizar, jugar con las palabras y los vocablos... ¡pasar el rato!

—¡Ellos sí que lo estarán pasando!

—¡Y tú también! ¿Te has encontrado nunca a tus propios ojos más interesante que ahora? ¿Cómo sabe uno que tiene un miembro si no le duele?

—Bueno, y ¿qué voy a hacer yo ahora?

—¡Hacer... hacer... hacer...! ¡Bah, ya te estás sintiendo personaje de drama o de novela! ¡Contentémonos con serlo de... *nivola*! ¡Hacer... hacer... hacer...! ¿Te parece que hacemos poco con estar así hablando? Es la manía de la acción, es decir, de la pantomima. Dicen que pasan muchas cosas en un drama cuando los actores pueden hacer muchos gestos y dar grandes pasos y fingir duelos y saltar y... ¡pantomima! ¡pantomima! ¡Hablan demasiado!, dicen otras veces. Como si el hablar no fuese hacer. En el principio fue la Palabra y por la Palabra se hizo todo. Si ahora, por ejemplo, algún... *nivolista* oculto ahí, tras ese armario, tomase nota taquigráfica de cuanto estamos aquí diciendo y lo reprodujese, es fácil que dijeran los lectores que no pasa nada, y sin embargo...

—¡Oh, si pudiesen verme por dentro, Víctor, te aseguro que no dirían tal cosa!

—¿Por dentro? ¿por dentro de quién? ¿de ti? ¿de mí? Nosotros no tenemos dentro. Cuando no dirían que aquí no pasa nada es cuando pudiesen verse por dentro de sí mismos, de ellos, de los que leen. El alma de un personaje de drama, de novela o de *nivola* no tiene más interior que el que le da...

—Sí, su autor.

—No, el lector.

—Pues yo te aseguro, Víctor...

—No asegures nada y devórate. Es lo seguro.

—Y me devoro, me devoro. Empecé, Víctor, como una sombra, como una ficción; durante años he vagado como un fantasma, como un muñeco de niebla, sin creer en mi propia existencia, imaginándome ser un personaje fantástico que un oculto genio inventó para solazarse o desahogarse; pero ahora, después de lo que me ha hecho, después de lo que me han hecho, después de esta burla, de esta ferocidad de burla, ¡ahora sí!, ¡ahora me siento, ahora me palpo, ahora no dudo de mi existencia real!

—¡Comedia! ¡comedia! ¡comedia!

—¿Cómo?

—Sí, en la comedia entra el que se crea rey el que lo representa.

—Pero ¿qué te propones con todo esto?

—Distraerte. Y además, que si, como te decía, un *nivolista* oculto que nos esté oyendo toma nota de nuestras palabras para reproducirlas un día, el lector de la *nivola* llegue a dudar, siquiera fuese un fugitivo momento, de su propia realidad de bulto y se crea a su vez no más que un personaje *nivolesco,* como nosotros.

—Y eso ¿para qué?

—Para redimirle.

—Sí, ya he oído decir que lo más liberador del arte es que le hace a uno olvidar que exista. Hay quien se hunde en la lectura de novelas para distraerse de sí mismo, para olvidar sus penas...

—No, lo más liberador del arte es que le hace a uno dudar de que exista.

—Y ¿qué es existir?

—¿Ves? Ya te vas curando; ya empiezas a devorarte. Lo prueba esa pregunta. *¡Ser o no ser...!,* que dijo Hamlet, uno de los que inventaron a Shakespeare.

—Pues a mí, Víctor, eso de *ser o no ser* me ha parecido siempre una solemne vaciedad.

—Las frases, cuanto más profundas, son más vacías. No hay profundidad mayor que la de un pozo sin fondo. ¿Qué te parece lo más verdadero de todo?

—Pues... pues... lo de Descartes: «Pienso, luego soy.»

—No, sino esto: A = A.

—Pero ¡eso no es nada!

—Y por lo mismo es lo más verdadero, porque no es nada. Pero esa otra vaciedad de Descartes, ¿la crees tan incontrovertible?

—¡Y tanto...!

—Pues bien, ¿o dijo eso Descartes?

—¡Sí!

—Y no era verdad. Porque como Descartes no ha sido más que un ente ficticio, una invención de la historia, pues... ¡ni existió... ni pensó!

—Y ¿quién dijo eso?

—Eso no lo dijo nadie; eso se dijo ello mismo.

—Entonces, ¿el que era y pensaba era el pensamiento ese?

—¡Claro! Y, figúrate, eso equivale a decir que ser es pensar y lo que no piensa no es.

—¡Claro está!

—Pues no pienses, Augusto, no pienses. Y si te empeñas en pensar...

—¿Qué?

—¡Devórate!

—Es decir, ¿que me suicide...?

—En eso ya no me quiero meter. ¡Adiós!

Y se salió Víctor, dejando a Augusto perdido y confundido en sus cavilaciones.

XXXI

Aquella tempestad del alma de Augusto terminó, como en terrible calma, en decisión de suicidarse. Quería acabar consigo mismo, que era la fuente de sus desdichas propias. Mas antes de llevar a cabo su propósito, como el náufrago que se agarra a una débil tabla, ocurriósele consultarlo conmigo, con el autor de todo este relato. Por entonces había leído Augusto un ensayo mío en que, aunque de pasada, hablaba del suicidio, y tal impresión pareció hacerle, así como otras cosas que de mí había leído, que no quiso dejar este mundo sin haberme conocido y platicado un rato conmigo. Emprendió, pues, un viaje acá a Salamanca, donde hace más de veinte años vivo, para visitarme.

Cuando me anunciaron su visita sonreí enigmáticamente y le mandé pasar a mi despacho-librería. Entró en él como un fantasma, miró a un retrato mío al óleo que allí preside a los libros de mi librería, y a una seña mía se sentó, frente a mí.

Empezó hablándome de mis trabajos literarios y más o menos filosóficos, demostrando conocerlos bastante bien, lo que no dejó, ¡claro está!, de halagarme, y en seguida empezó a contarme su vida y sus desdichas. Le atajé diciéndole que se ahorrase aquel trabajo, pues de las vicisitudes de su vida sabía yo tanto como él, y se lo de-

mostré citándole los más íntimos pormenores y los que
él creía más secretos. Me miró con ojos de verdadero terror y como quien mira a un ser increíble; creí notar que
se le alteraba el color y traza del semblante y que hasta
temblaba. Le tenía yo fascinado.

—¡Parece mentira! —repetía— ¡parece mentira! A no
verlo no lo creería... No sé si estoy despierto o soñando...

—Ni despierto ni soñando —le contesté.

—No me lo explico... no me lo explico —añadió—; mas
puesto que usted parece saber sobre mí tanto como sé yo
mismo, acaso adivine mi propósito...

—Sí —le dije—, tú —y recalqué este *tú* con un tono
autoritario—, tú, abrumado por tus desgracias, has con-
cebido la diabólica idea de suicidarte, y antes de hacerlo,
movido por algo que has leído en uno de mis últimos
ensayos, vienes a consultármelo.

El pobre hombre temblaba como un azogado, mirándome como un poseído miraría. Intentó levantarse, acaso para huir de mí; no podía. No disponía de sus fuerzas.

—¡No, no te muevas! —le ordené.

—Es que... es que... —balbuceó.

—Es que tú no puedes suicidarte, aunque lo quieras.

—¿Cómo? —exclamó al verse de tal modo negado y
contradicho.

—Sí. Para que uno se pueda matar a sí mismo, ¿qué
es menester? —le pregunté.

—Que tenga valor para hacerlo —me contestó.

—No —le dije—, ¡que esté vivo!

—¡Desde luego!

—¡Y tú no estás vivo!

—¿Cómo que no estoy vivo? ¿es que me he muerto?
—y empezó, sin darse clara cuenta de lo que hacía, a palparse a sí mismo.

—¡No, hombre, no! —le repliqué—. Te dije antes que
no estabas ni despierto ni dormido, y ahora te digo que
no estás ni muerto ni vivo.

—¡Acabe usted de explicarse de una vez, por Dios! ¡acabe de explicarse! —me suplicó consternado—, porque son

tales las cosas que estoy viendo y oyendo esta tarde, que temo volverme loco.

—Pues bien; la verdad es, querido Augusto —le dije con la más dulce de mis voces—, que no puedes matarte porque no estás vivo, y que no estás vivo, ni tampoco muerto, porque no existes...

—¿Cómo que no existo? —exclamó.

—No, no existes más que como ente de ficción; no eres, pobre Augusto, más que un producto de mi fantasía y de las de aquellos de mis lectores que lean el relato que de tus fingidas venturas y malandanzas he escrito yo; tú no eres más que un personaje de novela, o de *nivola,* o como quieras llamarle. Ya sabes, pues, tu secreto.

Al oír esto quedóse el pobre hombre mirándome un rato con una de esas miradas perforadoras que parecen atravesar la mira e ir más allá, miró luego un momento a mi retrato al óleo que preside a mis libros, le volvió el color y el aliento, fue recobrándose, se hizo dueño de sí, apoyó los codos en mi camilla, a que estaba arrimado frente a mí, y, la cara en las palmas de las manos y mirándome con una sonrisa en los ojos, me dijo lentamente:

—Mire usted bien, don Miguel... no sea que esté usted equivocado y que ocurra precisamente todo lo contrario de lo que usted se cree y me dice.

—Y ¿qué es lo contrario? —le pregunté alarmado de verle recobrar vida propia.

—No sea, mi querido don Miguel —añadió—, que sea usted y no yo el ente de ficción, el que no existe en realidad, ni vivo, ni muerto... No sea que usted no pase de ser un pretexto para que mi historia llegue al mundo...

—¡Eso más faltaba! —exclamé algo molesto.

—No se exalte usted así, señor de Unamuno —me replicó—, tenga calma. Usted ha manifestado dudas sobre mi existencia...

—Dudas no —le interrumpí—; certeza absoluta de que tú no existes fuera de mi producción novelesca.

—Bueno, pues no se incomode tanto si yo a mi vez dudo de la existencia de usted y no de la mía propia. Vamos a cuentas: ¿no ha sido usted el que no una sino varias veces ha dicho que don Quijote y Sancho son no ya tan reales, sino más reales que Cervantes?

—No puedo negarlo, pero mi sentido al decir eso era...

—Bueno, dejémonos de esos sentires y vamos a otra cosa. Cuando un hombre dormido e inerte en la cama sueña algo, ¿qué es lo que más existe, él como conciencia que sueña, o su sueño?

—¿Y si sueña que existe él mismo, el soñador? —le repliqué a mi vez.

—En ese caso, amigo don Miguel, le pregunto yo a mi vez, ¿de qué manera existe él, como soñador que se sueña, o como soñado por sí mismo? Y fíjese, además, en que al admitir esta discusión conmigo me reconoce ya existencia independiente de sí.

—¡No, eso no! ¡eso no! —le dije vivamente—. Yo necesito discutir, sin discusión no vivo y sin contradicción, y cuando no hay fuera de mí quien me discuta y contradiga invento dentro de mí quien lo haga. Mis monólogos son diálogos.

—Y acaso los diálogos que usted forje no sean más que monólogos...

—Puede ser. Pero te digo y repito que tú no existes fuera de mí...

—Y yo vuelvo a insinuarle a usted la idea de que es usted el que no existe fuera de mí y de los demás personajes a quienes usted cree haber inventado. Seguro estoy de que serían de mi opinión don Avito Carrascal y el gran don Fulgencio...

—No mientes a ese...

—Bueno, basta, no le moteje usted. Y vamos a ver, ¿qué opina usted de mi suicidio?

—Pues opino que como tú no existes más que en mi fantasía, te lo repito, y como no debes ni puedes hacer sino lo que a mí me dé la gana, y como no me da la real gana de que te suicides, no te suicidarás. ¡Lo dicho!

—Eso de no me da la real gana, señor de Unamuno, es muy español, pero es muy feo. Y además, aun supo-

niendo su ~~absurd~~ peregrina teoría de que yo no existo de veras
y usted sí, de que yo no soy más que un ente de ficción,
producto de la fantasía novelesca o *nivolesca* de usted, aun
en ese caso yo no debo estar sometido a lo que llama usted su real gana, a su capricho. Hasta los llamados entes
de ficción tienen su lógica interna...

—Sí, conozco esa cantata.

—En efecto; un novelista, un dramaturgo, no pueden
hacer en absoluto lo que se les antoje de un personaje que
creen; un ente de ficción novelesca no puede hacer, en buena ley de arte, lo que ningún lector esperaría que hiciese...

—Un ser novelesco tal vez...

—¿Entonces?

—Pero un ser *nivolesco*...

—Dejemos esas bufonadas que me ofenden y me hie-
ren en lo más vivo. Yo, sea por mí mismo, según creo,
sea porque usted me lo ha dado, según supone usted, tengo mi carácter, mi modo de ser, mi lógica interior, y esta
lógica me pide que me suicide...

—¡Eso te creerás tú, pero te equivocas!

—A ver, ¿por qué me equivoco? ¿en qué me equivoco?
Muéstreme usted en qué está mi equivocación. Como la
ciencia más difícil que hay es la de conocerse uno a sí mismo, fácil es que esté yo equivocado y que no sea el suicidio la solución más lógica de mis desventuras, pero
demuéstremelo usted. Porque si es difícil, amigo don
Miguel, ese conocimiento propio de sí mismo, hay otro
conocimiento que me parece no menos difícil que el...

—¿Cuál es? —le pregunté.

Me miró con una enigmática y socarrona sonrisa y lentamente me dijo:

—Pues más difícil aún que el que uno se conozca a sí
mismo es el que un novelista o un autor dramático conozca bien a los personajes que finge o cree fingir...

Empezaba yo a estar inquieto con estas salidas de
Augusto, y a perder mi paciencia.

—E insisto —añadió— en que aun concedido que usted me haya dado el ser y un ser ficticio, no puede usted,

así como así y porque sí, porque le dé la real gana, como dice, impedirme que me suicide.

—¡Bueno, basta! ¡basta! —exclamé dando un puñetazo en la camilla— ¡cállate! ¡no quiero oír más impertinencias...! ¡Y de una criatura mía! Y como ya me tienes harto y además no sé ya qué hacer de ti, decido ahora mismo no ya que no te suicides, sino matarte yo. ¡Vas a morir, pues, pero pronto! ¡Muy pronto!

—¿Cómo? —exclamó Augusto sobresaltado— ¿que me va usted a dejar morir, a hacerme morir, a matarme?

—¡Sí, voy a hacer que mueras!

—¡Ah, eso nunca! ¡nunca! ¡nunca! —gritó.

—¡Ah! —le dije mirándole con lástima y rabia—. ¿Conque estabas dispuesto a matarte y no quieres que yo te mate? ¿Conque ibas a quitarte la vida y te resistes a que te la quite yo?

—Sí, no es lo mismo...

—En efecto, he oído contar casos análogos. He oído de uno que salió una noche armado de un revólver y dispuesto a quitarse la vida, salieron unos ladrones a robarle, le atacaron, se defendió, mató a uno de ellos, huyeron los demás, y al ver que había comprado su vida por la de otro renunció a su propósito.

—Se comprende —observó Augusto—; la cosa era quitar a alguien la vida, matar un hombre, y ya que mató a otro, ¿a qué había de matarse? Los más de los suicidas son homicidas frustrados; se matan a sí mismos por falta de valor para matar a otros...

—¡Ah, ya, te entiendo, Augusto, te entiendo! Tú quieres decir que si tuvieses valor para matar a Eugenia o a Mauricio o a los dos no pensarías en matarte a ti mismo, ¿eh?

—¡Mire usted, precisamente a esos... no!

—¿A quién, pues?

—¡A usted! —y me miró a los ojos.

—¿Cómo? —exclamé poniéndome en pie— ¿cómo? Pero ¿se te ha pasado por la imaginación matarme? ¿tú? ¿y a mí?

—Siéntese y tenga calma. ¿O es que cree usted, amigo don Miguel, que sería el primer caso en que un ente de ficción, como usted me llama, matara a aquel a quien creyó darle ser... ficticio?

—¡Esto ya es demasiado —decía yo paseándome por mi despacho—, esto pasa de la raya! Esto no sucede más que...

—Más que en las *nivolas* —concluyó él con sorna.

—¡Bueno, basta! ¡basta! ¡basta! ¡Esto no se puede tolerar! ¡Vienes a consultarme, a mí, y tú! Empiezas por discutirme mi propia existencia, después el derecho que tengo a hacer de ti lo que me dé la real gana, sí, así como suena, lo que me dé la real gana, lo que me salga de...

—No sea usted tan español, don Miguel...

—¡Y eso más, mentecato! ¡Pues sí, soy español, español de nacimiento, de educación, de cuerpo, de espíritu, de lengua y hasta de profesión y oficio; español sobre todo y ante todo, y el españolismo es mi religión, y el cielo en que quiero creer es una España celestial y eterna y mi Dios un Dios español, el de Nuestro Señor Don Quijote, un Dios que piensa en español y en español dijo: ¡sea la luz!, y su verbo fue verbo español...

—Bien, ¿y qué? —me interrumpió, volviéndome a la realidad.

—Y luego has insinuado la idea de matarme. ¿Matarme? ¿a mí? ¿tú? ¡Morir yo a manos de una de mis criaturas! No tolero más. Y para castigar tu osadía y esas doctrinas disolventes, extravagantes, anárquicas, con que te me has venido, resuelvo y fallo que te mueras. En cuanto llegues a tu casa te morirás. ¡Te morirás, te lo digo, te morirás!

—Pero ¡por Dios!... —exclamó Augusto, ya suplicante y de miedo tembloroso y pálido.

—No hay Dios que valga. ¡Te morirás!

—Es que yo quiero vivir, don Miguel, quiero vivir, quiero vivir...

—¿No pensabas matarte?

—¡Oh, si es por eso, yo le juro, señor de Unamuno,

que no me mataré, que no me quitaré esta vida que Dios
o usted me han dado; se lo juro... Ahora que usted quiere matarme quiero yo vivir, vivir, vivir...

—¡Vaya una vida! —exclamé.

—Sí, la que sea. Quiero vivir, aunque vuelva a ser burlado, aunque otra Eugenia y otro Mauricio me desgarren
el corazón. Quiero vivir, vivir, vivir...

—No puede ser ya... no puede ser...

—Quiero vivir, vivir... y ser yo, yo, yo...

—Pero si tú no eres sino lo que yo quiera...

—¡Quiero ser yo, ser yo! ¡quiero vivir! —y le lloraba
la voz.

—No puede ser... no puede ser...

—Mire usted, don Miguel, por sus hijos, por su mujer,
por lo que más quiera... Mire que usted no será usted...
que se morirá.

Cayó a mis pies de hinojos, suplicante y exclamando:

—¡Don Miguel, por Dios, quiero vivir, quiero ser yo!

—¡No puede ser, pobre Augusto —le dije cojiéndole
una mano y levantándole—, no puede ser! Lo tengo ya
escrito y es irrevocable; no puedes vivir más. No sé qué
hacer ya de ti. Dios, cuando no sabe qué hacer de nosotros, nos mata. Y no se me olvida que pasó por tu mente
la idea de matarme...

—Pero si yo, don Miguel...

—No importa; sé lo que me digo. Y me temo que, en
efecto, si no te mato pronto acabes por matarme tú.

—Pero ¿no quedamos en que...?

—No puede ser, Augusto, no puede ser. Ha llegado tu
hora. Está ya escrito y no puedo volverme atrás. Te morirás. Para lo que ha de valerte ya la vida...

—Pero... por Dios...

—No hay pero ni Dios que valgan. ¡Vete!

—¿Conque no, eh? —me dijo— ¿conque no? No quie-
re usted dejarme ser yo, salir de la niebla, vivir, vivir, vivir, verme, oírme, tocarme, sentirme, dolerme, serme:
¿conque no lo quiere? ¿conque he de morir ente de ficción? Pues bien, mi señor creador don Miguel, ¡también

usted se morirá, también usted, y se volverá a la nada de que salió...! ¡Dios dejará de soñarle! ¡Se morirá usted, sí, se morirá, aunque no lo quiera; se morirá usted y se morirán todos los que lean mi historia, todos, todos, todos sin quedar uno! ¡Entes de ficción como yo; lo mismo que yo! Se morirán todos, todos, todos. Os lo digo yo, Augusto Pérez, ente ficticio como vosotros, *nivolesco* lo mismo que vosotros. Porque usted, mi creador, mi don Miguel, no es usted más que otro ente *nivolesco,* y entes *nivolescos* sus lectores, lo mismo que yo, que Augusto Pérez, que su víctima...

—¿Víctima? —exclamé.

—¡Víctima, sí! ¡Crearme para dejarme morir! ¡Usted también se morirá! El que crea se crea y el que se crea se muere. ¡Morirá usted, don Miguel, morirá usted, y morirán todos los que me piensen! ¡A morir, pues!

Este supremo esfuerzo de pasión de vida, de ansia de inmortalidad, le dejó extenuado al pobre Augusto.

Y le empujé a la puerta, por la que salió cabizbajo. Luego se tanteó como si dudase ya de su propia existencia. Yo me enjugué una lágrima furtiva.

XXXII

Aquella misma noche se partió Augusto de esta ciudad de Salamanca adonde vino a verme. Fuese con la sentencia de muerte sobre el corazón y convencido de que no le sería ya hacedero, aunque lo intentara, suicidarse. El pobrecillo, recordando mi sentencia, procuraba alargar lo más posible su vuelta a su casa, pero una misteriosa atracción, un impulso íntimo le arrastraba a ella. Su viaje fue lamentable. Iba en el tren contando los minutos, pero contándolos al pie de la letra: uno, dos, tres, cuatro... Todas sus desventuras, todo el triste ensueño de sus amores con Eugenia y con Rosario, toda la historia tragicómica de su frustrado casamiento habíanse borrado de su memoria o habíanse más bien fundido en una niebla. Apenas si sentía el contacto del asiento sobre que descansaba ni el peso de su propio cuerpo. «¿Será verdad que no existo realmente? —se decía— ¿tendrá razón este hombre al decir que no soy más que un producto de su fantasía, un puro ente de ficción?»

Tristísima, dolorosísima había sido últimamente su vida, pero le era mucho más triste, le era más doloroso pensar que todo ello no hubiese sido sino sueño, y no sueño de él, sino sueño mío. La nada le parecía más pavorosa que el dolor. ¡Soñar uno que vive... pase, pero que le sueñe otro...!

«Y ¿por qué no he de existir yo? —se decía— ¿por qué? Supongamos que es verdad que ese hombre me ha fingido, me ha soñado, me ha producido en su imaginación; pero ¿no vivo ya en las de otros, en las de aquellos que lean el relato de mi vida? Y si vivo así en las fantasías de varios, ¿no es acaso real lo que es de varios y no de uno solo? Y ¿por qué surgiendo de las páginas del libro en que se deposite el relato de mi ficticia vida, o más bien de las mentes de aquellos que la lean —de vosotros, los que ahora la leéis—, por qué no he de existir como un alma eterna y eternamente dolorosa? ¿por qué?»

El pobre no podía descansar. Pasaban a su vista los páramos castellanos, ya los encinares, ya los pinares; contemplaba las cimas nevadas de las sierras, y viendo hacia atrás, detrás de su cabeza, envueltas en bruma las figuras de los compañeros y compañeras de su vida, sentíase arrastrado a la muerte.

Llegó a su casa, llamó, y Liduvina, que salió a abrirle, palideció al verle.

—¿Qué es eso, Liduvina, de qué te asustas?

—¡Jesús! ¡Jesús! El señorito parece más muerto que vivo... Trae cara de ser del otro mundo...

—Del otro mundo vengo, Liduvina, y al otro mundo voy. Y no estoy ni muerto ni vivo.

—Pero ¿es que se ha vuelto loco? ¡Domingo! ¡Domingo!

—No llames a tu marido, Liduvina. Y no estoy loco, ¡no! Ni estoy, te repito, muerto, aunque me moriré muy pronto, ni tampoco vivo.

—Pero ¿qué dice usted?

—Que no existo, Liduvina, que no existo; que soy un ente de ficción, como un personaje de novela...

—¡Bah, cosas de libros! Tome algo fortificante, acuéstese, arrópese y no haga caso de esas fantasías...

—Pero ¿tú crees Liduvina, que yo existo?

—¡Vamos, vamos, déjese de esas andróminas, señorito; a cenar y a la cama! ¡Y mañana será otro día!

«Pienso, luego soy —se decía Augusto, añadiéndose—:

Todo lo que piensa es y todo lo que es piensa. Sí, todo lo que es piensa. Soy, luego pienso.»

Al pronto no sentía ganas ningunas de cenar, y no más que por hábito y por acceder a los ruegos de sus fieles sirvientes pidió le sirviesen un par de huevos pasados por agua, y nada más, una cosa ligerita. Mas a medida que iba comiéndoselos abríasele un extraño apetito, una rabia de comer más y más. Y pidió otros dos huevos, y después un bisteque.

—Así, así —le decía Liduvina—; coma usted; eso debe de ser debilidad y no más. El que no come se muere.

—Y el que come también, Liduvina —observó tristemente Augusto.

—Sí, pero no de hambre.

—¿Y qué más da morirse de hambre que de otra enfermedad cualquiera?

Y luego pensó: «Pero ¡no, no! ¡yo no puedo morirme; sólo se muere el que está vivo, el que existe, y yo, como no existo, no puedo morirme... soy inmortal! No hay inmortalidad como la de aquello que, cual yo, no ha nacido y no existe. Un ente de ficción es una idea, y una idea es siempre inmortal...»

—¡Soy inmortal! ¡soy inmoral! —exclamó Augusto.

—¿Qué dice usted? —acudió Liduvina.

—Que me traigas ahora... ¡qué sé yo!... jamón en dulce, fiambres, *foiegras,* lo que haya... ¡Siento un apetito voraz!

—Así me gusta verle, señorito, así. ¡Coma, coma, que el que tiene apetito es que está sano y el que está sano vive!

—Pero, Liduvina, ¡yo no vivo!

—Pero ¿qué dice?

—Claro, yo no vivo. Los inmortales no vivimos, y yo no vivo, sobrevivo; ¡yo soy idea! ¡soy idea!

Empezó a devorar el jamón en dulce. «Pero si como —se decía—, ¿cómo es que no vivo? ¡Como, luego existo! No cabe duda alguna. *Edo, ergo sum!* ¿A qué se deberá este voraz apetito?» Y entonces recordó haber leído varias veces que los condenados a muerte en las horas que pasan en capilla se dedican a comer. «¡Es cosa —pensaba— de que nunca he podido darme cuenta...! Aquello otro que nos cuenta Renán en su *Abadesa de Jouarre* se comprende... Se comprende que una pareja de condenados a muerte, antes de morir, sientan el instinto de sobrevivirse reproduciéndose, pero ¡comer...! Aunque sí, sí, es el cuerpo que se defiende. El alma, al enterarse de que va a morir, se entristece o se exalta, pero el cuerpo, si es un cuerpo sano, entra en apetito furioso. Porque también el cuerpo se entera. Sí, es mi cuerpo, mi cuerpo el que se defiende. ¡Como vorazmente, luego voy a morir!»

—Liduvina, tráeme queso y pastas... y fruta...

—Esto ya me parece excesivo, señorito; es demasiado. ¡Le va a hacer daño!

—¿Pues no decías que el que come vive?

—Sí, pero no así, como está usted comiendo ahora... Y ya sabe mi señorito aquello de «más mató la cena, que sanó Avicena».

—A mí no puede matarme la cena.

—¿Por qué?

—Porque no vivo, no existo, ya te lo he dicho.

Liduvina fue a llamar a su marido, a quien dijo:

—Domingo, me parece que el señorito se ha vuelto loco... Dice unas cosas muy raras... cosas de libros... que no existe... qué sé yo...

—¿Qué es eso, señorito? —le dijo Domingo entrando—, ¿qué le pasa?

—¡Ay, Domingo —contestó Augusto con voz de fantasma—, no lo puedo remediar; siento un terror loco a acostarme!...

—Pues no se acueste.

—No, no, es preciso; no puedo tenerme en pie.

—Yo creo que el señorito debe pasear la cena. Ha cenado en demasía.

Intentó ponerse en pie Augusto.

—¿Lo ves, Domingo, lo ves? No puedo tenerme en pie.

—Claro, con tanto embutir en el estómago...

—Al contrario, con lastre se tiene uno mejor en pie. Es

que no existo. Mira, ahora poco, al cenar me parecía como si todo eso me fuese cayendo desde la boca en un tonel sin fondo. El que come vive, tiene razón Liduvina, pero el que come como he comido yo esta noche, por desesperación, es que no existe. Yo no existo...

—Vaya, vaya, déjese de bobadas; tome su café y su copa, para empujar todo eso y asentarlo, y vamos a dar un paseo. Le acompañaré yo.

—No, no puedo tenerme en pie, ¿lo ves?

—Es verdad.

—Ven que me apoye en ti. Quiero que esta noche duermas en mi cuarto, en un colchón que pondremos para ti, que me veles...

—Mejor será, señorito, que yo no me acueste, sino que me quede allí, en una butaca...

—No, no, quiero que te acuestes y que te duermas; quiero sentirte dormir, oírte roncar mejor...

—Como usted quiera...

—Y ahora, mira, tráeme un pliego de papel. Voy a poner un telegrama, que enviarás a su destino así que yo me muera...

—Pero ¡señorito!...

—¡Haz lo que te digo!

Domingo obedeció, llevóle el papel y el tintero y Augusto escribió:

«Salamanca.

Unamuno.

Se salió usted con la suya. He muerto.

Augusto Pérez.»

—En cuanto me muera lo envías, ¿eh?

—Como usted quiera —contestó el criado por no discutir más con el amo.

Fueron los dos al cuarto. El pobre Augusto temblaba de tal modo al ir a desnudarse que no podía ni aun cojerse las ropas para quitárselas.

—¡Desnúdame tú! —le dijo a Domingo.

—Pero ¿qué le pasa a usted, señorito? ¡Si parece que le ha visto el diablo! Está usted blanco y frío como la nieve. ¿Quiere que se le llame al médico?

—No, no, es inútil.

—Le calentaremos la cama...

—¿Para qué? ¡Déjalo! Y desnúdame del todo, del todo; déjame como mi madre me parió, como nací... ¡si es que nací!

—¡No diga usted esas cosas, señorito!

—Ahora échame, échame tú mismo a la cama, que no me puedo mover.

El pobre Domingo, aterrado a su vez, acostó a su pobre amo.

—Y ahora, Domingo, ve diciéndome al oído, despacito, el padre nuestro, el ave maría y la salve. Así... así... poco a poco... poco a poco... —y después que los hubo repetido mentalmente—: Ahora, mira, cójeme la mano derecha, sácamela, me parece que no es mía, como si la hubiese perdido... y ayúdame a que me persigne... así... así... Este brazo debe de estar muerto... Mira a ver si tengo pulso... Ahora déjame, déjame a ver si duermo un poco... pero tápame, tápame bien...

—Sí, mejor es que duerma —le dijo Domingo, mientras le subía el embozo de las mantas—; esto se le pasará durmiendo...

—Sí, durmiendo se me pasará... Pero, di ¿es que no he hecho nunca más que dormir? ¿más que soñar? ¿Todo eso ha sido más que una niebla?

—Bueno, bueno, déjese de esas cosas. Todo eso no son sino cosas de libros, como dice mi Liduvina.

—Cosas de libros... cosas de libros... ¿Y qué no es cosa de libros, Domingo? ¿Es que antes de haber libros en una u otra forma, antes de haber relatos, de haber palabra, de haber pensamiento, había algo? ¿Y es que después de acabarse el pensamiento quedará algo? ¡Cosas de libros! ¿Y quién no es cosa de libros? ¿Conoces a don Miguel de Unamuno, Domingo?

—Sí, algo he leído de él en los papeles. Dicen que es un señor un poco raro que se dedica a decir verdades que no hacen al caso...

—Pero ¿le conoces?

—¿Yo? ¿para qué?

—Pues también Unamuno es cosa de libros... Todos lo somos... ¡Y él se morirá, sí, se morirá, se morirá también, aunque no lo quiera... se morirá! Y esa será mi venganza. ¿No quiere dejarme vivir? ¡Pues se morirá, se morirá, se morirá!

—¡Bueno, déjele en paz a ese señor, que se muera cuando Dios lo haga, y usted a dormirse!

—A dormir... a dormir... a soñar...

¡Morir... dormir... dormir... soñar acaso...!

—Pienso, luego soy; soy, luego pienso... ¡No existo, no! ¡no existo... madre mía! Eugenia... Rosario... Unamuno... —y se quedó dormido.

Al poco rato se incorporó en la cama lívido, anhelante, con los ojos todos negros y despavoridos, mirando más allá de las tinieblas, y gritando: «¡Eugenia, Eugenia!» Domingo acudió a él. Dejó caer la cabeza sobre el pecho y se quedó muerto.

Cuando llegó el médico se imaginó al pronto que aún vivía, habló de sangrarle, de ponerle sinapismos, pero pronto pudo convencerse de la triste verdad.

—Ha sido cosa del corazón... un ataque de asistolia —dijo el médico.

—No, señor —contestó Domingo—, ha sido un asiento. Cenó horriblemente, como no acostumbraba, de una manera desusada en él, como si quisiera...

—Sí, desquitarse de lo que no habría de comer en adelante, ¿no es eso? Acaso el corazón presintió su muerte.

—Pues yo —dijo Liduvina— creo que ha sido de la cabeza. Es verdad que cenó de un modo disparatado, pero como sin darse cuenta de lo que hacía y diciendo disparates...

—¿Qué disparates? —preguntó el médico.

—Que él no existía y otras cosas así...

—¿Disparates? —añadió el médico entre dientes y cual hablando consigo mismo—, ¿quién sabe si existía o no, y menos él mismo...? Uno mismo es quien menos sabe de su existencia... No se existe sino para los demás...

Y luego en voz alta agregó:

—El corazón, el estómago y la cabeza son los tres una sola y misma cosa.

—Sí, forman parte del cuerpo —dijo Domingo.

—Y el cuerpo es una sola y misma cosa.

—¡Sin duda!

—Pero más que usted lo cree...

—¿Y usted sabe, señor mío, cuánto lo creo yo?

—También es cierto, y veo que no es usted torpe.

—No me tengo por tal, señor médico, y no comprendo a esas gentes que a cualquier persona con quien tropiezan parecen estimarla tonta mientras no pruebe lo contrario.

—Bueno, pues, como iba diciendo —siguió el médico—, el estómago elabora los jugos que hacen la sangre, el corazón riega con ellos a la cabeza y al estómago para que funcione, y la cabeza rige los movimientos del estómago y del corazón. Y por lo tanto este señor don Augusto ha muerto de las tres cosas, de todo el cuerpo, por síntesis.

—Pues yo creo —intervino Liduvina— que a mi señorito se le había metido en la cabeza morirse y, ¡claro!, el que se empeña en morir, al fin se muere.

—¡Es claro! —dijo el médico—. Si uno no creyese morirse, ni aun hallándose en la agonía, acaso no moriría. Pero así que le entre la menor duda de que no puede menos de morir, está perdido.

—Lo de mi señorito ha sido un suicidio y nada más que un suicidio. Ponerse a cenar como cenó viniendo como venía es un suicidio y nada más que un suicidio. ¡Se salió con la suya!

—Disgustos acaso...

—Y grandes, ¡muy grandes! ¡mujeres!

—¡Ya, ya! Pero, en fin, la cosa no tiene ya otro remedio que preparar el entierro.

Domingo lloraba.

XXXIII

Cuando recibí el telegrama comunicándome la muerte del pobre Augusto, y supe luego las circunstancias todas de ella, me quedé pensando en si hice o no bien en decirle lo que le dije la tarde aquella en que vino a visitarme y consultar conmigo su propósito de suicidarse. Y hasta me arrepentí de haberle matado. Llegué a pensar que tenía él razón y que debí haberle dejado salirse con la suya, suicidándose. Y se me ocurrió si le resucitaría.

«Sí —me dije—, voy a resucitarle y que haga luego lo que se le antoje, que se suicide si es así su capricho.» Y con esta idea de resucitarle me quedé dormido.

A poco de haberme dormido se me apareció Augusto en sueños. Estaba blanco, con la blancura de una nube, y sus contornos iluminados como por un sol poniente. Me miró fijamente y me dijo:

—¡Aquí estoy otra vez!

—¿A qué vienes? —le dije.

—A despedirme de usted, don Miguel, a despedirme de usted hasta la eternidad y a mandarle, así, a mandarle, no a rogarle, a mandarle que escriba usted la *nivola* de mis aventuras...

—¡Está ya escrita!

—Lo sé, todo está escrito. Y vengo también a decirle que eso que usted ha pensado de resucitarme para que luego me quite yo a mí mismo vida es un disparate, más aún, es una imposibilidad...

—¿Imposibilidad? —le dije yo; por supuesto, todo esto en sueños.

—¡Sí, una imposibilidad! Aquella tarde en que nos vimos y hablamos en el despacho de usted, ¿recuerda?, estando usted despierto y no como ahora, dormido y soñando, le dije a usted que nosotros, los entes de ficción, según usted, tenemos nuestra lógica y que no sirve que quien nos finge pretenda hacer de nosotros lo que le dé la gana, ¿recuerda?

—Sí que lo recuerdo.

—Y ahora de seguro que, aunque tan español, no tendrá usted real gana de nada, ¿verdad, don Miguel?

—No, no siento gana de nada.

—No, el que duerme y sueña no tiene reales ganas de nada. Y usted y sus compatriotas duermen y sueñan, y sueñan que tienen ganas, pero no las tienen de veras.

—Da gracias a que estoy durmiendo —le dije—, que si no...

—Es igual. Y respecto a eso de resucitarme he de decirle que no le es hacedero, que no lo puede aunque lo quiera o aunque sueñe que lo quiere...

—Pero ¡hombre!

—Sí, a un ente de ficción, como a uno de carne y hueso, a lo que llama usted hombre de carne y hueso y no de ficción de carne y de ficción de hueso, puede uno engendrarlo y lo puede matar; pero una vez que lo mató no puede, ¡no!, no puede resucitarlo. Hacer un hombre mortal y carnal, de carne y hueso, que respire aire, es cosa fácil, muy fácil, demasiado fácil por desgracia... matar a un hombre mortal y carnal, de carne y hueso, que respire aire, es cosa fácil, muy fácil, demasiado fácil por desgracia... pero ¿resucitarlo?, ¡resucitarlo es imposible!

—¡En efecto —le dije—, es imposible!

—Pues lo mismo —me contestó—, exactamente lo mismo sucede con eso que usted llama entes de ficción; es fácil darnos ser, acaso demasiado fácil, y es fácil, facilísimo, matarnos, acaso demasiadamente demasiado fácil, pero ¿resucitarnos?, no hay quien haya resucitado de veras a un ente de ficción que de veras se hubiese muerto. ¿Cree usted posible resucitar a don Quijote? —me preguntó.

—¡Imposible! —contesté.

—Pues en el mismo caso estamos todos los demás entes de ficción.

—¿Y si te vuelvo a soñar?

—No se sueña dos veces el mismo sueño. Ese que usted vuelva a soñar y crea soy yo será otro. Y ahora, ahora que está usted dormido y soñando y que reconoce usted estarlo y que yo soy un sueño y reconozco serlo, ahora vuelvo a decirle a usted lo que tanto le excitó cuando la otra vez se lo dije: mire usted, mi querido don Miguel, no vaya a ser que sea usted el ente de ficción, el que no existe en realidad, ni vivo ni muerto... no vaya a ser que no pase usted de un pretexto para que mi historia, y otras historias como la mía, corran por el mundo. Y luego, cuando usted se muera del todo, llevemos su alma nosotros. No, no, no se altere usted, que aunque dormido y soñando aún vivo. ¡Y ahora, adiós!

Y se disipó en la niebla negra.

Yo soñé luego que me moría, y en el momento mismo en que soñaba dar el último respiro me desperté con cierta opresión en el pecho.

Y aquí está la historia de Augusto Pérez.

ORACIÓN FÚNEBRE

POR MODO DE EPÍLOGO

Suele ser costumbre al final de las novelas y luego que muere o se casa el héroe o protagonista dar noticia de la suerte que corrieron los demás personajes. No la vamos a seguir aquí ni a dar por consiguiente noticia alguna de cómo les fue a Eugenia y Mauricio, a Rosario, a Liduvina y Domingo, a don Fermín y doña Ermelinda, a Víctor y su mujer y a todos los demás que en torno a Augusto se nos han presentado, ni vamos siquiera a decir lo que de la singular muerte de éste sintieron y pensaron. Sólo haremos una excepción y es en favor del que más honda y más sinceramente sintió la muerte de Augusto, que fue su perro, Orfeo.

Orfeo, en efecto, encontróse huérfano. Cuando saltando en la cama olió a su amo muerto, olió la muerte de su amo, envolvió a su espíritu perruno una densa nube negra. Tenía experiencia de otras muertes, había olido y visto perros y gatos muertos, había matado algún ratón, había olido muertes de hombres, pero a su amo le creía inmortal. Porque su amo era para él como un dios. Y al sentirle ahora muerto sintió que se desmoronaban en su espíritu los fundamentos todos de su fe en la vida y en el mundo, y una inmensa desolación llenó su pecho.

Y acurrucado a los pies de su amo muerto pensó así:

«¡Pobre amo mío! ¡pobre amo mío! ¡Se ha muerto; se me ha muerto! ¡Se muere todo, todo, todo; todo se me muere! Y es peor que se me muera todo a que me muera para todo yo. ¡Pobre amo mío! ¡pobre amo mío! Esto que aquí yace, blanco, frío, con olor a próxima podredumbre, a carne de ser comida, esto ya no es mi amo. No, no lo es. ¿Dónde se fue mi amo? ¿dónde el que me acariciaba, el que me hablaba?

»¡Qué extraño animal es el hombre! Nunca está en lo que tiene delante. Nos acaricia sin que sepamos por qué y no cuando le acariciamos más, y cuando más a él nos rendimos nos rechaza o nos castiga. No hay modo de saber lo que quiere, si es que lo sabe él mismo. Siempre parece estar en otra cosa que en lo que está, y ni mira a lo que mira. Es como si hubiese otro mundo para él. Y es claro, si hay otro mundo, no hay éste.

»Y luego habla, o ladra de un modo complicado. Nosotros aullábamos y por imitarle aprendimos a ladrar, y ni aun así nos entendemos con él. Sólo le entendemos de veras cuando él también aúlla. Cuando el hombre aúlla o grita o amenaza le entendemos muy bien los demás animales. ¡Como que entonces no está distraído en otro mundo...! Pero ladra a su manera, habla, y eso le ha servido para inventar lo que no hay y no fijarse en lo que hay. En cuanto le ha puesto un nombre a algo, ya no ve este algo; no hace sino oír el nombre que le puso o verlo escrito. La lengua le sirve para mentir, inventar lo que no hay y confundirse. Y todo es en él pretextos para hablar con los demás o consigo mismo. ¡Y hasta nos ha contagiado a los perros!

»Es un animal enfermo, no cabe duda. ¡Siempre está enfermo! ¡Sólo parece gozar de alguna salud cuando duerme, y no siempre, porque a las veces hasta durmiendo habla! Y esto también nos ha contagiado. ¡Nos ha contagiado tantas cosas!

»¡Y luego nos insulta! Llama cinismo, esto es, perrismo o perrería, a la impudencia o sinvergüencería, él, el animal hipócrita por excelencia. El lenguaje le ha hecho hipócrita. Como que la hipocresía debería llamarse antropismo si es que a la impudencia se le llama cinismo. ¡Y ha querido hacernos hipócritas, es decir, cómicos, farsantes, a nosotros, a los perros! A los perros, que no fuimos sometidos y domesticados por el hombre como el toro o el caballo, a la fuerza, sino que nos unimos a él libremente, en pacto sinalagmático [58], para explotar la caza. Nosotros le descubríamos la pieza, él la cazaba y nos daba nuestra parte. Y así, en contrato social, nació nuestro consorcio.

»Y nos lo ha pagado prostituyéndonos e insultándonos. ¡Y queriendo hacernos farsantes, monos y perros sabios! ¡Perros sabios llaman a unos perros a los que les enseñan a representar farsas, para lo cual les visten y les adiestran a andar indecorosamente sobre las patas traseras, en pie! ¡Perros sabios! ¡A eso le llaman los hombres sabiduría, a representar farsas y a andar sobre dos pies!

»¡Y es claro, el perro que se pone en dos pies va enseñando impúdica, cínicamente, sus vergüenzas, de cara! Así hizo el hombre al ponerse de pie, al convertirse en un mamífero vertical, y sintió al punto vergüenza y la necesidad moral de taparse las vergüenzas que enseñaba. Y por eso dice su Biblia, según les he oído, que el primer hombre, es decir, el primero de ellos que se puso a andar en dos pies, sintió vergüenza de presentarse desnudo ante su Dios. Y para eso inventaron el vestido, para cubrirse el sexo. Pero como empezaron vistiéndose lo mismo ellos y ellas, no se distinguían entre sí, no se conocían siempre y bien el sexo, y de aquí mil atrocidades... humanas, que ellos se empeñan en llamar perrunas o cínicas. Ellos, los hombres, que son quienes nos han pervertido a los perros, quienes nos han hecho perrunos, cínicos, que es nuestra hipocresía. Porque el cinismo es en el perro hipocresía, así como en el hombre la hipocresía es cinismo. Nos hemos contagiado unos a otros.

---

[58] *sinalagmático:* Palabra griega que significa obligatorio de una y otra parte.

»Se vistió el hombre, primero, con el mismo traje ellos y ellas; mas como se confundían, tuvieron que inventar diferencia de trajes y llevar el sexo al vestido. Esos pantalones no son sino una consecuencia de haberse el hombre puesto en dos pies.

»¡Qué extraño animal es el hombre! ¡No está nunca en donde debe estar, que es a lo que está, y habla para mentir y se viste!

»¡Pobre amo! Dentro de poco le enterrarán en un sitio que para eso tienen destinado. ¡Los hombres guardan o almacenan sus muertos, sin dejar que perros o cuervos los devoren! Y que quede lo único que todo animal, empezando por el hombre, deja en el mundo: unos huesos. ¡Almacenan sus muertos! ¡Un animal que habla, que se viste y que almacena sus muertos! ¡Pobre hombre!

»¡Pobre amo mío! ¡pobre amo mío! ¡Fue un hombre, sí, no fue más que un hombre, fue sólo un hombre! ¡Pero fue mi amo! ¡Y cuánto, sin él creerlo ni pensarlo, me debía...! ¡cuánto! ¡Cuánto le enseñé con mis silencios, con mis lametones, mientras él me hablaba, me hablaba, me hablaba! "¿Me entenderás?", me decía. Y sí, yo le entendía, le entendía mientras él me hablaba hablándose y hablaba, hablaba, hablaba. Él al hablarme así hablándose hablaba al perro que había en él. Yo mantuve despierto su cinismo.

»¡Perra vida la que ha llevado, muy perra! ¡Y grandísima perrería, o mejor, grandísima hombrada la que le han hecho esos dos! ¡Hombrada la que Mauricio le ha hecho; mujerada la que le ha hecho Eugenia! ¡Pobre amo mío!

»Y ahora aquí, frío y blanco, inmóvil, vestido, sí, pero sin habla ni por fuera ni por dentro. Ya nada tienes que decir a tu Orfeo. Tampoco tiene ya nada que decirte Orfeo con su silencio.

»¡Pobre amo mío! ¿Qué será ahora de él? ¿Dónde estará aquello que en él hablaba y soñaba? Tal vez allá arriba, en el mundo puro, en la alta meseta de la tierra, en la tierra pura toda ella de colores puros, como la vio Pla-

tón, al que los hombres llaman divino; en aquella sobre-
haz terrestre de que caen las piedras preciosas, donde están los hombres puros y los purificados bebiendo aire y
respirando éter. Allí están también los perros puros, los
de San Humberto el cazador, el de Santo Domingo de
Guzmán con su antorcha en la boca, el de San Roque,
de quien decía un predicador señalando a su imagen: ¡Allí
le tenéis a San Roque, con su perrito y todo! Allí, en el
mundo puro platónico, en el de las ideas encarnadas, está
el perro puro, el perro de veras cínico. ¡Y allí está mi amo!

»Siento que mi espíritu se purifica al contacto de esta
muerte, de esta purificación de mi amo, y que aspira hacia
la niebla en que él al fin se deshizo, a la niebla de que brotó
y a que revertió. Orfeo siente venir la niebla tenebrosa...
Y va hacia su amo saltando y agitando el rabo. ¡Amo mío!
¡Amo mío! ¡Pobre hombre!»

Domingo y Liduvina recojieron luego al pobre perro
muerto a los pies de su amo, depurado como éste y como
él envuelto en la nube tenebrosa. Y el pobre Domingo,
al ver aquello, se enterneció y lloró, no se sabe bien si por
la muerte de su amo o por la del perro, aunque lo más
creíble es que lloró al ver aquel maravilloso ejemplo de
lealtad y fidelidad. Y dijo:

—¡Y luego dirán que no matan las penas!

APÉNDICE DIDÁCTICO

por Heilette van Ree

DOCUMENTACIÓN COMPLEMENTARIA

1. SOBRE LA INTERIORIZACIÓN DE LA NOVELA

Parte del ensayo «¡Adentro!» de Miguel de Unamuno, texto esencial para entender la literatura española de comienzos del siglo XX:

> No quieras influir en eso que llaman la marcha de la cultura, ni en el ambiente social, ni en tu pueblo, ni en tu época, y mucho menos en el progreso de las ideas, que andan solas. No en el progreso de las ideas, no, sino en el crecimiento de las almas, en cada alma, en una sola alma y basta. Lo uno es para vivir en la Historia; para vivir en la eternidad lo otro. Busca antes las bendiciones silenciosas de pobres almas esparcidas acá y allá, que veinte líneas en las historias de los siglos. O más bien, busca aquello y se te dará esto de añadidura. No quieras influir sobre el ambiente ni en eso que llaman señalar rumbos a la sociedad. Las necesidades de cada uno son las más universales, porque son las de todos. Coge a cada uno, si puedes, por separado y a solas, en su camarín, e inquiétalo por dentro, porque quien no conoció la inquietud jamás conocerá el descanso. Sé confesor más que predicador. Comunícate con el alma de cada uno y no con la colectividad.
>
> ¡Qué alegría, qué entrañable alegría te mecerá el espíritu cuando vayas solo, solo entre todos, solo en tu compañía, contra el consejo de tus amigos, que quieren que hagas economía política o psicología fisiológica o crítica literaria! La cosa es que no des tu espíritu, que lo ahogues, porque les molestas con él. Has de darles tu in-

teligencia tan sólo, lo que no es tuyo, has de darles el escarchado del ambiente social sobre ti, sin ir a hurgarles el rinconcito de la inquietud eterna, no has de comulgar con tres o cuatro de tus hermanos, sino traspasar ideas coherentes y lógicas a trescientos o cuatrocientos, o a treinta mil o cuarenta mil que no pueden, o no quieren o no saben afrontar el único problema. Esos consejos te señalan tu camino. Apártate de ellos. ¡Nada de influir en la colectividad! Busca tu mayor grandeza, la más honda, la más duradera, la menos ligada a tu país y a tu tiempo, la universal y secular, y será como mejor servirás a tus compatriotas coetáneos.

Busca sociedad, sí, pero ahora, por de pronto, chapúzate en Naturaleza, que hace serio al hombre. Sé serio. Lleva seriedad, solemne seriedad a tu vida, aunque te digan los paganos que eso es ensombrecerla, que la haces sombría y deprimente. En el seno de eso que como lúgubres depresiones se aparecen al pagano es donde se encuentran las más regaladas dulzuras. Toma la vida en serio, sin dejarte emborrachar por ella; sé su dueño y no su esclavo porque tu vida pasa y tú quedarás. Y no hagas caso a los paganos que te digan que tú pasas y *la* vida queda... ¿*La* vida? ¿Qué es *la* vida? ¿Qué es una vida que no es mía, ni tuya, ni de otro cualquiera? ¡*La* vida! ¡Un ídolo pagano, al que quieren que sacrifiquemos cada uno *nuestra* vida! Chapúzate en el dolor para curarte de su maleficio; sé serio. Alegre también; pero seriamente alegre. La seriedad es la dicha de vivir *tu* vida sentada sobre la pena de vivirla y con esta pena casada. Ante la seriedad que las funde y al fundirlas las fecunda, pierden tristeza y alegría su sentido.

Otra vez más: ahora corre al campo, y vuelve luego a la sociedad para vivir en ella; pero de ella despegado, desmundanizado. El que huye del mundo sigue del mundo esclavo, porque lo lleva en sí; sé dueño de él, único modo de comulgar con tus hermanos en humanidad. Vive con los demás, sin singularizarte, porque toda singularización exterior en vez de preservarla, ahoga a la interna. Vive como todos, siente como tú mismo, y así comulgarás con todos y ellos contigo. Haz lo que todos hagan, poniendo al hacerlo todo tu espíritu en ello, y será cuanto hagas original, por muy común que sea.

Sólo en la sociedad te encontrarás a ti mismo; si te aíslas de ella no darás más que con un fantasma de tu verdadero sujeto propio. Sólo en la sociedad adquieres tu sentido todo, pero despegado de ella.

Me dices en tu carta que, si hasta ahora ha sido tu divisa, ¡adelante!, de hoy en más será, ¡arriba! Deja eso de adelante y atrás, arriba y abajo, a progresistas y retrógrados, ascendentes y descendentes, que se mueven en el espacio exterior tan sólo, y busca el otro, tu ámbito interior, el ideal, el de tu alma. Forcejea por meter en ella al universo entero, que es la mejor manera de derramarte en él. Considera que no hay dentro de Dios más que tú y el mundo y que si formas parte de éste porque te mantiene, forma también él parte de ti, porque en ti lo conoces. En vez de decir, pues, ¡adelante!, o ¡arriba!, di: ¡adentro! Reconcéntrate para irradiar; deja llenarte para que rebases luego, conservando el manantial. Recógete en ti mismo para mejor darte a los demás todo entero e indiviso. —Doy cuanto tengo —dice el generoso; —Doy cuanto valgo —dice el abnegado; —Doy cuanto soy —dice el héroe; —Me doy a mí mismo —dice el santo; y di tú con él, y al darte —Doy conmigo el universo entero—. Para ello tienes que hacerte universo, buscándolo dentro de ti. ¡Adentro!

(Miguel de Unamuno, «¡Adentro!», *Tres ensayos*, Madrid, B. Rodríguez Serra, 1900, págs. 17-22.)

2. SOBRE LA METAFICCIÓN

Primera descripción teórica hecha por José Ortega y Gasset de la metaficción, referida a Luigi Pirandello, el cofundador junto con Miguel de Unamuno, de esta manera de hacer literatura:

LA VUELTA DEL REVÉS

Al substantivarse la metáfora se hace, más o menos, protagonista de los destinos poéticos. Esto implica sencillamente que la intención estética ha cambiado de signo, que se ha vuelto del revés. Antes se vertía la metáfora sobre una realidad, a manera de adorno, encaje o capa pluvial. Ahora, al revés, se procura eliminar el sostén extrapoético o real y se trata de realizar la metáfora, hacer de ella la *res* poética. Pero esta inversión del proceso estético no es exclusiva del menester metafórico, sino que se verifica en todos los órdenes y con todos los medios hasta convertirse en un cariz general —como tendencia— de todo el arte al uso.

[...]

No obstante sus tosquedades y la basteza continua de su materia, ha sido la obra de Pirandello *Seis personajes en busca de autor* tal vez la única en este último tiempo que provoca la meditación del aficionado a la estética del drama. Es ella un claro ejemplo de esa inversión del tema artístico que procuro describir. Nos propone el teatro tradicional que en sus personajes veamos personas y en los aspavientos de aquéllos la expresión de un drama «humano». Aquí, por el contrario, se logra interesarnos por unos personajes como tales personajes; es decir, como ideas o puros esquemas.

Cabría afirmar que es éste el primer «drama de ideas», rigurosamente hablando, que se ha compuesto. Los que antes se llamaban así no eran tales dramas de ideas, sino dramas entre pseudopersonas que simbolizan ideas. En los *Seis personajes*, el destino doloroso que ellos representan es mero pretexto y queda desvirtuado; en cambio, asistimos al drama real de unas ideas como tales, de unos fantasmas subjetivos que gesticulan en la mente de un autor. El intento de deshumanización es clarísimo y la posibilidad de lograrlo queda en este caso probada. Al mismo tiempo se advierte ejemplarmente la dificultad del gran público para acomodar la visión a esta perspectiva invertida. Va buscando el drama humano que la obra constantemente desvirtúa, retira e ironiza, poniendo en su lugar —esto es, en primer plano— la ficción teatral misma, como tal ficción. Al gran público le irrita que le engañen y no sabe complacerse en el delicioso fraude del arte, tanto más exquisito cuanto mejor manifieste su textura fraudulenta.

(José Ortega y Gasset, «La deshumanización del arte», *La deshumanización del arte y otros ensayos de estética* (1925), col. Austral, Espasa Calpe, 1987, Madrid, págs. 77-80.)

TALLER DE LECTURA

1. LA NOVELA MODERNA

La obra narrativa de Miguel de Unamuno ejemplifica a la perfección eso que denominamos la *novela moderna,* la producida en Europa en el primer cuarto del siglo XX. Este tipo de ficción se diferencia de la que la precedió, la *novela realista,* en muchos aspectos, entre los que destaca como más significativo que no buscaba retratar el mundo exterior, pretendía, en cambio, representar los movimientos anímicos. La novela realista tiene un cierto parecido y afinidad con la historia, mientras que la unamuniana se asemejaría más a la psicología.

 — Intente explicar la originalidad novelística de Miguel de Unamuno y Jugo (Bilbao,1864-1936), durante cuya vida se sucedieron los siguientes ismos literarios: realismo, naturalismo, noventayocho-modernismo, vanguardia, y novela social. Con ayuda de una Historia de la Literatura o de un Diccionario de la Literatura sitúe a don Miguel en el ismo que le corresponde y diga por qué no debemos incluirlo en los demás.

De momento, y a modo de guía rápida, puede considerar que el *realismo* es la corriente literaria adoptada por los novelistas para describir la realidad tal y como es; el *naturalismo* podría definirse como un realismo llevado al ex-

tremo, es como si se representara la realidad observada en
sus más mínimos detalles, a través de un microscopio; el
modernismo supone la aparición en el texto de lo íntimo, de
lo que sucede en las galerías del alma; la *vanguardia* representa la realidad a la manera en que se hace en un cuadro
abstracto, sin orden temporal ni espacial; la *novela social*
es la que intenta contar la importancia del hombre medida
por su situación en un determinado ambiente social.

2. ACERCAMIENTO A «NIEBLA»

Las novelas y las obras teatrales de Miguel de Unamuno se caracterizan por su desnudez, es decir, por carecer de un escenario definido. Su arte, a diferencia del realista, propio del siglo XIX, se basa más en la creación de
un mundo hecho de palabras y de ideas que en la representación de sucesos ocurridos a personas de carne y
hueso, en la realidad del mundo palpable. Dicho de otra
forma, la novela de Unamuno parece que no tiene sostén
real, que las palabras son lo que hay, que los personajes
tienen huesos hechos de palabras. Y así es. Los siguientes ejercicios sirven para ir descubriendo el proceso de
creación unamuniano, su peculiaridad.

Hay dos aspectos del arte de novelar unamuniano que
resultan esenciales: en primer lugar, que sus novelas representan un mundo interior, que el carácter de las personas proviene de lo que son y experimentan por dentro,
y, en segundo, que se produce en todo momento una in-
terferencia constante de la ficción en la realidad y vice-
versa. La vida en sus novelas es una realidad de ficción
o una ficción de la realidad.

 — Reflexione y comente este pasaje clave de Miguel de Unamuno, de su libro de *Tres ensayos*, publicado en 1900, que figura como último párrafo
del primer capítulo titulado «¡Adentro!» (Puede
leerlo entero en la Documentación complementaria.)

En vez de decir, pues, ¡adelante!, o ¡arriba!, di: ¡adentro! Reconcéntrate para irradiar; deja llenarte para que rebases luego, conservando el manantial. Recógete en ti mismo para mejor darte a los demás todo entero e indiviso. —Doy cuanto tengo —dice el generoso; —Doy cuanto valgo —dice el abnegado; —Doy cuanto soy —dice el héroe; —Me doy a mí mismo —dice el santo; y di tú con él, y al darte —Doy conmigo el universo entero—. Para ello tienes que hacerte universo, buscándolo dentro de ti. ¡Adentro!

3. LA VIDA POR DENTRO: LA INTIMIDAD DEL SER

Así como la novela del siglo XIX fue la que introdujo muchas novedades en la manera de contar lo que sucedía en los espacios públicos, la novela de comienzos del siglo XX, más intimista, contribuirá a afianzar algunas de las técnicas decimonónicas, como el diálogo y el estilo indirecto. Además, introducirá las técnicas que sirven para representar cómo piensan los personajes por dentro, en su estar a solas consigo mismo.

 — Hágase un análisis del primer capítulo de la obra. Separe (1) los trozos contados por el narrador, como el primer pasaje del libro, de (2) los que van entrecomillados, que contienen los pensamientos del protagonista, Augusto Pérez, de (3) los pasajes dialogados; a continuación, contraste los trozos contados por el narrador con los entrecomillados, donde se habla el personaje a sí mismo; después, examine el carácter de los trozos de diálogo; para terminar, responda a la siguiente pregunta: ¿qué tipo de información aporta cada uno de los pasajes, el narrativo, el del monólogo del personaje y el de los diálogos?
— Afirme o contradiga las siguientes propuestas:
1. El narrador es el que ordena la escena, el escenario, donde ocurren los sucesos narrados.
2. Los diálogos trasmiten el desarrollo del argumento novelesco en su aspecto más exterior.

3. Los monólogos cuentan al lector el desarrollo interior del argumento.

4. LA «NIVOLA» O LA NOVELA DE ACCIÓN INTERIOR

Cuando distinguimos una novela clásica o tradicional de una moderna lo solemos hacer definiendo a la primera como el tipo de novela que cuenta el desarrollo de una acción o serie de aventuras o la vida de un personaje o de un grupo de personas. En cambio, la novela moderna en muchos casos apenas cuenta acciones, se trata, más bien, de presentar los sutiles cambios anímicos de un personaje, lo cual hace que la acción, la aventura, pase a un segundo lugar.

 — Lea atentamente las páginas 157, 158 y 232-233 de la obra y apunte las características de la novela que piensa escribir Víctor Goti.
— Coteje sus notas con la lista siguiente:
1. Una novela sin argumento.
2. Escribir a lo que salga, como se vive la vida, sin plan previo.
3. Que tenga mucho diálogo.
4. Que el autor no se interponga entre el texto y el lector.
5. Aunque, por supuesto, todo lo que dicen los personajes lo dice el autor.
6. O, que los personajes juegan con el autor.
7. Será una *nivola* en vez de una novela.
8. ¿Qué papel juega en este tipo de novela el lector?

5. MIGUEL DE UNAMUNO Y LA NOVELA

Los novelistas del siglo XIX, como el francés Gustave Flaubert y nuestro Benito Pérez Galdós, ambos pertenecientes a la corriente del realismo, preferían hacer un guión, un esquema, antes de redactar sus obras. Todos ellos tenían la costumbre de guardar amplias notas de los lugares que visitaban, que luego utilizaban como escenarios en sus obras, e incluso, y Galdós lo hacía siempre, apuntaban la manera de hablar de las gentes que conocían, para acto seguido reproducirla en sus páginas. Los realistas dependían menos de la inspiración del momento que quienes, como Unamuno, se dejan llevar por lo que se les va ocurriendo según redactan el texto.

 — ¿Qué diferencia hay entre escribir a lo que salga, modo preferido por Unamuno, y redactar con un plan previo?

— ¿Cómo un autor puede interferir en las relaciones entre el lector y el texto?

— Piense en todas las cosas que un autor puede hacer a su personaje al escribirlo, y luego considere las posibilidades de manipular al lector, entre otras, la de no decir la verdad, como sugiere Víctor Goti en el prólogo del libro.

— ¿Son los personajes literarios autónomos?

— ¿Cómo se diferencia una novela de una *nivola?*

6. UNAMUNO, AUTOR DE NOVELAS

Al hablar de Miguel de Unamuno como autor de novelas debe tenerse en cuenta que no se trata de un autor corriente o tradicional, es decir, una persona que sabe contar historias para captar el interés del lector y entretenerlo, sino de un artista muy consciente de los modos de novelar. Esto supone que Unamuno se preocupaba al escribir tanto de ir conformando una historia novelesca, un argumento, como de atender a la manera cómo la escribía y sus consecuencias. Por lo tanto, su finalidad como novelista era contar una historia e incluir en su texto sus reflexiones sobre el arte de novelar, lo que se denomina el nivel metaficticio, lo que está por encima de la ficción.

— Lea con atención el último pasaje del capítulo XXV de la novela, pensando en las relaciones entre el autor y sus criaturas, los personajes literarios. ¿De qué manera un autor puede considerarse el dios de su particular creación, el libro? ¿Por qué el autor se cree superior a sus criaturas? ¿Es posible que esa superioridad oculte un complejo de inferioridad autorial, humano?

7. ANÁLISIS DEL TEXTO

Al terminar de contestar las preguntas que contiene este apartado se tendrá una idea bastante justa de lo que podemos denominar la estructura del libro, es decir, de la manera en que se ensamblan los diferentes componentes del texto. Resulta esencial responder bien a la primera pregunta, a la reconstrucción del argumento. Recuérdese que el *argumento* de una novela es la *historia* que narra la misma, organizando los hechos que la componen de acuerdo a su suceder cronológico, mientras que con los términos *trama* o *discurso* nos referimos a esos mismos sucesos tal y como son contados en el libro.

 — Haga una reconstrucción del *argumento* de esta novela, estableciendo los hechos más relevantes de la *historia* contada.

— Determine qué *historias secundarias* encuentra que complementan la central, la historia de la relación de Augusto y Eugenia, y su transformación en la historia de la existencia de Augusto.

— Trate de analizar *el tiempo* en esta obra. ¿Cuánto tarda en ocurrir la obra? ¿Tenemos aquí un *tiempo interno*, el de los pensamientos, y un *tiempo externo*, el de los hechos o sucesos del argumento? Intente establecer una relación entre ambos.

— ¿En qué *lugar* ocurre la acción? Sabemos que es una ciudad. Diga todo lo que sabe del lugar donde sucede la novela.

— ¿Quién cuenta la historia? Desde luego hay un *narrador* y muchos personajes que ayudan a narrar la historia. Intente decir algo de su función.

— ¿A qué *lector* piensa que va dirigida esta obra? ¿Debe ese lector complementar el mensaje de la obra o simplemente asentir a lo dicho por el autor?

8. CLAVES Y TEMÁTICA UNAMUNIANAS

Miguel de Unamuno al igual que Miguel de Cervantes gustó del uso de las novelas intercaladas dentro del texto central de la novela para dar profundidad, doblar el efecto de una determinada historia o parte de la historia contada. Estas novelas desempeñan, pues, el papel de espejos dentro de la obra que reflejan con gran verdad lo que sucede a determinados personajes.

 — A continuación, analice esas novelas intercaladas para que se ejercite en el entendimiento de los temas tratados en dichas novelas y sus repercusiones en la historia central de la novela. Por ejemplo: la novela de don Avito Carrascal (pág. 13); la de don Eloíno Rodríguez de Albuquerque y Álvarez de Castro (pág. 154); la de don Antonio (pág. 180); la leyenda del fogueteiro (pág. 186), o la novela de don Antolín Paparrigópolus (pág. 191).

— Otro aspecto sobresaliente de la obra de Unamuno es la reiteración de unas palabras y temas claves, que indico como una posible fuente de reflexión sobre el pensar de este singular autor: «mi casa no es hogar» (pág. 69); «la mujer como madre» (pág. 132); «la partida de ajedrez» (pág. 134); «diferentes clases de lágrimas» (pág. 165); «es mejor distraerse a que lo distraigan» (pág. 178); «no pueden soñar dos personas la misma cosa» (pág. 221).

— Piense en los *significados de la palabra niebla* e intente explicar cómo se aplican o no a esta novela, y de qué manera la explican, para así poder comprender el significado total de esta obra maestra de la literatura española.

— ¿Qué sentido debe atribuirse a la afirmación de que la novela de Unamuno es una obra que supone un acto de conocimiento? ¿Nos ayuda en verdad a entendernos a nosotros mismos o, al menos, a interrogarnos sobre nuestra manera de ser y nuestro destino?

— Esta obra ha sido llevada ya al cine. Si usted tuviera que elegir las imágenes sobresalientes de esta novela para que fueran las principales en una supuesta nueva película basada en la novela, ¿cuáles serían? Piense esta novela en imágenes. Calibre las dificultades y los alicientes de verla en imágenes.

— ¿Consiguió Unamuno su propósito de ser inmortal? ¿El que lo leamos hoy y comentemos sus obras cumple su deseo de permanecer inmortal en la mente de sus lectores?

9. LA NOVELA «NIEBLA» EN LA PERSPECTIVA DE LA CULTURA ESPAÑOLA

Miguel de Unamuno fue una persona muy particular: un vasco, que estudia filosofía y letras en Madrid, afincado durante su edad adulta en la ciudad de Salamanca, de cuya universidad fue catedrático de griego y rector. También vivió en el exilio (1924) por su oposición al dictador Miguel Primo de Rivera. Fue además un hombre profundamente religioso, aunque con una religiosidad muy particular, y que sufrió una importante crisis de fe. Practicó con brillantez todos los géneros literarios conocidos: la poesía, el teatro, el ensayo y la narrativa, tanto la larga y la corta, como el cuento.

Su vida, cuyo mínimo bosquejo acabamos de ver, indica que tras la obra del artista hay un hombre complejo, que vivió intensamente los problemas de su tiempo. Es, sin duda, el mejor ejemplo de lo que denominamos un escritor de la generación del 98 y del modernismo.

 — Los contemporáneos del autor vasco se llamaron, entre otros, Azorín, Pío Baroja, Juan Ramón Jiménez, Antonio y Manuel Machado, Ramiro de Maeztu, Ramón María del Valle-Inclán, Jacinto Benavente. ¿Qué los une?

— Piense, por último, que mientras Miguel de Unamuno escribía sus obras literarias en Salamanca, Pablo Picasso pintaba en París y Luis Buñuel comenzaba en Madrid a interesarse por el cine. La cultura española del primer tercio del siglo XX fue esplendorosa y por eso denominamos al período que compartieron los mencionados artistas la Edad de Plata de nuestra historia reciente. ¿Qué puede unir a un escritor, a un pintor y a un director de cine?

10. BIBLIOGRAFÍA ADICIONAL

CARAZO, Miguel A.: *Unamuno desde una perspectiva interdisciplinar,* S. Roderer Verlag, Regensburg, 1994.

CEREZO GALÁN, Pedro: *Las máscaras de lo trágico. Filosofía y tragedia en Miguel de Unamuno,* Trotta, Madrid, 1996.

HANSEN, Keith W.: *Tragic Lucidity. Discourse of Recuperation in Unamuno and Camus,* Peter Lang, New York, 1993.

IMÍZCOZ BEUNZA, Teresa: *La teoría poética de Miguel de Unamuno,* EUNSA, Pamplona, 1996.

LA RUBIA PRADO, Francisco: *Alegorías del pensamiento de la voluntad. Pensamiento orgánico, retórica y deconstrucción en la obra de Miguel de Unamuno,* Libertarias/Prodhufi, Madrid, 1996.

— *Unamuno y la vida como ficción,* Gredos, Madrid, 1999.

MAESTRO, Jesús. G.: *La expresión dialógica en el discurso lírico. La poesía de Miguel de Unamuno. Pragmática y traducción,* Universidad de Oviedo y Reichenberger, Kassel, 1994.

URRUTIA, Manuel: *Evolución del pensamiento político de Unamuno,* Universidad de Deusto, Bilbao, 1999.

COLECCIÓN AUSTRAL

EDICIONES DIDÁCTICAS